In de ban van de tegenstander

HANS KEILSON

In de ban van de tegenstander

Vertaald door M.G. Schenk

Volledig herzien door Frank Schuitemaker

VAN GENNEP | AMSTERDAM

Eerste druk december 2009
Elfde druk februari 2012

Oorspronkelijke titel en uitgave *Der Tod des Widersachers*,
Westermann Verlag, Braunschweig, 1959

Nieuwezijds Voorburgwal 330, 1012 RW Amsterdam
Ontwerp omslag Erik Prinsen
Drukwerk Hooiberg|Haasbeek, Meppel
ISBN 978 90 5515 9888
NUR 302

De hier gepubliceerde aantekeningen kreeg ik kort na de oorlog in Amsterdam van een Nederlandse advocaat. Hij had ze, vertelde hij, ongeveer tweeënhalf jaar na het uitbreken van de oorlog van een cliënt gekregen, een man van net dertig die hij weleens had geadviseerd in gewone zakelijke aangelegenheden, niets bijzonders. Zij waren nooit op vertrouwelijke voet geweest, dus dat kon niet de reden zijn dat zijn cliënt, voordat die enige tijd van het toneel verdween om zichzelf in veiligheid te brengen, hem als zijn juridische raadsman een stapel beschreven vellen had overhandigd, met de verzekering dat deze papieren hem niet in gevaar brachten en dat ze overal konden worden opgeborgen. De advocaat had het toch verstandiger gevonden ze samen met dingen van hemzelf en van andere cliënten onder zijn huis te begraven, waar ze de oorlog overleefden. De meeste begraven papieren waren door hun bezitters teruggehaald, maar deze aantekeningen waren in zijn bureaula blijven liggen.

'Alstublieft,' zei hij en gaf mij het pak. Het zat vol vlekken, was gekreukeld, de inkt was voor een deel uitgevloeid alsof het pak een tijdlang in het water had gelegen.

'Het is in 't Duits,' zei ik verbaasd.

‘Leest u het maar eens,’ antwoordde hij kort.
‘Het is dus niet afkomstig van een Nederlander,’ zei ik.
‘Nee, leest u het maar en vertelt u me dan eens wat u ervan vindt.’
Ik begon te vragen naar de auteur, maar hij ontweek het antwoord. Ik wist dat hij zelf voortreffelijk Duits sprak en ik vroeg me af of hij soms zelf de schrijver was. Ik stelde voorzichtige vragen. Hij lachte en zei alleen: ‘Doet u me het genoegen het te lezen.’
‘En dan?’ vroeg ik.
‘Dat weet ik niet. Misschien krijgt u een idee.’
‘Is het geen mystificatie?’
‘Nee, nee,’ antwoordde hij snel. ‘Overtuigt u zichzelf maar. Deze papieren bevatten aantekeningen die wij zonder enige twijfel moeten beschouwen als een poging van de schrijver om met zichzelf in het reine te komen over zeer persoonlijke problemen. Maar leest u ze eerst eens, dan kunnen wij er later wel over praten. Hij was een vluchteling.’
‘Dat waren wij allemaal.’
‘Ik krijg ze wel weer van u terug?’
Hij sloot de la waaruit hij het pak had gehaald. Ik keek hem aan, wilde nog enkele vragen stellen. Maar hij had geen geduld meer. Ik deed het niet.
‘Is er haast bij?’ vroeg ik alleen nog.
‘Nee,’ antwoordde hij. ‘Brengt u het me maar eens hier op kantoor terug.’
Wij namen afscheid.
Een paar dagen later belde hij me op en vroeg het adres van een wederzijdse kennis die plotseling weer was opgedoken. Ik gaf het hem.
‘En?’ vroeg hij.
‘Ik heb nog geen tijd gehad,’ antwoordde ik.
‘Er is geen haast bij. Wij spreken elkaar nog weleens?’
‘Ik kom het u terugbrengen,’ zei ik.
‘Goed,’ zei hij lachend.
Kort daarna las ik alles.

1

Sinds dagen en weken denk ik aan niets anders meer dan aan de dood. Na een droomloze nacht sta ik elke ochtend vroeg op, hoewel ik normaal graag lang uitslaap. Ik voel me zo vol leven en sterk als ik me lang niet heb gevoeld. Ik begroet de nieuwe dag want hij brengt me weer de gedachte aan de dood. Bij elke ademhaling dringt hij dieper door tot in de meest verborgen uithoeken van mijn lichaam, hij vervult mij geheel. Het is de dood die nu mijn pen bestuurt. De dood. God weet welke ervaring deze gedachte als eitjes in mijn hersenen heeft gelegd, als eitjes die ongemerkt werden uitgebroed. Tot op een dag de schaal barstte en hij zich aan mij voorstelde. Aha, dacht ik toen hij de eerste keer in me opdook, daar is hij dus, en ik begroette hem zoals je een oude bekende begroet die een trein later is gekomen dan je verwachtte. De waarheid was dat ik helemaal niet op hem had gewacht, hij kwam me nog altijd te vroeg en te veel als een verrassing. Ik hoopte niet eens dat hij zou komen. Lang geleden, toen ik anderen hoorde vertellen over hun gedachten aan de dood – en mensen praten over niets liever dan wat zij hun laatste ogenblikken noemen – schoot door me heen: en jij, hoe staat het tussen jou en de dood? Daarbij rookte ik dan rustig mijn sigaretje en dronk mijn zoete thee, luisterde naar hun verhalen en voelde me uitstekend. Ik dacht er verder niets bij. Ik was wat je noemt een neutrale toeschouwer. De dood? Laat maar komen, dacht ik. Of loop naar de hel. Nee echt, wat moet ik ermee, ik ben nog jong en gezond, jawel, ik voel me goed en ben hopelijk nog niet 'uitverkoren'. Maar dat is allemaal veranderd sinds ik aan de dood denk. Verder doe ik nu niets dan zitten, zitten en aan hem denken. Ik denk zo met heel mijn lijf aan hem dat als ze mijn hoofd zouden afhakken, mijn maag of mijn rechterknie de gedachte aan hem zou overnemen en die – daar durf ik om te wedden – feilloos ten einde zou denken en afronden. Zo vol zit ik met de dood, zo verzadigd ben ik.

Vertellen hoe hij binnenkwam in mijn hoofd, in mij? Ik weet het niet meer en ik wil de draden liever zo verward laten liggen als ze geknoopt werden. Dat is zoiets als de vraag van de dokter wanneer die pijn in je arm voor het eerst opkwam. Als je dan naar beste weten en eerlijk kon antwoorden, dan zei je misschien: 'Op een dinsdag, ik herinner het me nog precies, ik liep over de paardenmarkt en ontmoette een kennis. Die vertelde me dat hij zo nu en dan een steek in zijn arm voelde, ergens bij zijn schouder. "Misschien reumatiek," zei ik, "wie weet." En toen ik doorliep, voelde ik ook zo nu en dan iets heel licht trekken in mijn arm, tot in mijn schouder toe. Daar had je het weer, heel zachtjes, misschien voelt een moeder zo de eerste beweging van haar kind in haar buik.' – Ach welnee, wie weet zoiets nou? Iemand die je zo'n verhaal zou vertellen is een dwaas, en wie het gelooft is een zot.

Ik kan niet zeggen hoe het was toen de dood bij mij introk, maar wel hoe het was toen ik hem ontdekte. Zoals wanneer je 's nachts uit een verkwikkende slaap wordt gewekt door een gemene pijn. Maar dit was geen pijn, het was iets heel anders. Iets wat veel bezielender was dan pijn vulde me. Ik stroomde bijna over.

Nu moet ik eerst even zeggen *hoe* de gedachte aan de dood was die mij verraste. Ik werd niet gegrepen door de gedachte aan een dood die ik eens, binnenkort of in een verre toekomst, zou sterven.

Bij de eeuwige sterrenhemel – zo'n domme gedachte past niet bij mij en ik zal me er, hoop ik, ook nooit mee hoeven bezighouden. De gedachte aan mijn eigen dood laat me koud, die doet me niets. Ik kan me gewoon niet voorstellen dat iemand zich serieus kan bezighouden met de gedachte aan zijn eigen dood. Dat gaat me niet aan, zou ik zeggen, mijn dood is mijn zaak niet, en wie daar toch aan denkt maakt zijn leven klein, terwijl het toch zo groot kan zijn als je zelf wilt – dan stel je vrijwillig paal en perk aan je eigen leven. Een mens als ik – en ik ben gelukkig de enige niet – leeft en werkt en begint zijn dag alsof alles eeuwig en ononderbroken zo doorgaat, in de naam van de hemel en van alle rechtvaardigen, tot aan het einde der tijden.

Het was de gedachte aan de dood van mijn vijand, die me deed rillen als in een koude nacht. De dood van mijn vijand – dat is het waaraan ik denk met alle verrukking die denken kan hebben voor iemand als ik, voor wie een gedachte iets levends is. De dood van mijn vijand – daaraan denk ik, die doorleef ik met alle ernst en alle grootsheid van een gedachte aan een vijand die je dierbaar is. De dood van mijn vijand – op elk uur van de dag is een deel van mijn gedachten daaraan gewijd. Het zijn de mooiste ogenblikken van de dag, afgezien van de avonden en nachten, als louter en alleen deze gedachte me beheerst. De dood van mijn vijand – gezegend zij de gedachte aan de dood van mijn vijand. Zoals een bruid verlangt naar haar bruidegom, zo moet je steeds sterker gaan verlangen naar je eigen dood, zeggen mensen die er een vreemd genoegen in scheppen dood en liefde met elkaar in verband te brengen. Geleidelijk zou je eraan moeten wennen om je dood waardig te worden. Alleen wie dat heeft geleerd, heeft werkelijk geleefd. Zegt men. Welnu, velen heb ik gezien die langzaam en pijnlijk naar hun eigen dood toegroeiden, maar van de dood van hun vriend gingen ze tegen de vlakte.

Weinigen heb ik gezien die waren opgewassen tegen de dood van hun vijand. Sinds deze gedachte me in zijn greep heeft, is mijn leven opgestuwd naar een hoger doel. Nooit heb ik dit doel gezocht, nooit heb ik gedacht dat het voor mij klaar stond. Leeg was mijn leven tot ik voelde welk doel op aarde voor een mens klaar kan staan. Al die andere doelen die je je stelt, in de waan dat geluk, liefde en haat je heen kunnen helpen over die schamele rest die van je ontzielde lichaam overblijft, zulke doelen betekenen niets, want zelfs de allernobelste leugen kan niet de brand blussen die de dood in zo'n hooggestemd gemoed sticht in het uur van de waarheid.

Nu: een suizen in de lucht als bij het vellen van een oude sterke boom, een pijl recht in de ijsblauwe schittering van een winterdag – mijn ziel is feestelijk gestemd, mijn vijand betreedt het witte land van zijn dood.

Ik wil dat hij, die altijd geweten heeft dat hij mijn vijand was en ik de zijne, in zijn stervensuur beseft dat mijn gedachte aan zijn dood onze vijandschap waardig is. Ik neem daar niets van terug, ook nu niet. Die vijandschap blijft ons eeuwig eigendom tot in zijn laatste uur op aarde. Dat ben ik die vijandschap, die ons leven heeft vervuld, ook in de dood verplicht. Het was een lange weg tot mijn vijand aan zijn einde kwam. Het ging van overwinning tot overwinning naar triomf, het was de tocht van een onsterfelijke. Het ging ook door diepe dalen, door moerassen en poelen waarin broeiende lusten kiemen in een stank van valsheid en ziekte – de weg van een sterveling, zoals de mijne. Nu heeft hij zijn grootste triomf geleden: hij betreedt het witte land van zijn dood.

Langer nog was de weg voor mij, totdat ik vrij was van de pietluttigheden waar haat en wraak maar al te graag gebruik van maken en ik hem op zijn laatste gang tegemoet kon gaan. Weliswaar gloeit in mijn gedachten ook nu nog een vonkje haat en wraak na, een spoortje verbittering schrijnt nog. Ik zou graag ook dit nog uit mijn gedachten rukken, deze laatste wellustige wortels van woede en leedvermaak uitroeien: ik ben het die hier zit en wacht, hij gaat zijn dood tegemoet; hoor je wel? Hij gaat zijn dood tegemoet! (Je kunt de diepe rimpels niet uit je gezicht snijden als de rotte plekken uit een appel, je draagt je gezicht met je mee, dat moet je weten ook, je ziet ze dagelijks in de spiegel, bij het wassen, maar je kunt ze er niet uitsnijden, ze horen in je gezicht.) Desondanks: feestelijk is het wachten, vol vreugde en rouw en herinnering en afscheid en tot nimmermeer.

Ik heb hem niet de dood toegewenst zoals je iemand iets slechts toewenst of zoals je probeert je tegenstander van je af te schudden door hem dood te wensen.

Wat vergis je je toch als je gelooft dat de dood een soort straf is. Ook ik was heel lang een slachtoffer van deze domme dwaling, dat geef ik toe. Zo sterk was de haat, het verlangen naar wraak. Wraak niet alleen voor mijzelf, niet alleen om de ramp in mijn eigen leven, destijds, toen het nog voelde als een aanslag op mij persoonlijk, maar ook wraak voor de anderen van mijn volk, die net zo leden als ik. Gelukkig zag ik tijdig hoe dom zo'n gedachte is. Dat ik dat inzag, ook daarvoor dank ik mijn vijand.

Mijn vijand – ik zal hem B. noemen – kwam twintig jaar geleden in mijn leven, ik weet het nog precies. Destijds wist ik nog nauwelijks wat het betekent om een vijand te zijn, en al helemaal niet wat het betekent een vijand te hebben. Een volwassen vijandschap moet rijpen, net als de mooiste vriendschap.

Vaak hoorde ik hoe vader erover sprak met moeder, meestal op die fluistertoon van volwassenen die niet willen dat de kinderen het horen. Er lag een nieuwe vertrouwelijkheid in hun woorden. Zij praatten om iets te verbergen. Maar de kinderen voelen met hun scherpe gehoor de geheimen en de angsten van de ouders en groeien ernaartoe. Vader zei: 'Als B. ooit aan de macht komt, dan zij God ons genadig! Dan zullen wij pas wat beleven.'

Moeder antwoordde rustiger: 'Wie weet hoe het loopt. Zo machtig is hij nog niet.'

Ik zie nog voor me hoe ze toen bij elkaar zaten en praatten. Vader zit in de keuken op een laag krukje, een kleine gedrongen man, ietwat gezet, hij leunt met zijn ellebogen op de rand van de kast, die de hele muur in beslag neemt. Zijn ronde hoofd houdt hij wat schuin, zijn gespreide hand draagt het gewicht. Hij heeft gesproken, maar met zijn hoofd schuin lijkt hij met een oor te luisteren of hij een boodschap krijgt. Hij luistert. Zo te zien is het een treurige boodschap. Bij het spreken én het luisteren is er treurnis en pijn op zijn gezicht, alsof heel diep vanbinnen een zwarte sluier over dat gezicht is gevallen die het verbergt en tegelijk als achtergrond dient, en vóór die sluier zie je het andere, de buitenkant – spieren, huid, haar – dat beweegt, dat brengt het zo nu en dan zelfs nog tot een lachje, maar steeds als je dit gezicht bekijkt, weet je: op de achtergrond, waar het eigenlijk gebeurt, helemaal binnenin, daar liggen pijn en treurnis.

Zijn vrouw, mijn moeder, leunt tegenover hem tegen de tafel, buigt zich langzaam naar voren, naar de smalle lege ruimte die een gang tussen hen laat, een gang die gevuld wordt door het afnemende en aanzwellende zoemen van een vlieg, zij kijkt op hem neer zoals hij daar kleintjes zit op zijn krukje, kleiner dan een kind, want hij is een volwassene. Zo heeft zij zich al ontelbare malen toegebogen naar alles wat kleiner en zwakker is, en zonder dat ze het merkt voegt haar lichaam zich vanzelf in deze gebogen houding, hoewel het nog recht en jong lijkt. Zij weet dat hij niet hoort wat haar woorden willen overbrengen, dat niets door die sluier breekt wat van buiten komt, maar dat zij zich naar hem toebuigt over de lege ruimte tussen hen in – dát bereikt hem wel. En hij, die met zijn werk de tijd in vele kleine stukjes hakt, die een beweging kan laten bevriezen tot een ademloos ogenblik en toch probeert in die verstarring nog iets te vangen van wat zich beweegt, hij voelt de beweging naar zich toe komen en begrijpt zo wat anderen begrijpen door woorden.

Hij was boven gekomen uit zijn donkere kamer, waar de platen drijven in grote glazen schalen tot het beeld erop ontstaat, en hij was regelrecht naar de keuken gegaan, waar niemand was. Hij ging op het laagste krukje zitten. Zijn vrouw hoorde hem boven komen en naar de keuken gaan. Zij ging naar hem toe.

De keuken is de kaalste plek van het hele huis, met groen geverfde meubelen, schoon geschrobd en gladgeschuurd. Voor het doekenrekje hangt een witte sierhanddoek met blauw borduursel en aan de schoorsteenrand een wit valletje van kant. Het is er koel en kaal. In het midden hangt een wit porseleinen lampje aan een lange bruine pendel. Achter zijn rug verbergt een verschoten gordijn twee planken met schoenen, daaronder liggen op de grond in een hoek oude kranten.

Op dit ogenblik komt het kind binnen, dat door de gesloten deur stemmen heeft gehoord. Het zijn stemmen die nog iets zeggen wat achter de woorden ligt, en het kind, nieuwsgierig geworden, wordt daardoor naar de keuken gelokt.

Voor het kind is de keuken een plek vol lekkers en zoete geheimen, met heerlijke verrassingen om je vingers in te steken en ze dan af te likken, geen plek voor ernstige gesprekken.

Alleen het einde van hun gesprek weet ik nog. Het zijn niet enkel de woorden die ik me herinner, omdat ik toen voor het eerst bewust de naam hoorde die ik nooit meer zou vergeten. Maar woorden zijn vaak erg onbelangrijk. Ook al ben je die vergeten, dan nog herinner je je het totale beeld: twee mensen, in een kale keuken, de een zit en steunt zijn hoofd in zijn gespreide hand, de ander staat, tussen hen een smalle lege ruimte waarin het lichaam van de vrouw zich naar voren buigt. Je herinnert je ook wat die twee gemeen hebben: iets wat onweerstaanbaar op hen afkomt; de een verwacht al niet anders meer en strekt zich uit alsof hij erheen wil vluchten om daar beschutting te vinden; de ander recht de rug, wil opstaan, is bereid ertegen in te gaan: tegen die onweerstaanbare dreiging. Die zit in het totale beeld, maar ook in elk detail, in de plooi van het verschoten gordijn waarvoor vader zit, in de vlieg die rond de lamp cirkelt en zoemt door de ruimte tussen die twee. Die zit ook in de blank geschuurde houten vloer en in de gesloten kastdeuren en in de schakelaar bij de deur. De onweerstaanbare dreiging is overal en welk detail je je ook herinnert, steeds roept het een het ander op en het voegt zich aaneen tot het totaal dat heel diep in het geheugen is geborgen en daar nog altijd ligt. Het is geen angst, het is iets veel sterkers en concreters dan angst. Je voelt hoe het langzaam nadert, het drukt op je schouders. Je kunt het wegduwen, erin bijten, je ertegen verzetten. Het is even reëel als de schakelaar en de vlieg en de oude kranten in de hoek achter het gordijn.

Dit alles was de indruk van enkele seconden, op het moment dat ik binnenkwam. Het gesprek ging nog even door. Vader keek me daarbij onderzoekend aan, alsof hij heel ernstig over mij nadacht. Het duistere verdween uit zijn ogen. Moeder ging weer rechtop staan en lachte tegen me.

'Het is nog lang niet zover,' zei zij. 'En wie weet.'

Hij haalde een ontspanner uit zijn zak en begon ermee te spelen.

'Vandaag heb ik een hond en een kat gefotografeerd,' zei hij. 'En,' riep ik opgewekt, 'konden ze goed opschieten met elkaar?' 'Nee,' antwoordde hij vrolijk.

'Hoe hebt u ze dan kunnen fotograferen?' vroeg ik.

'Ik zal het je vertellen. Er komt een dame in mijn atelier. Aan de lijn heeft ze een mooie grote dog, aan haar andere arm hangt een rieten mandje met een angorakatje. "Dit zijn Boetie en Hoetie," zei zij. "Kunt u een foto van hen maken? Het zijn de braafste dieren van de wereld, zij zijn nu al een jaar bij elkaar. Het zijn onze kinderen, behalve dat zij veel beter met elkaar opschieten dan broertjes en zusjes. Mijn man wil voor zijn verjaardag graag een foto hebben waarop zij heel vredig naast elkaar liggen. Die foto wil ik hem geven als een herinnering."

"Waaraan moet het hem herinneren?" viel ik haar in de rede.

"Nu ja, aan het feit dat in ons huis honden en katten vreedzaam samenleven."'

'Jij met je verhalen!' lachte moeder en stak dreigend haar vinger op.

'Maar het is echt gebeurd,' verdedigde hij zich.

'Waar of niet waar,' ging zij geamuseerd verder.

'Maar ze konden toch helemaal niet goed met elkaar opschieten,' kwam ik er nu tussen. 'U zei eerst...'

'Jullie hebben me niet laten uitpraten.' En hij ging verder: 'De dame haalt de poes uit het mandje en zet hem op de grond. De hond gaat even op zijn achterpoten zitten, staat dan weer op en begint goedmoedig door het atelier te sjokken. De kat sluipt onder de tafel en begint zichzelf schoon te likken. Ondertussen bespreek ik de zaak met de dame, we bespreken het formaat van de foto en het aantal afdrukken. Zij vraagt er zo veel dat ik haar ervan verdenk dat zij haar hele familie en al haar kennissen de foto als herinnering wil geven. Wij worden het eens over de prijs. Dan denk ik na over de compositie. Het moet een eenvoudige foto worden. "Op de achtergrond misschien een tafeltje met wat bloemen?" vraag ik. "Goed," zegt zij, en direct daarna: "Nee, toch maar liever niet. Het moet een foto zijn van beide dieren, en bloemen zouden de aandacht kunnen afleiden." Ik pak een lage stoel, leg er een gele lap overheen, de dame lokt de poes onder de tafel vandaan, tilt hem op de stoel, de poes begint te spinnen, de hond komt aansjokken en verwaardigt zich na enkele vriendelijke woorden weer op zijn achterpoten te gaan zitten. Ik stel mijn lampen in, steek het bovenlicht aan en draai twee kleine schijnwerpers zo dat het groepje de juiste belichting krijgt. De dame staat bij de dieren, zij spreekt ze voortdurend vriendelijk toe. Maar dan springt de poes van de stoel, de hond blijft stokstijf zitten en kijkt vol belangstelling toe. "Boetie, kom!" roept de dame. Boetie sluipt naderbij en wordt weer op de stoel gezet, blijft een ogenblik stil zitten, rekt zijn hals en kijkt naar het plafond, zodat het net lijkt of hij evenwichtskunstjes uithaalt met zijn snorharen, hij knippert met zijn ogen, kijkt onrustig alle kanten uit en springt weer van de stoel. Op datzelfde ogenblik roept de dame: "O, ik ben vergeten hem zijn halsband om te doen." Zij grabbelt in haar tas. "Als ik 'm nu maar niet vergeten ben," mompelt zij. "Nee, daar heb ik hem al. Kom, Boetie, ik moet je je halsband omdoen, je moet toch echt mooi zijn als je wordt gefotografeerd." De poes zit weer onder de tafel en komt met een hoge rug aarzelend tevoorschijn. De dame bukt zich en doet het dier zijn halsband om. Daarna tilt zij de poes weer op de stoel en op hetzelfde ogenblik waarop zij het dier loslaat, maakt de poes weer aanstalten van de stoel te springen. "Maar Boetie dan toch," roept de dame een beetje boos, en terwijl zij met haar beide handen de poes op de stoel gedrukt houdt, draait zij zich om en vraagt me of het nog lang duurt. Zij is zichtbaar zenuwachtig en vraagt zich kennelijk af of er wel iets terecht zal komen van haar plannen. "Ik ben klaar," zeg ik. "Nog één snoer in het contact steken." "Boetie wordt zenuwachtig van het vele licht," zegt de dame.'

Hij onderbrak zijn verhaal en keek even spottend naar mij. 'Moeders moeten het gedrag van hun kinderen, die ze eerst hebben geroemd als het toppunt van braafheid, ook altijd vergoelijken als die kinderen zich bij vreemden misdragen – of niet soms?'

Hij hield zijn ronde hoofd een tikje schuin, zijn wat toegeknepen ogen keken in het rond. Hij zweeg alsof hij op applaus wachtte. Hij gaf graag dergelijke algemene commentaren vermomd als objectieve feiten, waarbij wij allemaal wisten wat hij eigenlijk bedoelde. Maar moeder had in de loop der jaren geleerd daar niet op in te gaan. Zij zweeg dus ook, alsof zij helemaal in de ban was van zijn verhaal en vol spanning op het vervolg wachtte.

'Nou,' ging hij verder, weer in zijn gewone houding, 'toen de vrouw de poes zo in bescherming nam, zag ik ineens hoe rood haar gezicht was geworden en ook hoe mooi zij zelf aangekleed was, precies alsof zij zelf ook gefotografeerd moest worden. "Zou u de poes niet op uw schoot nemen?" vraag ik. Zij aarzelt even en zegt dan alleen maar: "Lijkt u dat goed, en wat moet dat kosten?" "Natuurlijk lijkt het me goed," zeg ik. "Dan heeft uw man alles wat hem lief is op één foto en het kost u geen cent meer." Zij aarzelt nog even, loopt langzaam weg van de stoel, denkt na, kijkt naar de dieren en naar mij en zwijgt. Intussen zit Boetie nog steeds op de stoel, ik stel in voor de eerste opname. "Nee," zegt zij, "alleen de dieren, zoals het in werkelijkheid is." En dan begint de hond. Die is de hele tijd rustig en op zijn gemak blijven zitten en heeft alleen maar gekeken hoe slecht de poes zich heeft gedragen, maar nu spert hij zijn bek wijd open en gaapt, hij staat op, draait ettelijke malen in het rond en gaat weer zitten, maar ditmaal met zijn rug naar de lens. Boetie kijkt verbaasd. "Hoetie," roept de vrouw uit de hoek waar zij zich berustend heeft teruggetrokken. Boos loopt zij naar de dieren, grijpt de hond bij zijn halsband en draait hem met een ruk naar de lens. Zij is zo zenuwachtig dat het aanstekelijk werkt op de dieren. Weer zit Boetie onder de tafel, Hoetie heeft zich verscholen in de plooien van een gordijn. Boetie springt boven op een oude schijnwerper, Hoetie kijkt door het grote raam naar buiten en intussen doet hun vrouwtje vele vergeefse pogingen haar dieren weer gunstig te stemmen, zij lokt en dreigt om beurten. Het is één sluipen en sjokken, één springen en hollen door het atelier, een soort zwijgend protest van de dieren tegen het bevel dat zij hun tegennatuurlijke huiselijke vrede zo tentoon moeten stellen. En daar tussendoor loopt de opgewonden, radeloze vrouw heen en weer, zij transpireert van gekrenktheid, teleurstelling en de hitte van de felle lampen, en zij roept maar: "Ach, Hoetie dan toch", "Kom, Boetie", "Nee", "Vooruit, op je plaats", "Kom dan toch bij het vrouwtje", en daartussendoor steeds weer de verzekering dat zij het thuis toch zo goed met elkaar kunnen vinden. "Het zijn natuurlijk die lampen die hen onrustig maken, zij zijn er niet aan gewend, en wat moet ik mijn man nu voor zijn verjaardag geven?"'

'Als u die poes een schoteltje melk had gegeven,' zei ik, 'had u ze toch kunnen fotograferen? Wat jammer dat het zo gelopen is.'

'Maar ik heb ze gefotografeerd,' zei vader op een veelzeggende toon.

'Ja?' riep ik jubelend. 'Vertel eens gauw hoe u dat gedaan hebt.'

'Kom mee,' zei hij, 'ik zal je laten zien wat ik heb gedaan.'

'Ik zie het later wel eens,' zei moeder, die meteen verdween.

Wij liepen door het atelier, waar de stoel en de lampen nog stonden, maar het licht was uit.

Kunstlicht is anders dan daglicht, en in een donkere kamer is het donker anders dan het donker van de nacht. Daarnet liep je door een lichte kamer, waar het licht van alle kanten binnenstroomt en nu sta je in het donker, maar buiten is het nog volop dag. Wat is het hier donker, zeg je tegen jezelf, misschien ook om jezelf een beetje moed in te spreken in de duisternis. Wie weet welke gedachten in je opkomen in zo'n afgesloten donkere ruimte, terwijl je toch voortdurend blijft beseffen dat het buiten licht is en volop dag. Maar als je 's avonds uit een verlichte kamer in een donkere komt, is het nog weer anders, en 's avonds ben je zelf ook anders. Maar nu kun je elk ogenblik teruggaan uit de donkere kamer naar het licht, het hangt helemaal van jezelf af. Maar nee, je hebt het vrijwillig op je genomen en je blijft. Buiten is het dag. Jij bent hier binnengegaan en je ogen worden verblind door zo veel duisternis. Diep in het netvlies van je ogen gebeurt het, je knijpt je ogen even dicht en dan wacht je tot de kegels en staafjes daarbinnen het onderling eens worden. Beide heb je in je, het duister en het licht, diep in je netvlies zijn ze alle twee beschikbaar, je kunt beurtelings kiezen uit die ene bron, al naargelang waar je bent, in het licht of in het donker. En als je dan je ogen weer opendoet in de donkere kamer, zien ze in een hoek van de kamer een gloeiend puntje, rood. In het begin heb je dat te midden van alle duisternis niet gezien, maar nu zie je het. Het hangt midden in het donker, een heel zwak schijnsel. Het geeft geen licht, het maakt de duisternis alleen nog dieper, zichtbaarder en je weet nu dat het scheppingswoord elk ogenblik kan worden uitgesproken. Stilte, duisternis en het kloppen van je hart.

'Kom maar hier,' zegt vader, en ik zie in het milde duister hoe hij uit een grote schaal vloeistof een donkere plaat oppakt waarvan de druppels terugvallen in de schaal en hoe hij de plaat voor het rode lampje houdt. Ik zie ook zijn gedaante vaag afgetekend tegen de duisternis, zodat ik zijn bewegingen bij het spoelen kan volgen. Ik hoor zijn stem na een lang zwijgen, hij lijkt donkerder en voller. Verwachting en angst komen tegelijk in me op, telkens als ik hier alleen ben met hem, op een andere manier alleen dan wanneer ik overdag samen met hem in een lichte kamer zit. Want in het donker worden onze daden verwekt, je kunt ze naar het licht en weer naar het donker brengen, maar in het donker worden ze verwekt.

'Dat is een hond,' zeg ik zachtjes.

'Dat is Hoetie,' zegt hij.

'En dit?' Hij laat me een andere plaat zien.

'Boetie!' roep ik uit. 'U hebt ze dus toch gefotografeerd.'

'Ja, maar alle twee apart.'

'Zij konden het niet bij elkaar uithouden,' zeg ik. 'En wat nu?'

'Ik maak er één plaat van en die druk ik dan af. En op die afdruk zitten Boetie en Hoetie dan heel vredig samen, precies zoals thuis. En die foto is dan het verjaarscadeau.'

De twee platen liggen weer in de grote glazen schaal. Ik kijk hem aan, het lijkt alsof het lichter is geworden in de duisternis. Ik herken de trekken van zijn volle gezicht, die iets triomfantelijks hebben. Hij is geen schim meer, hij is weer een man geworden.

En ik zeg: 'Maar eigenlijk is het toch niet waar, zij hebben hier toch helemaal niet naast elkaar gezeten.' Tegelijk voel ik hoe ik hem ga bewonderen, ook al lijken mijn woorden kritisch.

'Wat geeft dat nu?' vraagt hij verbaasd. 'Zoiets noemt men een trucfoto.'

'Maar het is niet waar,' herhaal ik hardnekkig. 'U hebt het zo gemaakt en u vindt het erg grappig, maar eigenlijk is het bedrog.'

'Hou op!' Hij wordt boos. 'Dat is nu net de truc. Maar dat begrijp je nog niet.' Hij heeft de rode lamp uitgedraaid.

'Kom mee.'

Ik voel hoe ik bij mijn schouder word gepakt en op de tast word ik door de duisternis geschoven, langs zwarte muren door een kronkelende gang, waarin kleine spleetjes licht vallen. En dan wordt er een zwart gordijn opzij geschoven, de ringen glijden knarsend over de roe en dan staan wij weer naakt in het volle, heldere daglicht.

Ik voel dat ik iets moet goedmaken en vraag dof: 'Mag ik erbij zijn als u het doet?'

Hij kijkt me niet aan, maar staart door het grote raam van het atelier naar de voortuin en zegt verbeten: 'Nee.'

'Dan zij God ons genadig!' Die woorden van vader klonken nog lang in mij na. 'Dan zij God ons genadig...' Wie is die man die maakt dat wij Gods genade nodig hebben, die man over wie vader alleen maar huiverend spreekt?

Op een dag vroeg ik het hem ronduit. Dit keer nam hij mijn vraag rustig op.

'B. is onze vijand,' zei hij, en keek mij peinzend aan.

'Onze vijand,' zei ik vol ongeloof.

'Wat vertel je nu weer voor onzin!' riep moeder uit de andere kamer. Haar stem trilde.

'Hij heeft me wat gevraagd en ik geef hem antwoord,' riep hij terug.

'Vergeet nou niet dat hij nog een kind is.'

'Hij zal het toch wel begrijpen,' zei hij. 'Ja toch?' Zij zweeg.

'Onze vijand?' herhaalde ik nog altijd ongelovig.

'Ja, de jouwe en de mijne en die van vele andere mensen!' Hij lachte schel, ik dacht dat hij me uitlachte. Zijn mondhoeken trokken omlaag en hij keek me geringschattend aan.

'Nu is het genoeg,' klonk weer de stem uit de andere kamer.

'Waarom?'

'Je hoeft niet al zijn vragen te beantwoorden! Vooruit, ga jij maar naar beneden en ga een beetje buiten spelen,' voegde zij eraan toe.

Ik keek hem onverschrokken aan.

'Ook de mijne?' vroeg ik. 'Ik ken hem helemaal niet, kent hij mij wel?'

'Zeker, ook de jouwe. Ik vrees dat wij hem wel zullen leren kennen.'

'Maar waarom?' vroeg ik verder. 'Wat hebben wij dan gedaan?'

'Wij zijn...' antwoordde vader. Verder ging hij niet. Moeder kwam de kamer binnen.

Wat dit antwoord met mijn vraag te maken had, is mij toen eigenlijk niet helemaal duidelijk geworden, al heb ik er later dan ook nog zulke diepzinnige en weloverwogen verklaringen van gehoord. Mij leek alles eerder een hersenschim.

Hoe het nu eigenlijk stond met de genade van God, dat heb ik vader nooit gevraagd. Want uit zijn woorden voelde ik zijn intense woede en alle bitterheid waarmee hij een zo groot gevaar probeerde te verkleinen. Tevergeefs. Maar dit heb ik toen direct al wel begrepen: dat B. als vijand machtig was en nog machtiger kon worden, zo machtig dat alleen God met zijn genade weerstand kon bieden. Maar een ding begreep ik niet. Evenmin als ik wist wie de man was die vader onze vijand noemde, wist ik wie God was over wiens genade vader sprak. Ik kende hen geen van tweeën. Maar zij waren er alle twee.

'Maar het is nog niet zover,' voegde vader, iets milder glimlachend, eraan toe om me gerust te stellen, want hij begreep waarom ik zweeg. Maar ik had de indruk dat hij met die woorden allereerst zichzelf wilde geruststellen.

Dit gebeurde toen ik tien jaar oud was en vanaf dat ogenblik lag er over mijn jeugd een dubbele schaduw, door de woorden van vader opgeroepen. Welke omvang die schaduw zou aannemen, kon ik toen niet eens vermoeden. Ik voelde alleen het vreemde, dat ik niet kon verwoorden, dat ineens mijn leven was binnengedrongen. Mijn kinderlijke onbevangenheid was aangetast. Het was maar een schrammetje, maar in de loop der jaren werd het een wond die diep in het vlees sneed en die zich nooit meer heeft gesloten.

2

Ik heb mijn aantekeningen nog eens doorgelezen. Ik schrok ervan; het lijkt wel of ik een roman wil schrijven. Ik heb dan wel heel wat beroepen gehad en veel leergeld betaald, maar schrijver ben ik nooit geweest.

Ik ben nu gymnastiekleraar. Mijn handen zijn beter geschikt om een bal of kogel vast te houden dan een pen. Afgezien van mijn gebrek aan ervaring bij het formuleren van mijn gedachten en gevoelens in voor iedereen begrijpelijke zinnen, heb ik bij mijn waarnemingen te weinig geduld om te wachten tot een afgerond beeld ontstaat. Ik heb liever een detail dat ik snel kan overzien, mijn afstand is de sprint. Ik heb mezelf weleens overwonnen en gedwongen tot geduld, en dan merkte ik dat mijn benen het ook over langere afstanden uithielden. Buiten adem raakte ik nooit en mijn hartslag bleef regelmatig. Maar ik gaf het toch weer op, uit verveling. Het schort mijn uithoudingsvermogen aan fantasie. Bovendien hou ik er gewoon niet van.

Mijn vader was fotograaf. Een roman of een verhaal bestaat net als een film uit afzonderlijk uit de tijd losgemaakte foto's die je moet samenvoegen om de indruk te wekken van een doorlopende handeling. Men zal het wel begrijpen als ik zeg dat ik genoeg heb van trucs, van alle trucs. Ik weet dat gerenommeerde psychologen zeggen dat het menselijk brein zonder zulke trucs de werkelijkheid niet eens kan vatten. Hoe dan ook, de enige beweging op aarde die zonder onderbreking doorgaat en mij interesseert, is de beweging van een levend lichaam. Al het andere is onwerkelijk, hersenspinsels in het praalgraf van de begrippen. Ik schrijf alleen op wat me invalt en wat me beweegt.

Binnen enkele weken zal ik een besluit moeten nemen waarvan ik de consequenties nog niet kan overzien, omdat ik alles kan verwachten. Als die beslissing uitvalt in een bepaalde richting, zal ik deze aantekeningen overhandigen aan iemand uit mijn kennissenkring om ze dan na afloop weer bij hem af te halen. Dan kan ik ze aanvullen met mijn ervaringen uit de tussentijd of ik zal ze vernietigen. Ik weet zeker dat ik overal doorheen kom, dat ik – misschien met een paar schrammen – weer zal opduiken. En voor het geval ik niet terugkom, kan degene die ze dan bezit ze in de kachel gooien, als hij dat al niet eerder gedaan heeft. In elk geval zal ik de vriendendienst van de bewaarder belonen door namen en directe toespelingen te vermijden en alles zo algemeen mogelijk te houden. Hij mag geen gevaar lopen als men deze papieren bij hem zou vinden. Gelukkig zijn er in alle windstreken vijanden en haters genoeg op deze aarde. Iedereen kan er iedereen mee bedoelen en ik ben me ervan bewust dat ik een heel oude waarheid verkondig als ik zeg dat er altijd vijanden en haters op aarde zullen blijven. Zij rekruteren zichzelf uit vroegere vrienden.

Ik vlei me met de gedachte dat de toekomstige bezitter mijn geschrift niet zal vernietigen. Hij zal het eerst zelf lezen, het dan aan deze of gene geven en ten slotte zal een ander gaan pronken met mijn veren en de kritiek incasseren die voor mij bedoeld was. Mijn verzekering dat ik geen roman wil schrijven, zal men waarschijnlijk wegwuiven als een bekende literaire truc – het laat mij koud. Ik schrijf omdat de beweging van de pen over het papier me van een spanning bevrijdt en tegelijk een andere spanning opwekt waarin ik plezier heb; het is niet de verveling die me tot schrijven brengt. Door omstandigheden moet ik binnenshuis blijven en me niet op straat vertonen. Ik schrijf omdat de toegang tot sportvelden en zwembaden me verboden is. Schrijven is een soort ochtendgymnastiek in het klein.

Daar komt nog bij dat ik bezeten ben door een gedachte die ik beslist niet zal uitspreken. Mijn eigen mensen zouden me vermoorden. Ikzelf vind die gedachte helemaal niet zo vreemd. Bezetenheid zit trouwens in de lucht tegenwoordig, bij vriend én vijand. Het zal me op het beslissende moment niet verhinderen mijn plicht te doen. Geen mens zit altijd even vast in het zadel, maar ik geloof niet dat ik een slechter ruiter ben dan anderen. Of ik even goed kan schieten, is een andere vraag.

Het verwijt een overloper te zijn, een soort stille, zou me vroeger pijnlijker hebben getroffen dan nu omdat ik de oorzaken van mijn weifelend gedrag ronduit toegeef. Doordat ik altijd wat onbeholpen was in gevoelskwesties, leek ik vroeger zwak, net zoals ik een wedstrijd verloor als ik niet had getraind. Maar ik ging de strijd tenminste aan. Ik zal mijn zwalkende stemmingen niet bemantelen, maar ik wil ook niet prat gaan op mijn vergissingen. Het is vermoeiend voortdurend voor jezelf op je hoede te moeten zijn. Misschien word ik wel beheerst door een waan die vanuit een innerlijke behoefte genezing brengt voor de verwarring die ik zelf niet kan benoemen. Misschien ben ik nu zelfs immuun voor logica, maar toch wil ik de strikken die mij gevangen houden ontraadselen, ook al bega ik daarbij misschien de fout dat ik mensen serieus neem terwijl ze mij verachten. Er is iets mis, dat voel ik, het is als een koorts met nog onbekende oorzaak. Als ik erachter kom, zal ik weten wat mij overeind houdt of ten slotte toch laat vallen.

Ik heb al gezegd dat mijn vader fotograaf was. Hij werd het toen hij in alle andere beroepen was mislukt. Het was mijn pech dat hij als fotograaf niet ook mislukte. Misschien zou veel dan anders zijn gelopen. Zijn trucfoto's hebben heel wat onrust in mijn kinderleven gebracht, al heb ik dat pas later doorgekregen. Vroeger dacht ik dat hij een uitstekend vakman was; later kwam ik woorden te kort voor mijn minachting toen hij ten slotte, voor mij te laat, ook in dit vak mislukte. Dat kwam trouwens meer door de omstandigheden van die tijd, want hij was niet beter of slechter dan anderen in zijn vak. Dat vak is een kwestie van retoucheren en belichten. Je haalt bepaalde partijen en vlakken naar voren om andere makkelijker te laten verdwijnen. Misschien had hij het verder geschopt als hij zijn bedrog had gepleegd met een slechter geweten. Nu zei hij de mensen met zijn foto's op een onbehouwen manier de waarheid, en zij accepteerden dat als kunst.

'Hij heeft het niet gemakkelijk gehad in zijn leven,' zei mijn moeder, toen zij me jaren later vertrouwelijk een en ander vertelde zonder dat ze hem wilde verraden. 'Ach ja, hij heeft het niet gemakkelijk gehad.' Ze zuchtte en staarde voor zich uit alsof hij al dood was en alleen nog voortleefde in haar droeve herinneringen. 'Eerst de vele kinderen thuis, toen de vroege dood van zijn moeder. En vader, zijn vader, was zo'n rechtschapen man dat hij er niet toe kon komen te hertrouwen. De jongste van zijn broers is het verkeerde pad opgegaan, nou ja, je weet er alles van.'

Ik knikte. Ik kende het verhaal.

'En welke beroepen heeft hij niet uitgeoefend! Eerst in de leer bij een horlogemaker, toen vertegenwoordiger, chef de réception in een hotel. Toen dat misging dansleraar, later nog eens eigenaar van een modezaak. En daarna fotograaf. Dat is hij nu nog. Voor hoelang?'

'Ik herinner me het kamertje achter de winkel nog wel, waar u hoeden zat te maken,' zei ik.

'Met twee meisjes in de leer,' zei zij. 'Ik heb altijd zo veel mogelijk meegewerkt.'

'Is hij ook dansleraar geweest?' vroeg ik. 'Dat wist ik helemaal niet.'

De gedachte dat mijn vader, een ietwat gezette kale man, de nieuwste danspassen voordeed, kwam me absurd voor. Ik moest lachen.

'Hij kon voortreffelijk dansen,' zei zij. 'Dikke mensen zijn vaak zeer beweeglijk en elegant. Hij transpireerde alleen heel erg. Elke avond kostte hem twee overhemden.'

Zij hield even op. Een vleug verdriet trok over haar gezicht. Ze zweeg.

Wat denkt zij nu, vroeg ik me in stilte af. Ze zegt dat hij goed kon dansen, en is zelf bedroefd. Wat betekent die droefheid? Het is geen verdriet over mooie dingen van vroeger, geen weemoed. En ik zei: 'Ik heb u nooit samen zien dansen.'

'Ik heb het nooit goed gekund,' zei zij blozend.

'Dat had hij u toch kunnen leren,' zei ik.

Zij schudde het hoofd.

Ik geloofde dat ik het begreep en vluchtte snel naar een onschuldiger vraag: 'En dat hotelvak – waarom is hij geen chef de réception gebleven?' Ik had het idee dat hij voor dat beroep echt geschikt was. Ik zag hem al staan, in de hal van het hotel op een zwaar tapijt, ik zag hem in zijn handen wrijven en met diepe buigingen gasten ontvangen en regelingen treffen. Hij draagt een broek met krijtstreep en een zwart jasje, dat een beetje om zijn buik spant.

Zij keek me aan. 'Weet je dat niet?'

'Nee,' zei ik, geschrokken. 'U hoeft me niet...'

'Nee, nee,' zei zij snel. 'Je bent groot genoeg om het te weten.'

Zij aarzelde. 'Ik dacht dat je wel op de hoogte was van die kwestie met... och, je vader is ook maar een gewoon mens... hij heeft een kleine domheid... ik heb altijd gedacht dat je het wel wist van die kwestie met...' Zij stokte, alsof zij er nog even over wilde denken.

'Met wie?'

'De gerant,' zei zij. 'Schijnbaar een goede vriend. Ik heb hem telkens gewaarschuwd.' Ik voelde hoe zij gegrepen werd door een golf die ergens vandaan kwam aanrollen, uit een zee vol klippen, draaikolken en zandbanken, het is gevaarlijk het water in te gaan, zij staat aan de kant en ziet de onderstroom en begint te roepen maar wordt overstemd door het geweld van de branding. Het overrompelt haar, alsof zij er middenin staat:

'De ander had geld weggenomen en vader kwam erachter. De ander noemde zich zijn vriend en begon te smeken en te bidden, tot vader zich liet vermurwen en probeerde hem uit de puree te halen. Hij was een schooier, een doodgewone schooier. Zodra hij weer vaste grond onder de voeten had, begon hij de zaak om te draaien, zodat het op vader neerkwam. Het had iets te maken met wissels en dergelijke – ik heb die dingen nooit begrepen.' Zij zat op haar stoel, ingevallen, ouder geworden, een harde verbeten trek om haar mond, alsof hij nog bezig was haar te vertellen wat zij in haar angst eigenlijk allang geweten had. 'Jij hebt weer gelijk gehad,' kreunt hij. 'Je hebt alweer gelijk gehad.'

Maar zij wil achteraf niet meer horen dat zij gelijk heeft gehad, nee, zij verzet zich, het stuit haar tegen de borst, deze bekentenis van haar bleke, asgrauwe man die zichzelf niet kan helpen en die alleen maar troost vindt in de gedachte dat zij gelijk heeft gehad. 'Ik had naar je moeten luisteren.'

Ze zou hem wel willen slaan, zoals hij haar slaat met die bekentenis en met het genoegen waarmee hij bekent. Hij staat voor haar, zwaar en welgedaan, het zweet loopt in dunne straaltjes van zijn gezicht, de vlammen slaan hem uit, hij pakt zijn zakdoek en veegt met grote haastige gebaren over zijn gezicht en hals.

En dan vertelt hij voor de zoveelste maal wat zich volgens hem heeft afgespeeld. Zij luistert weer, zonder hem in de rede te vallen, hoewel zij weet dat hij haar ook nu nog iets verzwijgt, en het zelfs voor zichzelf verzwijgt. Hij bezweert haar en zichzelf dat het zo is gegaan, al moest hij eerst een beetje tegen de spiegel ademen voor hij erin durfde te kijken. Want wat kan een man anders doen, als de tegenstander plotseling uit hem losbreekt en hem – en het is zijn vriend, die hem verleidt – drijft en opjaagt voor een jacht waarbij hij tegelijk jager en prooi is. Wat kan hij dan anders doen dan de spiegel bewasemen om in het beslagen glas een milder beeld van zichzelf te zien?

Het was dus misschien een klein foutje geweest, dacht ik, dat hij niet had gemerkt dat de ander een schooier was?

'Hij is te goeiig en te goed van vertrouwen,' zei moeder. Ze zuchtte diep. Deze uitleg bevrijdde haar van een last die zij jaren met zich mee had gedragen.

'Vertel het maar,' zei ik rustig. 'Ik zou graag alles willen weten.'

Zij keek me dankbaar aan dat ze eindelijk kon spreken over een klein foutje van mijn vader omdat hij te goeiig en te goed van vertrouwen was.

'Ik begrijp niets van dergelijke dingen,' zei zij. 'Het was een geschiedenis met wissels. Het was een mooi hotel en de gerant was een schooier. Wat hij deed, was slecht, maar wat vader deed, was dom. Het was al dom van hem een schooier als zijn vriend te beschouwen. Hij deed dingen die niet mogen en als het misloopt, mogen ze helemaal niet. En het liep mis en dus zat hij in de puree. Je moet het maar aan hemzelf vragen, als je het wilt weten, want ik begrijp er niets van.'

Zij zweeg.

'En hoe is het afgelopen?' vroeg ik. Maar op datzelfde ogenblik had ik de vraag graag ingeslikt. Ik dacht: dat had je niet moeten vragen, nu heb je zelf een dom foutje gemaakt. Maar tegelijk was ik bang voor de waarheid die ik te horen zou krijgen.

'Het heeft ons al ons spaargeld gekost,' zei zij, 'om de zaak in orde te brengen. Dat was de enige mogelijkheid.'

Ik voelde me opgelucht en zei: 'De rechtbank is er dus niet aan te pas gekomen, godzijdank.'

Zij schrok en keek woest om zich heen. 'Natuurlijk niet! Je vader is toch geen misdadiger.'

Er schoot me iets te binnen. 'Nu begrijp ik,' ging ik verder, 'waarom hij me toen bij die geschiedenis met de postzegels niet heeft geslagen.' Ik herinnerde me ineens weer de hele geschiedenis die zich moet hebben afgespeeld na de sessie met Hoetie en Boetie.

'Welke geschiedenis?' vroeg moeder. Haar gedachten waren nog bij het voorafgaande en zij vroeg enigszins afwezig: 'Welke geschiedenis?'

'Met die postzegels,' herhaalde ik. Ik was blij dat ik een ander onderwerp ter sprake kon brengen; pas later bedacht ik dat het eigenlijk niet een ander onderwerp was maar een andere hoofdpersoon.

'Ja,' zei zij even later, 'de geschiedenis met de postzegels. Die heeft zich destijds ook nog afgespeeld.'

'Ja.'

'En toen heeft hij je niet geslagen?' herhaalde zij, alsof dat het belangrijkste was.

'Nee. Toen heeft hij me niet geslagen.'

'Wat heeft hij dan gedaan?'

'Dat weet ik niet precies meer, in elk geval heeft hij me niet geslagen.'

'Deed hij dat zo dikwijls?' vroeg zij.

'Ja, ik geloof wel dat hij me vaak geslagen heeft.'

'Maar bij die gelegenheid niet?' vroeg ze, alsof het haar goed deed nog eens vast te stellen dat hij me die keer niet had geslagen.

'Hij heeft me toen niet aangeraakt,' herhaalde ik.

'Maar je moet er nog altijd aan denken,' zei zij, 'en je bent klaarblijkelijk erg boos op hem, want je praat alleen maar over de klappen die je gehad hebt. Misschien vond hij het niet de moeite waard je daarvoor slaag te geven.'

'Ik geloof dat ik het op dat moment niet heb begrepen, maar naderhand heeft het een diepe indruk op me gemaakt. Eigenlijk had ik klappen verwacht en als hij me geslagen had, zou ik me zeker beter hebben gevoeld.'

'Hij misschien ook,' zei zij. 'Ik herinner het me weer. Hij was helemaal van de kook toen hij het hoorde. Hij kwam bij me, direct nadat de vader van Fabian bij hem was geweest, hij was bleek, zijn lippen trilden. Hij kreunde meer dan hij sprak. Hij zei: "Er is iets ontzettends gebeurd. De jongen..."'

'En wat hebt u toen gezegd?' vroeg ik. Nu pas schoot me te binnen dat ze er nooit met mij over had gesproken en dat ik ook nooit de behoefte had gehad er met haar over te spreken. Ik dacht dat het toen misschien haar invloed was geweest dat vader me niet had aangeraakt.

'Ik vond het niet zo erg. Ik zag het als een spelletje. Er zijn zoveel kinderen die dergelijke dingen doen.'

Ik was haar dankbaar voor haar begrip en ik had haar dat graag laten merken, maar een wonderlijke schaamte hield me tegen, bijna een schuldgevoel, alsof ik vaker zo'n spelletje had gespeeld.

'Maar hij kon het niet van zich afzetten,' ging zij verder. 'Twee nachten lang heeft hij naast me gelegen zonder te slapen, ik hoorde hoe hij zich voortdurend in bed omdraaide. Na een tijdje maakte hij licht, wekte me en vroeg: "De jongen zal toch niet... Wat denk je?"' Zij zweeg.

'Wat bedoel je?' vroeg ik.

'Hij was bang dat hij en jij...'

'Aha,' zei ik. 'Nu begrijp ik waarom hij zo benauwd was. Dat had ik direct moeten snappen.'

'Ja, hij was nu eenmaal bang,' herhaalde ze en haar handen maakten een verontschuldigend gebaar, alsof angst het enige gevoel was geweest waarop hij zich terecht had kunnen beroepen.

'Maar er was toch geen enkele reden om bang te zijn?' zei ik ietwat geprikkeld. 'Dat bestaat toch helemaal niet?'

'Wat bestaat niet?'

'Nou... erfelijkheid op dit gebied, of hoe je het noemen wilt.'

'Onzin,' zei ze, 'natuurlijk bestaat die niet. Maar een mens is altijd bang dat die wel bestaat.'

Het was gebeurd in de tijd toen alle jongens, ik ook, begonnen postzegels te verzamelen. Als je een zekere leeftijd bereikt, begin je iets te verzamelen, dat hoort zo en het staat in alle boeken: postzegels of plakzegels, sigarenbandjes of op straat gevonden spijkers, stenen of bladeren van bomen, bloemen of bonte vlinders. Vaak begint een kind daar al vroeg mee, op zijn zevende of achtste, maar dan duurt het niet lang. Een tijdlang is het geheel in de ban van het verzamelen, het vindt het een heel ernstige zaak en het denkt nergens anders meer aan, maar dan breekt de ban en plotseling is 't weg, precies zo snel als 't kwam; wat overblijft, is de herinnering aan een spelletje. Een paar jaar later wordt het serieuzer. Dan begin je te verzamelen en te ordenen, je vindt het prettig iets te bezitten en het gestaag te vermeerderen, je ruilt, ineens doe je mee aan een wedstrijd met jezelf en met anderen, een wedstrijd die je bijzonder koppig en zwijgzaam maar in alle vriendschap uitspeelt. Een echte verzamelaar beleeft daaraan dubbel plezier: in de eerste plaats als hij zijn bezit kan vermeerderen en voelt dat het groter wordt, en in de tweede plaats als hij zijn verzameling welgeordend voor zich uitspreidt en blad na blad omslaat van een boek dat het bewijs is van zijn ijver en zijn volharding. Er bestaan verzamelingen waarop een hele familie trots is en die zijn voortgekomen uit het spel van een kind. Zij gaan over van vader op zoon, en als je ze tevoorschijn haalt en bekijkt, wordt het een feest. En je geest is er elke dag mee bezig, zonder dat je iets hebt gemerkt en zonder dat je ook maar enig vermoeden hebt gehad dat deze of gene waardige en zeer serieuze heer – met wie men graag een goed gesprek voert – in zijn portefeuille een paar zeldzame postzegels meedraagt die hij juist veroverd heeft en waaraan hij onophoudelijk denkt. En plotseling midden in het gesprek pakt hij zijn portefeuille, haalt er een klein doorschijnend envelopje uit en vraagt met een heel andere stem: 'Hebt u deze weleens gezien? Als u iets goeds hebt, kunnen wij ruilen.' En dan laat hij voorzichtig een paar postzegels zien, terwijl hij tegelijk uit zijn aktetas een kleine dikke catalogus – de laatste jaargang – tevoorschijn haalt om direct de waarde van elke zegel te kunnen nagaan en om te bewijzen dat hij eerlijk zaken wil doen.

Postzegels hebben ook nog een heel aparte betekenis. Eigenlijk is het geld, gegomd geld, of een klein beeld van het grote wereldpanorama; men koopt het en betaalt ervoor, men plakt het op een brief om die te kunnen verzenden. Een postzegel reist als groet door de gehele wereld. Men plakt hem op een brief en aan het andere eind van de wereld weekt een kind hem er weer af met de grootst mogelijke voorzichtigheid.

Ik ben nooit een groot verzamelaar geweest, maar destijds was ik korte tijd in de ban van deze kleine vierkante, langwerpige, ovale, altijd kleurige stukjes papier met de gom erachter, de gom, die muf-zoet smaakte als je eraan likte. Eerst gaat het alleen om het verzamelen, om het bezitten. Langzaam groeit dan het begrip voor wat je verzamelt, voor de waarde van het bezit, je begint ervan te houden, je begint te vergelijken en te rekenen. Je gaat overal snuffelen, leegt prullenmanden, speurt in enveloppen en van je zakgeld koop je nu en dan een klein doorzichtig zakje of je vraagt er een voor je verjaardag. Ik ruilde met deze en gene, ook met ouderen. Het heeft iets bijzonders, postzegels ruilen met volwassenen, want die beschouwen je niet als kind maar als hun gelijke. Er is geen onderscheid meer, het is opgeheven door de postzegels. Zo nu en dan had ik iets aan te bieden en dan was er weer een ander die mij aanbood wat ik zocht. Het was leuk om zo te ruilen, al was iedereen dan ook op zijn manier uit op zijn eigen voordeel.

In die tijd waren postzegels met opdruk de grote rage; iedereen, jong en oud, was er gek op. Het was enkele jaren na de Eerste Wereldoorlog en de algemene onzekerheid van die dagen openbaarde zich ook in de postzegels: men voorzag allerlei soorten van bepaalde opdrukken. Die opdrukken deden het bij de verzamelaars. De posterijen in de verschillende landen schijnen dat te weten en telkens wakkeren zij het verlangen opnieuw aan. In die tijd waren het voornamelijk aardrijkskundige namen, Memel, Danzig, België, Afrika, Togo enzovoort, die met dikke zwarte letters op de kleurige zegels werden gedrukt. Hele stukken geschiedenis kon je van die zegels aflezen.

In diezelfde tijd had ik voor mijn verjaardag een drukletterdoos gekregen en op een dag begon ik zomaar postzegels te bedrukken. Ik was bijzonder trots op dit geweldige idee. Ik heb nu echt wat uitgevonden, dacht ik, iets heel eenvoudigs, zo eenvoudig dat er klaarblijkelijk nog niemand aan gedacht heeft. Je hoeft alleen maar een paar letters te zetten, ze op een stempelkussen blauw of zwart te inkten en ze dan voorzichtig op de goede plek op een postzegel te drukken. En als je het stempel dan weer optilt, zie je het woord erop staan in natte letters, het glanst en de postzegel ziet er anders uit. Misschien komt er een tikje bedrog bij, dat wel, en het is misschien niet goed dat ik het doe, maar het is toch een goed idee, het ziet eruit alsof het echt is. Ik zal het nog beter doen, zodat het er helemaal echt uitziet. Ik zal naar de andere kinderen gaan en vragen of ze met me willen ruilen. 'Heb je postzegels te ruilen?' zal ik hun vragen. 'Laat eens zien.' En zelfs de kinderen die tot nog toe niet met me hebben willen ruilen, waarom weet ik eigenlijk niet, zullen me hun postzegels laten zien, zullen met mij ruilen. Het eerst zal ik naar Fabian gaan, die is een beetje dom en zal het niet zo gauw merken, en dan naar de anderen, niet naar iedereen, misschien ga ik ook alleen maar naar Fabian, want eigenlijk is het een beetje bedrog. Maar ik zal postzegels ruilen, echte tegen zelfgedrukte, misschien vindt hij ze ook mooi en is hij blij dat hij ze van mij kan krijgen, zolang hij er geen weet van heeft. Maar als het uitkomt, zal niemand meer met me willen ruilen. Maar zolang ze met me ruilen, zullen ze me aardig vinden, want zij zullen denken dat ik hun goede postzegels geef. Zij zullen niet op de gedachte komen dat het anders kan zijn. Ook Fabian zal me aardig vinden, ook zijn hardhorende vader, van wie de verzameling eigenlijk is.

Ik zocht een opdruk op die niet al te moeilijk te zetten was. Toch was het verschil met het origineel groot, zelfs mij viel het op. Maar dit beschouwde ik als een nieuwe prikkel om mijn techniek te verbeteren. Het technische probleem woog voor mij zwaarder dan het morele, zodat het zo nu en dan zelfs helemaal naar de achtergrond werd verdrongen. En toch voelde ik me bij tijden ietwat onbehaaglijk.

'Heb je je postzegels bij je?' vroeg Fabian. Hij sloeg zijn album open: een niet al te groot, smal boek waarin hij zijn zegels plakte voordat hij ze aan zijn vader liet zien, die dan aanwees welke zegels waardevol genoeg waren om te worden opgenomen in het grote familiealbum.

'Ik ben ze vergeten,' zei ik schuchter.

'Je verzamelt toch nog?' vroeg hij.

'Ja.'

'Waarom heb je ze dan niet meegebracht?' ging hij verder. 'Je hebt me toch verteld dat je nieuwe zegels had die je met me wilde ruilen?'

'Ik ga ze gauw halen,' zei ik, bereid om meteen naar huis te hollen.

'Wat zijn het voor zegels?' wilde hij nog weten.

'Overal vandaan.'

'Veel?'

'Nee. Ik verzamel nog niet lang.'

'Verzamelt je vader niet?'

'Nee.'

'O,' zei hij, 'mijn vader wel.'

'Zal ik ze halen?'

'Heb je ook zegels met opdruk?'

Ik aarzelde. 'Ja, een paar.'

'Ga ze maar halen dan,' zei hij.

Ik haalde ze.

Bij mijn postzegels waren er drie die ik zelf had gemaakt, van verschillende waarden. Ik had mijn uiterste best gedaan de originele precies na te maken. De eerste waren mislukt, je kon duidelijk zien dat die vals waren, en ook de volgende waren niet veel beter. Een geoefend, minder begerig oog had direct de onechtheid ontdekt. Met de tijd waren mijn moed en roekeloosheid gegroeid. Uit de vele die ik gemaakt had, koos ik er drie uit die volgens mij het best gelukt waren en ik legde ze bij de andere.

'Maar je hebt een heleboel postzegels,' zei Fabian. 'Mag ik daaruit met je ruilen?'

'Als je iets hebt wat ik kan gebruiken,' hield ik me groot. Ik was opgewonden. Angst en nieuwsgierigheid beheersten me, ik durfde niet op te kijken en verdiepte me in de zegels.

'Kijk,' zei hij en schudde uit een grote gele envelop een hoop op tafel, 'hier heb je de mijne. Dat zijn die van jou.' Hij schoof de hopen ver uit elkaar en begon ijverig in de mijne te zoeken. Om te bewijzen dat het hem ernst was en om de zaak nog gewichtiger te maken, ging hij een pincet en een loep halen, dat had zijn vader hem geleerd. Ik schrok. Met een loep ontdekt hij het meteen, dacht ik. Maar dan kan ik nog altijd doen of het een onschuldig grapje is. Ik pak dan de zegels en scheur ze meteen in tweeën, maar misschien merkt hij het gewoon niet.

'Heb je het album van Arthur weleens gezien?' vroeg hij, terwijl hij met zijn pincet de ene zegel na de andere uit de hoop trok en ze aandachtig onder de loep bekeek. Hij had een kruintje vlak boven de haargrens op zijn voorhoofd dat hem scheen te hinderen. Telkens trok hij rimpels in zijn voorhoofd, maar dan gingen de haren alleen nog meer rechtop staan. 'Tjonge,' ging hij verder, 'die heeft me een verzameling. Hij verzamelt de hele wereld. Zijn vader verzamelt ook. Wat verzamel jij?'

'Alles,' zei ik schuchter.

'Wij verzamelen alleen maar Europa,' zei hij. 'Het is onmogelijk om alles te verzamelen, zegt mijn vader. Maar Arthur... ik geloof, dat hij zelfs de Mauritius heeft.'

'Wat heeft hij?' vroeg ik.

'De Mauritius,' herhaalde hij driester en zijn gedraaide haren stonden kaarsrecht overeind.

'De Mauritius?'

‘Ik geloof het wel.’

‘Allemensen, heeft hij de Mauritius?’ zei ik. ‘Heeft hij hem of heeft zijn vader hem?’

‘Samen,’ zei Fabian. Hij schoof de ene zegel na de andere opzij, nadat hij ze bekeken had. ‘Als zijn vader doodgaat, heeft hij hem.’

‘Gaat zijn vader dan dood?’ vroeg ik.

‘Ik bedoel, later, als zijn vader dan sterft, is hij alleen van hem.’

‘O,’ zei ik. ‘Heeft hij ’m jou laten zien?’

‘Hij heeft het me beloofd. Hij moet nog aan zijn vader vragen of die het goedvindt dat hij ’m laat zien.’

‘Ik zou ’m ook graag willen zien.’

‘Ik weet niet of Arthurs vader het goedvindt dat jij hem ook ziet. Zal ik het vragen?’

‘Graag. Als jij het vraagt, vindt zijn vader het misschien goed.’

‘Wat is dat?’ vroeg hij, en hij viste met zijn pincet een zegel uit de hoop. Ik boog dieper over de tafel om te zien welke zegel hij gepakt had, maar ik had het direct al gezien en kon geen woord uitbrengen.

Hij nam zijn loep.

‘Welke bedoel je?’ vroeg ik om tijd te winnen. ‘O die.’

‘Deze heb ik nog nooit gezien,’ zei Fabian. Hij bekeek hem nauwkeurig. Tot dan toe had hij alle zegels opzijgelegd. Alleen naar deze bleef hij langer kijken. Ik was er trots op dat hij een van mijn eigen zegels zo veel aandacht waardig keurde en dat hij hem zo nauwkeurig bekeek. Als hij maar niets merkt, dacht ik.

‘Wat een rare,’ zei hij. ‘Het is een opdruk, ik wist helemaal niet dat die bestonden. Die ik ken, zien er allemaal heel anders uit.’

‘Ze zien er allemaal verschillend uit,’ zei ik. ‘Laat eens kijken.’

‘S-a-r-r-e,’ spelde hij. ‘Sarre, dat is toch Saarland? Ik weet dat er postzegels met zo’n opdruk bestaan,’ ging hij verder, ‘maar deze ziet er zo gek uit, vind je ook niet?’

‘Ik ken alleen deze,’ antwoordde ik, vol spanning wachtend.

‘Het is een echte postzegel,’ zei hij. Hij pakte hem met zijn pincet op en hield hem tegen het licht. ‘Hij is gestempeld.’

Ik waagde het niet op te kijken en woelde in de grote hoop die nog op de tafel lag.

'Zit er een watermerk in?' vroeg ik. 'Kijk daar eens naar.'

'Ja, hij heeft een watermerk.'

Hij heeft een watermerk en is gestempeld, dacht ik bij mezelf, het is een echte postzegel, maar ik heb er zelf wat opgedrukt en als ik hem dat nu vertel, is alles keurig in orde, dan is het een grapje, een spelletje. Maar dan zal hij niet met me ruilen, en hij vindt me niet aardig als hij niet met me ruilt, want zulke heeft hij nog niet.

Maar ik zei: 'Hij heeft een watermerk en is gestempeld. Ik heb hem afgeweekt van een brief.'

'Krijg jij brieven uit Saarland?' wilde hij weten.

'Mijn vader.'

'Maar je vader verzamelde toch geen postzegels?' zei hij, alsof het hem verbaasde dat mensen die geen postzegels verzamelden brieven kregen met opdrukzegels die hij nog niet had.

'Mijn vader krijgt brieven van overal,' zei ik.

'O,' antwoordde hij. 'Echt?' vroeg hij, zijn wenkbrauwen en voorhoofd optrekkend – heel lang. Hij dacht na. Toen legde hij de zegel aan zijn linkerkant.

'Hier heb ik er nog een,' zei hij, en haalde een ander product van mij uit de hoop. 'Die ziet er weer anders uit.'

'Dat is er een van vijftien pfennig uit de Saar,' zei ik.

'Ook gestempeld,' antwoordde hij.

'Wil je nog controleren of hij ook een watermerk heeft?' vroeg ik.

'Waarom?'

'Ik had drie stuks,' ging ik verder. 'Ook nog een van twintig pfennig. Hier heb je 'm.' Ik zocht mijn laatste product uit de hoop.

Hij wilde hem pakken en bij de twee andere leggen, maar ik zei: 'Die ruil ik niet, die heb ik niet dubbel.'

'Jammer,' vond hij.

'Misschien heb ik hem toch wel dubbel,' zei ik.

'Nu mag jij bij mij uitzoeken,' zei hij.

'Wil je ze alle drie hebben?' vroeg ik.
'Heb je ze dubbel?'
'Ja,' antwoordde ik.
'Ik neem er toch maar twee,' zei hij, en legde de laatste ineens weer terug.
'Die twee dus,' herhaalde ik, opgelucht. 'Nu is het mijn beurt.'
'Ik weet niet of Arthur de Mauritius wel echt heeft,' zei hij.
'Maar dat heb je toch gezegd?'
'Maar ik weet het niet zeker, hij heeft het me alleen maar verteld.'
'Waarom vertelt hij het dan?'
'Misschien vindt hij het een mooi verhaal.'
'Maar als hij het een mooi verhaal vindt, hoeven wij hem niet te geloven.'
'Och,' zei Fabian alleen.
Intussen had ik twee zegels van de Azoren uitgezocht, twee grote brede postzegels die helemaal niet erg mooi waren, maar ik vond de naam Azoren zo mooi, en ik dacht dat het daar op de Azoren wel mooi zou zijn en ik besloot er een keer heen te gaan om het zelf te zien. Bovendien wist ik zeker dat ze echt waren.
'Wil je die hebben?' vroeg Fabian.
'Ik vind ze mooi, maar ze zijn niet zo veel waard als de zegels die jij van mij hebt,' zei ik.
Hij aarzelde, keek strak voor zich uit en zei: 'Je mag er nog eentje uitzoeken.'
'Dank je,' zei ik geroerd. 'Dat vind ik aardig van je, Fabian.' Ik was blij dat hij mijn zegels zo veel waard vond. Ik had er angsten genoeg voor uitgestaan. Toen ging ik snel naar huis.
Ongeveer een week later verscheen Fabians vader in het atelier van mijn vader. De vader van Fabian was een grote slanke man met dik zwart haar en een lorgnet op de neus van zijn vollemaansgezicht. Onder het lopen hield hij zijn handen gekruist op de rug, zodat hij stokstijf en met ingetrokken buik binnenmarcheerde. In deze houding maakte hij vaak lange wandelingen door de stad,

waarbij hij niemand zag en, omdat hij hardhorend was, het ook niet hoorde als iemand hem gedag zei.

'Ik breng u een paar postzegels,' zei hij met de schelle toonloze stem van een dove. Hij legde twee zegels op tafel.

'En?' vroeg vader verwonderd.

'Verzamelt u ook?' vroeg hij streng.

'Nee,' antwoordde vader.

'Die zegels zijn vals,' zei hij. 'Dat kan een kind zien. Ik wil de drie zegels die uw zoon met Fabian geruild heeft, terughebben. Vertelt u hem dat maar.'

Vader wist niets van postzegels, maar ook hij zag dat deze vals waren.

'Een mooi portret, die zoon van u,' zei Fabians vader.

'Kinderspel,' mompelde vader ontdaan.

De ander had het niet gehoord. 'Goedendag,' zei hij en verliet stokstijf het atelier.

Onmiddellijk na hem kwam zijn vrouw, Fabians moeder. Zij was klein en elegant met donkere haren, en zij deed altijd vriendelijk zorgzaam, alsof de hele wereld slechthorend was.

'Ik vind het ook wel erg,' zei zij, 'maar ik ben bang dat mijn man een beetje heeft overdreven. Het zijn per slot van rekening kinderen. Mijn man is altijd al verzamelaar geweest, weet u, en daarom vindt hij het zo erg. Zorgt u er maar voor dat hij de zegels terugbrengt.'

'Het staat mij ook niet aan,' zei vader. 'Dank u wel.'

's Middags na schooltijd verscheen hij bij me. 'Heb je postzegels geruild met Fabian?' vroeg hij.

'Ja.'

'En jij bezit een drukletterdoos,' ging hij verder.

'Ja, vader.'

Ik keek naar de grond en toen pas, toen ik hem niet meer durfde aan te kijken, zag ik als in een soort nabeeld op de vloer dat zijn dikke wangen slap en krachteloos langs zijn gezicht hingen, zoals bij oude tandeloze mensen. Zij waren bleek en grauw, het was helemaal geen vlees meer, maar een massa waaruit leven en kracht waren verdwenen, een soort deeg, en zijn ogen keken nergens naar, zij hadden geen vast punt meer vanwaaruit zij keken. Hun blik ging niet meer uit het dode deegachtige vlees naar buiten, maar naar binnen, ik had niet meer het gevoel dat hij mij aankeek en tegen mij sprak, het was alsof hij uit de verte tegen een ander sprak die hém aankeek. Hij ademde moeilijk. Het zweet lag als een dun grijs, glanzend vliesje over zijn gelige huid, hij had een bos sleutels in de hand en kneep daarin alsof het een rubberen bal was waar hij de lucht uit wilde persen, en ik was heel bang dat hij me zou slaan.

'Je gaat die postzegels terugbrengen naar Fabian,' zei hij langzaam met hese stem, bijna vriendelijk, alsof hij me ergens voor uitnodigde.

'Ja, vader.'

'Heb je me begrepen?'

'Ja.'

Heb je me begrepen? – dat was altijd de inleiding als hij me ging slaan en ik wachtte tot hij ook nu zou beginnen, hoewel zijn stem zo hees-vriendelijk was geweest. Ik wachtte, ja, ik hoopte dat hij me zou slaan.

Toen ik opkeek, stond hij nog altijd in dezelfde houding, het bovenlijf naar me toegebogen. Hij ademde moeilijk. Toen liep hij weg. Hij kneep nog altijd in de sleutelbos alsof het een bal was.

'Ik kom je postzegels terugbrengen,' zei ik tegen Fabian. Hij zat voor zijn open album en sloeg heel rustig blad na blad om. 'O,' zei hij en alleen de kruin op zijn voorhoofd bewoog.

'Ik had ze zelf gedrukt,' bracht ik uit.

'O,' zei Fabian. 'Zelf gedrukt.'

Ik gaf hem zijn zegels en hij stopte ze in dezelfde envelop waaruit hij ze destijds had gehaald.

Zwijgen.

'Ik had gedacht...' begon ik te stotteren.

'Ik vind het wel heel erg,' zei hij.

'O.' Ik had helemaal niet het gevoel dat hij het zo erg vond. Hij was eigenlijk heel vriendelijk en praatte heel vriendschappelijk met me. Hij vond het misschien erg omdat zijn vader het erg vond en omdat hij zich had laten beduvelen en niet gezien had, wat volgens zijn vader ieder kind kon opmerken. Ik had dolgraag geweten of hij zelf nooit een dergelijk idee had gehad en het alleen maar niet had uitgevoerd omdat hij geen drukletterdoos had die hem in verleiding had kunnen brengen. Maar alle grote dromen waren nu vervlogen en dat stemde me triest. Fabian zou het vertellen, hij zou het vertellen aan Arthur met zijn Mauritius en aan alle andere jongens. Niemand zou ooit nog met me willen ruilen, ik krijg de Mauritius van Arthur nooit te zien, als hij die al echt heeft. De zin om te ruilen was me toch al vergaan, en ik had eigenlijk ook geen plezier meer in postzegels en in mijn drukletterdoos, waarmee ik altijd zo graag had gespeeld.

Toen zag Fabian me staan en hij zei: 'Vader wilde de andere verscheuren.'

Dat had hem kennelijk gespeten.

Ik knikte en zei niets meer.

3

Ik zit in mijn kamer, kijk naar buiten naar de huizen en tuinen aan de overkant en laat mijn gedachten dwarrelen. Daar op de hoek in een verwilderde tuin staat een grote forse boom. Zijn stam is hol, langzaam sterft hij, van onderaf, het begon bij de wortels. Elk jaar klimt de dood hoger in de takken. Nog even en hij zal de kroon bereiken.

Een paar jaar geleden stond hij er nog fleurig bij. Vanaf mijn plaats bij het raam kon ik zien hoe hij van maand tot maand veranderde. Hij vertelde me welk jaargetijde het was, laat in de herfst verloor hij zijn blad, deze winter is misschien zijn laatste. Hij staat er nu weer kaal en dor bij. Door de straat waait een ijzig bijtende wind. Het is half januari en de kou dringt door de kieren van alle ramen en deuren in ons houten huis, hier in dit andere land.

Ik zie mijn vader binnenkomen, hij is oud, zijn ogen beginnen hem al dienst te weigeren. Hij heeft een kolenkit in zijn hand om de kachel bij te vullen, die te snel leeg brandt. Met onzekere gebaren gaat hij aan het werk, hij schudt het rooster en gooit hout en turf op het vuur.

'Het is gewoon niet warm te krijgen,' zegt hij, 'jij hebt het hier koud.'

'Nee, dank u wel,' antwoord ik. 'Ik heb geen last van de kou.'

Hij wacht. Ik voel dat hij iets wil zeggen, hoewel hij alleen maar is binnengekomen om de kachel bij te vullen.

'Dat zou ik toch graag nog beleven,' zegt hij ineens na lange tijd.

'Wat?' vraag ik, hoewel ik precies weet wat hij bedoelt.

'Het einde, hoe dit allemaal afloopt, dat zou ik toch graag nog beleven.'

In zijn stem klinkt nog een zwakke hoop door. 'Ik ben oud,' voegt hij eraan toe. Het klinkt alsof hij een afspraak heeft.

'Waarom zou u het niet beleven?' vraag ik weer. 'Het heeft niets te maken met leeftijd. Vaak zijn de jongeren de eerste slachtoffers.'

'Ze hebben het onderschat,' mompelt hij, alsof hij een gesprek met zichzelf voert. Weer verzinkt hij in dof gepieker. Zoals hij daar staat, weet ik precies wat hij denkt. Er wentelen duizend mogelijkheden in zijn hoofd rond: als ik toen dit had gedaan en die andere keer dat. Hij neemt alles nog eens onder de loep; hij acht zich schuldig, heel persoonlijk schuldig dat alles zo is gegaan. Natuurlijk heeft hij niet stilgezeten, maar zijn daden zijn niet langer de spiegel waarin hij zichzelf nog herkent, ze lijken niet meer in overeenstemming met wat hij nu weet en ziet.

Hij doet nog iets aan de kachel. 'Het wordt niet warm,' zegt hij, en dan zie ik hoe hij weifelend de kamer verlaat.

Ik voel geen kou. In mij brandt een vuur dat niet kan opbranden. De dood waaraan ik denk, heeft het in mij aangestoken.

Over de gang gaan slepende, schuifelende voetstappen. Er valt een deur in het slot. Dan is het weer helemaal stil.

Ik zal niets verzwijgen voor zover het mijn vijand en mezelf betreft. Als ik aan zijn dood denk, gedenk ik mijn eigen leven. Ik begrijp meer van zijn noodlot sinds hij mijn noodlot werd, meer dan ik ooit had gedacht.

Ik zal alles verzwijgen van het leed dat door hem over ons is gekomen. Het uur van de dood is niet het uur van de afrekening.

Mijn vijand was mijn leven binnengedrongen. Vader had hem geïntroduceerd. 'Dan zij God ons genadig!' en 'Ik vrees dat wij hem wel zullen leren kennen.' Nooit zal ik de dreiging achter deze woorden vergeten, evenmin zijn blik toen hij ze uitsprak.

Toen had het voor mij nog geen enkele betekenis. Wel was een vreemd iets in mij neergedaald, het bleef daar onbeweeglijk liggen, een vreemd element, zonder enig contact met de rest van mijn lichaam. Ook mijn fantasie liet het voor wat het was en zocht heel andere objecten waar mijn kinderlijke verwachtingen en angsten omheen cirkelden. Onbewust had ik het naar een merkwaardige stilte verbannen, een stilte waar de eerste kiemen van de eenzaamheid groeiden.

De gesprekken van mijn ouders werden talrijker, opener en openhartiger. Ik stak er heel wat van op. Vooral vader leek de toekomst het liefst zo somber mogelijk af te schilderen. Moeder stelde zich dan tegen hem teweer.

'Houd toch eens op,' zei zij, 'je roept de duivel gewoonweg op en je schijnt er nog vermaak in te scheppen ook.'

Hij antwoordde: 'Ik zeg alleen maar wat ik denk en wat, vrees ik, op een kwade dag werkelijkheid wordt.'

'Je hebt eenvoudig geen geloof,' zei zij verwijtend.

'En wat zou ik dan moeten geloven?'

'Dat de dingen die je vreest niet zullen gebeuren.'

'En wie gaat dat verhinderen, dat ze gebeuren?' vroeg hij achterdochtig, en hij hield zijn ronde hoofd schuin.

'Nee,' zei zij fier, 'vandaag krijg je me niet zo ver dat ik de naam uitspreek en dat jij je daarmee vermaakt.' Haar stem klonk vastberaden en hard, alsof zij met een bevel wilde afdwingen wat zich niet laat dwingen.

'Je kunt hem rustig uitspreken,' ging hij gelaten verder. 'Ik zal niet spotten.'

'Ook al spot je niet, dan heb je nog steeds geen geloof,' zei zij.

Wij stonden in het atelier. Zij liep naar de schakelaar en draaide het licht uit. 'We moeten zuinig zijn,' zei zij. 'Jij laat het licht maar onnodig branden, dat heb ik je al zo vaak gezegd.'

Het was een slappe tijd. Klaarblijkelijk hadden de mensen genoeg van hun eigen gezichten en van die van hun vrouwen en vrienden; zij lieten zich niet meer zo vaak fotograferen.

'Nee, dat vrouwengeloof heb ik inderdaad niet,' zei hij kortaf, en hij begon heen en weer te lopen in het atelier.

'Let op je woorden,' maande zij. 'Het kind is erbij.'

Ik stond naast een van de grote lampen en wielen en hield me vast aan een van de ijzeren stangen. Ik liet de kleine wielen heen en weer rijden, maar er was me geen woord ontgaan. Bij de laatste zin werd ik extra wakker, ik stopte met mijn spelletje.

'En toch is het een vrouwengeloof,' zei hij en keek even naar mij. 'Ik wil niet dat de jongen tot een vrouwengeloof komt. Hij mag niet gaan geloven dat God, of wie er dan ook daarboven achter de wolken in zijn donkere kamer zit, een beter soort verkeersagent is die erop let dat er geen verkeersongelukken gebeuren. Mensen moeten er zelf voor zorgen dat zij niet worden overreden. Dacht jij soms werkelijk dat de man daarboven in zijn donkere kamer...'

'Nu spot je,' zei moeder opgewonden. 'Houd alsjeblieft op, je zult er nog eens spijt van krijgen.' Zij was bleek geworden, haar handen, bezwerend opgeheven, trilden.

'Het is voor mij heilige ernst,' antwoordde hij, 'en als hij mij mijn woorden kwalijk neemt, is hij het niet waard daarboven in zijn mooie donkere kamer te zitten met alle belichtingsmogelijkheden – hij had ook 'trucs' kunnen zeggen – die een mens zich maar kan wensen. Ik benijd hem. Een mens is een mens, dat is altijd zo geweest, ook toen hier op aarde nog geen fototoestellen waren. Hij heeft handen, voeten, een gezicht, twee ogen, een mond met lippen, hij heeft een tong om mee te praten, te vloeken, voor mijn part om te bidden, de waarheid te spreken of te liegen; waarom heeft hij de beschikking gekregen over de taal als het niet was om alles te zeggen wat hem invalt? Maar niemand weet of die oude fotograaf daarboven ook lievelingsportretten heeft. Opnames die volgens hem heel goed zijn geslaagd, en die hij zo nu en dan tevoorschijn haalt en met plezier bekijkt. Maar misschien gaat het hem precies zoals ons allemaal, dat hij pas achteraf ontdekt welke fouten hij heeft gemaakt en dat hij daar toch eigenlijk stiekem een handje had moeten helpen, en misschien zou hij de foto graag overdoen, als hij de kans kreeg. Ik ben maar een klein armzalig fotograafje hier op deze planeet, want eigenlijk heb ik het vak nooit zo grondig geleerd als ik geleerd heb horloges te maken, ik ben als amateur begonnen en al ben ik dan nu vakman, het blijft toch amateurvakman – wat wilde ik ook weer zeggen? o ja – maar ik heb nog nooit een klant zien komen en weer weggaan die er niet van overtuigd was – zeker op het ogenblik waarop ik afdrukte – dat geen fotograaf zich een mooier gezicht dan het zijne had kunnen wensen, en ik heb hen altijd in die waan gelaten en me zelfs de moeite getroost hen in hun overtuiging te sterken. En zij waren allemaal dankbaar als ik hun gezichten later in de donkere kamer een beetje had geretoucheerd, of als ik mijn belichting zo opstelde dat zij op hun voordeligst op de foto kwamen. Het is me niet altijd gelukt, dat weet ik best. Kijk maar eens naar alle portretten die ik heb gemaakt. Hier staat de neus scheef, die daar heeft een te volle mond; bij de een staan de oren te ver af en bij de ander liggen de ogen te diep, hier is de compositie niet harmonisch en daar deugen de afmetingen echt niet. Iemand kan dom zijn en toch knap, maar daaraan kan ik niets veranderen. En wie lelijk is en intelligent, blijft lelijk, ook al breng ik zijn intelligentie nog zo naar voren.'

'En als iemand goed is?' vroeg zij.

'Dan heeft hij wel een wrat of een moedervlek.'

'En als iemand goed en mooi en intelligent is?' kwam ik er opeens tussen.

Hij keek me bestraffend aan: 'Begin jij nu ook al?' zei hij langzaam en ging toen verder: 'Die komt hier niet, die heeft mij niet nodig, hoogstens voor een pasfoto, maar dat is iets heel anders.

Maar misschien hebben wij toch allemaal een lievelingsopname, zelfs de oude fotograaf daarboven, namelijk de foto die het allerslechtst is gelukt. En misschien haalt hij die zo nu en dan eens tevoorschijn, bekijkt hem en zegt dan in zichzelf, heel zacht om te voorkomen dat de bomen uit de hemel naar de aarde zouden groeien: "Jij ouwe knoeipot."'

'Ach, jij met je verhalen,' zei moeder en wenkte mij. 'Vooruit, ga je even mee brood halen?'

Ik ging met haar mee.

'Wat bedoelde vader eigenlijk?' vroeg ik.

'O, die heeft soms van die vreemde gedachten,' zei zij. 'Nu is het weer een fotograaf.'

'Wat betekent dat, waarom zei hij dat allemaal?'

'Vroeger, toen hij nog dansleraar was,' zei zij, 'was het de opperdansmeester daarboven, en nog langer geleden de chef de réception daarboven. Hij denkt dat God evenveel beroepen heeft als hijzelf.'

Maar er waren ook tijden dat hij uitgelaten was, vol goede moed, en dan zei hij dat er voorlopig nog niets zou gebeuren en dat alles best nog heel anders kon lopen.

Toch waren mijn ouders veranderd. Er was een zorg die op hen drukte, alleen leek hun gedrag wel omgekeerd evenredig aan hun zorgen. Vader, die nooit veel vertrouwen had gehad, werd optimistisch, en zij, die leefde in haar vrouwengeloof, verloor in mijn ogen haar hoop en werd triester. Ik werd nieuwsgierig en wilde meer weten en ik bestudeerde naarstig de kranten en tijdschriften waarin zo nu en dan zijn portret stond.

Ik herinner me één bepaalde foto. Ik was teleurgesteld. Ik kan niet zeggen hoe erg, maar het was wel de eerste keer dat hij me teleurstelde. Een nietszeggende, doodgewone foto van een man van middelbare leeftijd! Zo zag ik hem als kind, want kinderen weten nog niet waarin gezichten verschillen. Ik had meer verwacht, in een onbestemd gevoel dat een vijand een bijzonder soort mens moest zijn, een ander, geen gewone sterveling, maar iemand die door iets bijzonders uitsteeg boven het alledaagse. Niet iemand als alle anderen, als mijn vader en ikzelf – waarom moest een mens om hem een beroep doen op Gods genade? Kon zo iemand zulke verschrikkelijke dingen laten gebeuren dat zelfs een vader er echt bang van werd? Wie gaf hem die macht?

Zulke gedachten hebben mij in die periode heftig aangegrepen. Zij waren het eerste voorgevoel van wat ik later als zekerheid heb leren kennen: dat de vijand een vaandel is dat de dood uit een andere wereld naar ons bestaan meevoert.

Vaak, als ik in de ban van vaders woorden was, boog ik me over de foto en liet de barse grimmigheid ervan heftig op me inwerken. Mijn vijand, dacht ik, mijn vijand, en dan bekeek ik koppig de foto, die even onbeweeglijk en koud bleef als altijd.

Ook de haat heeft weerwerk nodig om in leven te blijven.

Langzaam brokkelde de brug af die ik in mijn fantasie probeerde te slaan naar die levenloze afbeelding, en de vijand van mijn vader stond een tijdlang verder van me af dan ooit tevoren. Daardoor voelde ik me dan somber, alsof ik ongehoorzaam was geweest. Maar van een kant waarvandaan ik het niet verwachtte, zou ik gevoelig in botsing komen met zijn macht. Want het wonderlijke was dat ik met hem van doen kreeg, ook als hij zichzelf niet direct vertoonde. Hij werkte in het verborgene en zond, zonder dat een kind dit kon begrijpen, zijn boodschappers en gezanten door het land.

Ik was al vaker uitgescholden en hatelijk bejegend, nu eens van de ene en dan weer van de andere kant. Nu is het leven van kinderen natuurlijk altijd vol krenkingen en gevaren, maar ik begreep toen niet waarom. Wel leerde ik zo het een en ander over hoe mensen met elkaar omgaan.

Minachting deed mij echt zeer. Maar in het begin wogen de positieve dingen daar nog ruimschoots tegen op. Ik was toen een overgevoelig kind en juist dat heeft me later zo geschikt gemaakt om veel erger te verdragen; het heeft mijn onderzoekende geest tot het uiterste gescherpt. Toen kon ik elke klap nog verwerken. Maar in de loop van de tijd werd het erger.

Het begon ermee dat kinderen die ik nooit iets had gedaan, me begonnen te treiteren. Het duurde niet lang of ik stond alleen. Dat het niet langer ging om de bekende kinderlijke plagerijtjes, merkte ik gauw genoeg. Er zat iets achter, dit ging met overleg. Zij sloten mij buiten.

Huilend liep ik naar moeder: 'Ze willen me niet meer laten meespelen,' zei ik en balde mijn vuisten om niet te laten merken dat ik huilde.

Zij deed alsof het niet belangrijk was en zei: 'Ga er maar weer heen, zij zullen je heus wel laten meespelen.'

'Nee,' antwoordde ik.

'Ga nu maar,' zei ze vriendelijk, 'en probeer het nog maar een keer, misschien heb je ze boos gemaakt.'

'Ik heb niks gedaan,' zei ik woedend, 'en zij laten mij niet meespelen, vast niet, ik weet het zeker, zij doen het niet.'

'Dat gaat wel weer over,' zei zij bezwerend, maar aan haar stem merkte ik dat zij het ook niet meer geloofde.

Het hielp niets. Hoe hard ik mijn vuisten nu ook balde, de tranen stroomden over mijn gezicht, zonder dat ik het gevoel had dat ik bij haar stond uit te huilen. Ik schaamde me, het waren alleen mijn ogen die huilden, mijn stem en lichaam bleven onaangedaan. Hardheid en vastberadenheid kregen me in hun greep. Die werden sterker dan het verdriet te zijn buitengesloten.

'Is het zo erg?' vroeg zij nog eens, en ik zag haar ernstige, bedroefde gezicht.

'Het is al wekenlang zo,' zei ik. 'Ik heb het alleen nooit verteld.'

'Waarom niet?'

'Weet ik niet.'

Maar ik wist het heel goed, ik wist dat het mijn ouders pijn zou doen, dat het op de een of andere manier samenhing met hun eerst nog heimelijke, maar steeds openlijker gesprekken, en dat zij wat mij was overkomen in hun gesprekken zouden betrekken en dat het allemaal steeds erger werd voor ons.

'Is Fabian er ook bij?' vroeg zij. Zij zocht een uitweg om oorzaak en gevolg te verklaren en door een afdoende verklaring de zaak uit de wereld te helpen.

'Hij is de enige die me wel laat meespelen.'

'Daar komt het dus niet van,' hoorde ik haar zeggen.

'Nee, dat heeft er niets mee te maken,' zei ik schuchter.

Ze zei niets meer, vroeg ook niet of de kinderen nog iets anders hadden gezegd, of zij onder elkaar fluisterden, ze begreep blijkbaar alles, alles. Toen nam ze me bij de hand en bracht me terug naar de kinderen. Wij liepen zwijgend over de markt naar het huisje bij de poort, waar de anderen speelden. Zij onderbraken hun spel toen zij ons beiden zagen aankomen.

'Hier,' zei moeder. Zij probeerde haar diep ernstige gezicht door een glimlach iets minder gesloten te maken. 'Hij is precies zo'n kind als jullie. Jullie zijn allemaal kinderen, vooruit, allemaal met elkaar spelen.'

De meeste kinderen hadden in angstige spanning staan luisteren.

Die paar kalme woorden van mijn moeder hadden hen verrast, zij hadden wat anders verwacht: een preek of een dreigement. Er kwamen enkele kinderen naar mij toe en ze knikten vriendelijk. Alleen twee oudere jongens zetten een lelijk gezicht, fluisterden tegen elkaar en bleven onbeweeglijk. Op hen hadden haar woorden geen enkele indruk gemaakt.

Een mens vergeet vernederingen niet. Het ingrijpen van moeder had, ook al had het een tijdlang succes opgeleverd, de zwakte van mijn positie niet kunnen verbergen, integendeel. De anderen zouden het niet vergeten, ook ik vergat het niet. Het oude plezier in het spel was er niet meer, er was een domper op gezet door de vrees dat ze me misschien toch zouden buitensluiten.

Zo bleef het een poosje. Toen bedachten zij wat anders. Bij het kiezen van de spelers voor de voetbalelftallen kozen ze eerst jongens die veel slechter waren dan ik, zodat ik als laatste verlegen en beschaamd tussen de voltallige elftallen in stond.

'Nou, vooruit, kom dan maar hier,' zegt de aanvoerder van de ene partij ten slotte grootmoedig, terwijl alle anderen genieten van mijn verlegenheid. Door hun honende grijns sla ik de ogen neer en loop, vechtend tegen de tranen, naar de mij aangewezen plaats.

'Jij staat rechtsback,' zegt de aanvoerder.

'Goed,' zeg ik en stel me snel in de achterhoede op.

'Wat moet jij hier?' zegt de jongen die in het doel staat en verbaasd is dat ik ineens kom aanzetten.

'Ik sta rechtsback,' zeg ik.

'Wat?' vraagt hij. 'Je grootje zul je bedoelen. Hallo!' en hij zet zijn handen aan zijn mond als scheepstoeter en schreeuwt: 'Wat stuur je me nou voor iets? Daar heb ik niks aan.'

'Waarom niet?' roept de ander terug.

'De rechtsback moet een muur zijn,' roept hij, 'een kerel, een stevige vent die het doel kan verdedigen. Ik moet geen vlo, die lopen ze omver als hij niet stevig op zijn benen staat.'

'Nou, en?'

'Dit is toch zeker een vlo, die weegt niks.'

'Maar hij is snel en schiet prima,' klinkt het terug.

'Ik wil een vent, geen vlo die voor mijn doel heen en weer springt. Snelle jongens moet je in de voorhoede zetten.'

De anderen horen het aan, iedereen is intussen op zijn plaats gaan staan, de scheidsrechter wacht met het fluitje in zijn mond, alleen ik loop nog onzeker heen en weer.

'Het blijft zo,' roept de midvoor, die aanvoerder is. 'Hier kan ik hem niet gebruiken. Overmorgen is de wedstrijd en ik moet geen veranderingen meer in de voorhoede. Laat 'm anders rechtshalf spelen. Wissel jij met hem van plaats, Tom.' (Vreemd dat ik die naam nog weet.)

'Ik denk d'r niet aan,' zegt Tom, 'ik heb er niks mee te maken, ik ben rechtshalf en dat blijf ik. Anders speelt-ie ook niet mee.'

'Klaar,' roept de scheidsrechter en fluit. Het spel begint. Ik had er geen lol meer in, hoe dol ik ook op voetballen was geweest. Ze sloten mij buiten. Iets ergers kun je een kind niet aandoen. Ze willen je niet hebben, dacht ik, ze zien je niet staan, ze hebben je buitengesloten. Nu mag je even meespelen, maar je hoort er niet bij en daarom is het nog veel erger dan vroeger, toen ze je niet lieten meespelen. Ze weten dat ik snel ben en uitstekend kan schieten. Het is niet mijn schuld dat ik zo weinig weeg, dat weten ze best, ze zeggen zelf dat ik een bruikbare speler ben – maar toch willen ze me geen van allen hebben. Ik loop beter dan zij, ik schiet beter; het geeft allemaal niks, ze worden er alleen maar jaloers van. Maar als ik niet beter ben, als ik niet alles geef wat ik in me heb, dan geef ik ze pas echt een excuus.

Daar kwam de bal en vlak erachter zat de midvoor van de tegenpartij.

'Aanvallen!' brulde de keeper, die me niet had willen hebben en me een vlo vond.

Ik zette af en sprintte en was het eerst bij de bal. Vlak voor ik onder het lopen de bal met een kleine draai van mijn rechtervoet het veld weer injoeg, dook de vijandelijke midvoor voor me op. Hij kwam in volle vaart aanrennen en toen hij zag dat hij de sprint tegen mij verloor, liep hij met zijn volle gewicht op me in, hij deed niet de minste moeite in te houden en botste tegen me op. Ik viel, de ander wankelde even maar bleef op de been. Al vallend voelde ik een stekende pijn in mijn voet: hij had me een trap na gegeven. Dat was vast zijn wraak voor de verloren sprint.

'Opstaan!' brulde de keeper.

Ik stond op, mijn rechtervoet bleef pijn doen. Ik probeerde te rennen, maar ik kon alleen maar hinken, elke stap deed pijn. Volhouden, dacht ik bij mezelf, niet zielig doen, als je blijft lopen, gaat het wel over. Zoiets kan gebeuren, het hoeft geen opzet te zijn. Ik strompelde nog een beetje rond, het spel bleef op het middenveld. De pijn hield op en ik speelde verder. Ik verdedigde mijn doel.

'Vooruit, vlo,' riep de keeper. 'Naar voren, als back moet je aanvallen, niet aarzelen, vooruit, eropaf!' Wat stond hij daar toch te brullen?

Ik viel aan, ik stormde eropaf, ik gooide me in elk gevecht, het kon me niet schelen of ik viel, of ze me trapten. De meeste balspelen geven de kwaadwilligen daarvoor gelegenheid genoeg. Ik liep een eindeloos aantal blessures op, mijn hele lichaam was één blauwe plek, mijn benen bloedden uit vele kleine wondjes. Ik lette er niet op; het is een spel, dacht ik.

Toen werd de bal naar de rechterflank van de vijand gespeeld, op onze helft, en ik stond rechts op mijn helft en zag hoe de linkervleugel van de vijand mee opliep.

'Dekken!' riep de keeper.

Ik stelde me zo op dat mijn hele vleugel gedekt was. Maar onze linksback werd omspeeld, een hoge voorzet naar het midden, waar de midvoor zonder aarzeling de bal naar de linksbuiten kopte. Ik viel aan. Een hoog schot terug naar de rechtsbuiten.

'Houd hem!' brulde de keeper naar de linksback, maar die werd weer omspeeld, de bal kwam terug in het strafschopgebied, maar daar stond ik al en met een snelle beweging van mijn linkervoet stuurde ik de bal weer het veld in. Ze kwamen terug, het was een mooie aanval, iedereen kon zien hoe de vijand kat en muis met ons speelde. We hadden de hele voorhoede tegen ons, vijf man tegen twee, onze stopperspil bleef voor, buiten adem.

'Kom terug!' brulde ik.

'Bek dicht, vlo!' brulde de keeper. Zenuwachtig liep hij tussen zijn palen heen en weer. 'Daar komen ze.'

Weer werd de bal over links gespeeld, een schijnbeweging van hun rechtsbuiten, onze verdediging liep naar de zijlijn terwijl hij de bal naar het midden schoot. Ik kwam te laat. Maar de jongen die de bal kreeg, treuzelde.

'Schieten!' riep zijn eigen partij. Hij had een uitstekende kans de bal in ons doel te schieten, de weg was helemaal vrij. Maar hij scharrelde met de bal heen en weer in ons strafschopgebied, het stof warrelde in het rond, op onze gezichten en handen kwam een korst van zand. Ons doel verkeerde in groot gevaar, wij waren zwakker. De keeper hield zijn armen gebogen voor zich uit, hij danste met kleine sprongen gebogen heen en weer om elke beweging van de bal te volgen. Daar kwam van hun linkshalf de bal hoog aanzetten, van ons uit gezien van rechts. Het kan me niet schelen of wij winnen of verliezen, dacht ik, het is een mooie wedstrijd en ik mag gelukkig meedoen. Twee man van de voorhoede en ik sprongen na elkaar in de lucht, ik raakte de bal met mijn voorhoofd en kopte hem over mijn rechterschouder ver weg. Maar terwijl ik nog in de lucht zweefde, voelde ik een borende pijn in mijn rug, het voelde alsof ik doormidden brak. Zij hadden me in de rug aangevallen, tegen alle spelregels in. De jongen die het op me had gemunt, had me van achteren aangevallen en had me met zijn elleboog of knie een stomp gegeven om me van de bal weg te krijgen. Ik kon geen adem meer krijgen. Hij speelde de man, niet de bal, schoot door me heen. Natuurlijk kan hij altijd doen alsof hij de bal wilde spelen en als twee of drie man tegelijk opspringen, kan er van alles gebeuren, ook zonder opzet. Maar dit was een gemene stomp, de zoveelste in deze wedstrijd waarvoor de scheidsrechter niet had gefloten. Het ging allemaal zo snel, de bal was al lang weg, ik had geen adem meer, mijn geduld was opeens op. En voordat mijn voeten de grond weer raakten, had ik midden in de sprong met mijn rechterbeen naar achteren getrapt. Ik voelde dat mijn hak ergens tegen stootte, tegen iets zachts, iets vlezigs, de trap was raak.

Ik was gevallen, maar tijdens mijn val had ik de ander een schop gegeven, zodat hij ook viel en krom van de pijn zijn handen op zijn buik hield. Ik had hem een trap onder de gordel gegeven. Ik zag hem liggen, voelde me voldaan en tegelijk was ik zelf de getroffen speler die daar lag te kronkelen, en ik was ontzet over de kracht waarmee ik hem getrapt had. Hij stond op en ging vlak voor me staan.

Uit zijn hele houding sprak een onnoemelijke haat, grenzeloze minachting. Ik hoopte dat hij me zou slaan, dat hij mijn uitdaging zou aannemen. Het kon me niet schelen hoe het gevecht zou aflopen. Ook al zou ik het verliezen, dan nog zou ik met hem vechten. Hij nam me even op, draaide zich om, hield zijn buik vast en liep langzaam door. Het veelzeggende zwijgen, ook van mijn eigen ploeg, vertelde me heel duidelijk wat zij ervan dachten. Ik sloop van het veld, nog voordat de scheidsrechter me wegstuurde.

Deze kleine ervaring heeft haar sporen nagelaten. Ik veranderde mijn houding en ging me niet meer op dezelfde manier verdedigen als waarop ik werd aangevallen. Elke poging tot een aanval die ik in de toekomst zou ondernemen, moest net zo mislukken als hij anderen lukken zou.

Even later zou ik de sleutel tot hun houding vinden.

Toen op een dag een jongen op school een los blad uit zijn boek liet vallen dat vlak bij mij terechtkwam, bukte ik me gedienstig om het op te rapen. Ik keerde het om. Het was een foto van B., zoals ik die uit de tijdschriften kende. Ik werd verlegen en aarzelde. 'Geef op,' zei de jongen nors en trok hem uit mijn hand.

De enkelen die het hadden gezien, grijnsden spottend. Ineens lag op al hun gezichten een uitdrukking van vertrouwelijkheid. Het deed me denken aan de vertrouwelijkheid van mijn ouders. Hun verbeten zwijgen maakte het me onmogelijk iets te zeggen. De ban die zij over mij uitspraken, brandmerkte me als de buitenstaander, de vreemde. Ik wist dat ik was uitgestoten, dat ik alleen op mezelf was aangewezen. Ik verbeeldde me dat ik het brandmerk zichtbaar meedroeg op mijn voorhoofd. Dit gevoel heeft zo diep wortel in me geschoten dat ik het jaren later nog niet uit me los kon rukken.

Zo raakte ik meer met hem vertrouwd, juist door de minachting en hatelijkheid van degenen die zich zijn vrienden noemden en achter wie hij stond, onzichtbaar en onbekend. Hij veranderde langzamerhand alles; de houding van de kinderen, hun woorden, hun blikken, hun gebaren, precies zoals hij mijn ouders had veranderd. Hij leerde me wat eenzaamheid is; eerst de pijnlijke en troosteloze kant, pas later de kracht ervan. Maar hijzelf bleef in de verre verte, waarin hij zich van het begin af aan had teruggetrokken, onbeweeglijk. En ik had een schim moeten haten als ik hem had willen treffen. Zijn omtrekken werden al iets duidelijker, maar het geheim van een vijandschap die je leven vervult, bleef mij als kind voorlopig nog verborgen. Het was het begin van een lijdensweg, en toen al voelde ik hoe het vervolg op me zou blijven drukken. Als ik nu terugdenk aan de jaren die nog moesten komen, wordt mijn geheugen overschaduwd met hetzelfde trieste licht.

En vandaag, nu ik hier met een feestgevoel zit te schrijven, komt het wanhopige gevoel uit de tijd dat ik buitengesloten werd weer in mij op, die onmetelijke leegte en verlatenheid die me steeds meer overmande. Geen troost door het pijnlijke besef dat ik zelf als vijand was uitverkoren. Te sterk voelde ik de weerzin, de haat die in de ander tegen mij brandde, dan dat ik op de gedachte zou zijn gekomen dat ik ook het recht had weerzin te voelen, te haten. Ik de vijand van de ander! Hoe kon ik dat verdragen? Het was een ontdekking die me met alle kracht overviel. Het was bijna een verplichting, ik moest er iets tegenover stellen, iets goedmaken. Maar wat?

Die foto, waar ik mij soms met brandende ogen over boog, bleef levenloos, die gaf zijn geheim niet prijs. Op een vreemde manier had hij zich, zonder dat ik het merkte, met weerhaken in mijn lijf verankerd. Hoe meer ik eraan rukte, des te feller de pijn.

Strak keek ik net zo lang in deze spiegel tot ik mijzelf in hem meende te herkennen.

4

Nu wil ik vertellen over mijn laatste gesprek met mijn vriend. Dat was ongeveer vijftien jaar geleden, maar het voelt alsof het gisteren was. Daarna heb ik hem nooit meer gezien. Enkele jaren geleden heeft iemand me nog eens gevraagd of ik die en die soms kende, en noemde zijn naam. Ja, die had ik gekend, antwoordde ik. Punt.

'Ik wist wel dat u hem kende,' zei de ander.

'Ja?'

'Wilt u weten van wie?'

Ik wachtte.

'Van hemzelf,' was het antwoord. 'Ik ontmoette hem toevallig en ik moest u de groeten doen. Misschien kan hij u helpen. Hij heeft carrière gemaakt, hij is nu een hoge ome.'

'Moest u vragen of ik zijn hulp nodig had?' vroeg ik bits.

'Ja,' bevestigde de ander. 'Zeker. Hij liet duidelijk doorschemeren dat hij met genoegen zijn invloed...'

'Dank u,' reageerde ik. Meer niet. Geen groet, geen antwoord op deze duidelijke vraag. Geen boodschap. De zaak liet me volkomen koud.

Vroeger is hij mijn beste vriend geweest. Als ik een schot tussen mijn gedachten schuif zodat er een eerst en een later ontstaat, lukt het me misschien om weer te voelen wat ik bij de woorden 'mijn beste vriend' zou moeten voelen.

Hij woonde in H. en elke vakantie kwam hij naar ons stadje, waar hij logeerde bij zijn tante op de zolderverdieping. In het dak zaten twee grote ramen, vermoedelijk was de zolder oorspronkelijk als atelier gebouwd. Als we op de tafel klommen en de ramen met de ijzeren staaf openduwden, kwamen we met ons hoofd net boven de dakpannen uit. Dan keken we over de hele stad. Vlak voor ons de wijzerplaat van de kerktoren. Achter de stad begon de wijde vlakte, in de verte de rivier. Zo nu en dan striemde een windstoot de daken en onze gezichten. Dan kostte het ons weinig moeite ons voor te stellen dat we op zee waren of dat we als piloot de lucht ingingen.

Mijn vriend sloeg nooit één vakantie over, al kwam hij soms maar een paar dagen. Waarom kwam hij eigenlijk? Een keer suggereerde hij min of meer dat dit voorlopig zijn enige kans was om aan zijn ouders te ontsnappen. De uitnodiging van zijn tante was een goed excuus.

En dan gingen er weer maanden voorbij dat we elkaar niet zagen. Hij schreef soms brieven. Ik antwoordde bijna nooit. Hij was drie jaar ouder dan ik en een hoofd groter. Hij zat nog wel op school, maar al in de hoogste klas.

'Goedemiddag,' zei hij dan op zijn kalme toon, 'daar ben ik weer, hoe staat het? Nog bedankt voor je brief. Wat ben jij toch een trouwe schrijver.' Ik had hem dan meestal niet geantwoord en zocht verlegen naar een smoes.

'Laat maar,' zei hij nonchalant. 'Ik schrijf ook meer omdat ik het zelf leuk vind.' Hij praatte zo kalm en vriendelijk dat ik me meteen weer op mijn gemak voelde.

Hij had een klein spraakgebrek door een hazenlip. Ik was er zo aan gewend dat ik het nauwelijks merkte. Wel merkte ik dat hij onrustiger werd als hij vreemden ontmoette. Dan praatte hij veel slechter. Juist als hij zijn gebrek wilde verbergen, merkte je het duidelijker. Maar omdat hij een aardige vent was, vond hij altijd weer snel zijn gewone onopvallende manier van praten terug.

Hoe ik hem had leren kennen? Ik geloof in het zwembad of bij een of ander sportfeest van school. De eerste keer hadden we het over school, de leraren, uitstapjes, kortom, al die dingen die een scholier bezighouden. We liepen samen naar huis en spraken af voor de volgende dag. Wat was ik trots dat een oudere jongen gewoon met mij wilde praten. Ik had een verovering gemaakt.

In stilte was ik bezorgd dat hij langs een of andere slinkse weg zou horen wie ik was, dat wil zeggen, wie ik in de ogen van de anderen was. Meer nog maakte ik me ongerust dat hij zou merken hoe ik me zelf voelde. Dan zou ik hem vast en zeker weer verliezen. Zodra hij daarachter zou zijn gekomen, zou dat het einde van onze vriendschap zijn. Ik deed alles om dit te voorkomen.

(Zo houd je jezelf voor de gek als je jong bent, zeker in dit soort vriendschappen. Met je hoogstaande gevoelens kun je mooi verbergen dat je bang bent je vriend te verliezen. Wat een onzekerheden... Alsof je alleen durft af te gaan op je eigen onvermogen en vooral wilt camoufleren hoezeer je tekortschiet in liefde en vriendschap.)

Maar mijn vriend leek zich niet te interesseren voor wat mij kwelde. Hij bleef wie hij was. Zijn rust kalmeerde mij. Ook bij onze laatste ontmoeting – ik wist nog niet dat het de laatste zou zijn – was zijn vriendschap even groot als anders. Op onze wandelingen zwierven we vaak urenlang door de bossen in de omgeving en vertelden we elkaar wat we dachten en wat we beleefd hadden. Omdat hij ouder was dan ik vond ik zijn belevenissen interessanter. Ik luisterde graag naar hem. Maar hij vroeg altijd ook naar mijn ervaringen.

Juist door deze ontspannen kameraadschap dacht ik er zelden aan, met hem over mijn ellende te praten. Waarom zou ik? In onze verhouding speelde die ellende geen rol. Iets in me verzette zich ertegen om iets daarvan aan hem te laten zien. Ik vond het niet interessant genoeg. Maar misschien schaamde ik me ook een beetje om door zo'n bekentenis mijn eigen waarde te verminderen.

Maar deze laatste keer liep het anders. Ik stortte mijn hart bij hem uit in de stille hoop bij hem troost en steun te vinden. De tijd waarin moeder me bij de hand nam en me terugbracht naar de andere kinderen, was voorbij. Ik vond dat ik hem alles gerust kon vertellen zonder zielig te lijken. En hij?

Als ik het me goed herinner heb ik aan zijn houding niets gemerkt van wat er stond te gebeuren. Huichelde hij dan in het begin? Nee, zo wonderlijk kan een mens zijn, dat hij aan het begin van een gesprek nog iemands vriend is en aan het einde zijn gehate vijand.

Hij luisterde zoals altijd stil en aandachtig naar mijn verhaal. Dat was ik van hem gewend. Hij keek in de verte of voor zich op de weg, de handen op de rug. Van tijd tot tijd knikte hij even, ten teken dat hij luisterde. Heimelijk nam ik hem op van opzij. Er stroomde een warm gevoel door me heen, ik vond het prettig dat hij naast me liep en het leek me goed dat hij alles wist. Als hij mijn vriend is, dacht ik, kan ik hem ook alles van mijn vijand vertellen en van de ellende die hij me aan alle kanten bezorgt.

'Je hebt dus een vijand,' herhaalde hij na een tijdje, ernstig. 'Waarom heb je me dat nooit eerder verteld?'

'Ik vond het nog niet belangrijk genoeg,' zei ik zonder lang nadenken.

'Je vergist je,' zei hij nadrukkelijk en keek me ineens aan. 'Je vergist je enorm, je vijand moet nog belangrijker voor je zijn dan je vriend.'

Die opmerking was geen openbaring voor me, want ik had zoiets zelf ook al vermoed, maar ik was toch verrast. Dit antwoord had ik niet verwacht.

'Waarom?' vroeg ik. 'Hoezo? Trouwens, ik ben eerder zijn vijand dan hij de mijne. Ik ken hem niet eens. Ik heb alleen mijn vader over hem gehoord.' Ik begon nu voor de eerste keer over B. te vertellen zonder nog zijn naam te noemen.

Plotseling vroeg hij ronduit: 'Wie is het eigenlijk?'
Ik noemde de naam.
Hij zweeg.
Na een tijdje zei hij, en ik had het gevoel dat hij door zijn gebrek nu een beetje door zijn neus praatte: 'Wat zegt je vader eigenlijk over hem?'
Ik herhaalde de woorden van mijn vader.
Stilte.
'Ken jij hem?' vroeg ik ten slotte.
Hij knikte. 'Ik ken hem goed,' zei hij langzaam en voorzichtig.
Ik schrok. 'Ja? Wat heb jij met hem te maken?'
'De laatste tijd heel veel.'
Het antwoord verraste mij.
'Is hij ook jouw vijand?'
Hij vertrok zijn mond tot een glimlach, ik zag zijn hazenlip. 'Nee, integendeel.'
'Je vriend dus?'
Hij zweeg. Mijn directe vraag kwam hem kennelijk ongelegen.
Ik kan niet uitleggen hoe benauwd ik het kreeg door zijn zwijgen. Zijn hele houding had me al in verwarring gebracht.
Toen vergat ik mezelf en begon spottend, zonder precies te weten wat ik zei: 'Wie is die meneer eigenlijk dat hij zo veel drukte maakt over zichzelf dat de anderen nog meer lawaai over hem schoppen? Wie is hij, en wat kan hij nou? Op welke prestaties kan hij wijzen? Op welke? Belachelijk! Een bazig ventje, brutaal, onbeschoft! Hij belastert iedereen die het niet met hem eens is. Nu heeft-ie zelfs al een partij. Mensen besteden veel te veel aandacht aan hem. Een paar potige kerels en de hele zaak is uit de weg geruimd. Laten we maar over hem ophouden. Zo belangrijk is hij niet.'
Voor zover ik me herinner, was dit de eerste keer dat ik zo van leer trok tegen hem. Ik schrok zelf een beetje van mijn heftigheid. Tot nog toe had ik geen kans gezien om mijn haat zo open en bloot te uiten, behalve dan die keer op het voetbalveld. Maar dat had me

juist nog moedelozer gemaakt. Je kunt niet altijd zachtzinnig en op je hoede zijn als je daarbij je nagels in je eigen vel moet slaan om een uitlaatklep te vinden voor je woede. Het is niet goed voor je gezondheid om voor heilige te spelen.

Mijn vriend had me uitgedaagd. Dan moest hij ook maar eens horen wat ik ervan dacht. Ik was vastbesloten.

'Je vergist je,' antwoordde hij kalm. 'Echt, je vergist je verschrikkelijk.' Weer die nasale stem. 'Je moet ernstig rekening met hem houden. Een paar potige kerels kunnen niets uitrichten tegen zijn ideeën, tenzij ze even potige ideeën meebrengen als wapen. Maar voor zover ik het kan overzien...' Hij praatte weer als in het begin. In zijn stem klonk nog steeds de oude vertrouwelijkheid die me anders zo goed had gedaan. Maar nu ergerde die kalme toon me. Dat kon er net niet meer bij.

'Wat heb jíj met hem te maken?' vroeg ik geprikkeld.

'Begrijp goed,' ging hij onverstoorbaar verder, als een schoolmeester, 'wat een vriend je soms niet zegt, wat je niet eens tegen jezelf durft te zeggen omdat je het liever niet wilt weten, dat hoor je vaak alleen van je vijand. Hij overdrijft misschien en hij doet je inderdaad onrecht, maar vergeet niet dat er altijd een kern van waarheid in zit. Op de een of andere manier moet hij diep door je zijn getroffen, dieper dan vele anderen die je veel nader staan. Hij laat zich door jou meeslepen. Vergeet dat niet! Je moet niet zijn woorden onderzoeken, je moet zoeken waar hij door jou geraakt is. En dan zou je weleens kunnen ontdekken dat er misschien een zekere verwantschap tussen jullie bestaat.'

Ik begreep hem, ja, in grote lijnen begreep ik hem, ook al waren er misschien wel woorden bij die ik niet helemaal kon vatten. Hij wilde zeggen dat een vijand iets positiefs is. Iets positiefs! Op de een of andere manier vonden zijn woorden weerklank. Nee, doof was ik daar niet voor. Maar verdorie, wat had híj met hem te maken? Hij ontweek het antwoord.

'Jij kent hem,' begon ik opnieuw.

'Ja, ik ken hem. Sinds kort ben ik door omstandigheden meer met hem in aanraking gekomen.'

'Je hebt me nooit iets over hem verteld.'

'Jijzelf bent ook pas vandaag over hem begonnen.'

'En als ik dat niet had gedaan?'

Hij zweeg, maar tegelijk zag ik dat hij bijna onmerkbaar even zijn schouders optrok.

Als ik er niet over was begonnen, zou hij ook niets verteld hebben, bedacht ik. Dat wij allebei tot nog toe hetzelfde hadden verzwegen, dat overrompelde me. Wat een grap, deze vriendschap! Een dubbel bedrog met een en dezelfde persoon...

'Misschien was ik er vandaag of morgen wel over begonnen,' verbrak hij het zwijgen. 'Je mag best weten dat ik hem heb gezien, al een tijd geleden, en ik kwam helemaal in zijn ban. Ik heb hem horen spreken en meteen had hij me voor de zaak gewonnen. Ik geloof inderdaad dat hij mijn vriend is geworden. Ik wil mijn leven voor hem geven.'

Ja ja, het leven van een hazenlip, dacht ik en tegelijk deed het ergens zeer, al wist ik niet waar precies, en ik had direct spijt van die hatelijke gedachte. Maar plotseling was hij een ander geworden.

'En waarom wil je hem je leven geven?' vroeg ik op dezelfde spottende toon die ik nu al verafschuwde. Ik moet hem haten, schoot het door me heen, ik moet hem nu haten. Zo hoort het. Er is verraad gepleegd, er is verlies geleden...

Een paar tellen lang probeerde ik bewust dat gevoel aan te wakkeren. Tevergeefs.

Ik werd bedroefd – misschien wel omdat niemand míj vroeg mijn leven voor hem te geven?

'Hij heeft grootse ideeën,' ging hij verder. 'Begrijp je wat dat betekent? Hij geeft ons leven een nieuw, groot doel, een doel dat de moeite waard is om ervoor te leven of te sterven. Ik wou dat jij hem ook eens kon horen of zien.'

Wat een idioot idee!

‘Hij is mijn vijand,’ zei ik vastberaden. ‘Die van mijn vader en van vele anderen zoals wij. Hij zal ons vernietigen, tenzij de genade...’

‘Kom nou,’ viel hij me in de rede, ‘je kletst, hij heeft voor zijn doel gewoon iemand nodig, een vijand bijvoorbeeld. Jij vat alles veel te letterlijk op.’

‘Wát heeft hij nodig voor zijn doel?’ vroeg ik argwanend. ‘Een vijand?’ Ik begreep het niet.

‘Nou, als jouw vader je ergens voor wil waarschuwen, zegt hij dan nooit: pas op, anders word je net als die of die, die niksnut, wil je zo worden? En kijk, dat doet hij nu met jou en de anderen. Dat is alles. Op die manier verduidelijkt hij zijn gedachten en bedoelingen. En misschien heeft hij wel gelijk.’

‘Dat is zo,’ zei ik kleintjes. ‘Vader zegt dat weleens. Het is een waarschuwing en dreigement tegelijk.’

‘Zie je wel?’ zei hij luchtig.

Maar tevreden was ik niet. Ik was op een leeftijd waarop je openstaat voor allerlei suggestieve uitspraken. (Want de mogelijkheden van de wereld buiten ons zijn tegelijk de werkelijkheden binnen in ons.) Eerst had hij anders gepraat, ernstiger, en nu maakte hij er een grapje van. En ik raakte hem kwijt. Wat konden mij per slot van rekening de doeleinden en omwegen schelen die mijn vijand kennelijk nodig had om Joost mag weten wat te bereiken. Ik dacht nu aan de vriend die ik dreigde te verliezen. Hij voelde blijkbaar wat er in me omging.

De hazenlip zei: ‘Maar dat heeft geen enkele invloed op onze verhouding, begrepen?’

Ik lachte spottend. ‘Dat meen je niet. Je wilt mij als vriend en hem ook? Uitgesloten!’

Hij zag mijn opwinding en probeerde me te bedaren. Ik moet zeggen dat hij echt zijn best deed om mijn teleurstelling af te zwakken. ‘Je overdrijft,’ zei hij steeds maar weer.

‘En als hij zijn geweldige ideeën, zoals jij ze noemt, mag uitvoeren, ook zijn plannen met ons, wat dan?’

‘Maar zover zijn we toch nog lang niet,’ zei hij sussend. ‘Op mijn woord!’

Dezelfde woorden die vader destijds gebruikt had om me gerust te stellen.

Zijn antwoord was voor mij het teken dat hij niet verder kon. Hij wist geen raad meer met zichzelf. Om mij te sparen bleef hij oneerlijk. Misschien zag hij zelf de onmogelijkheid in van wat hij enkele seconden eerder nog als de gewoonste zaak van de wereld had verkondigd. Maar voor mijn gevoel kwam dat te laat. Ik kon niet meer terug.

Hij was niet meer dezelfde als aan het begin van onze wandeling, alles was anders geworden. Wat was er gebeurd? Niets anders dan dat twee vrienden hadden gepraat over een derde en dat daarbij gebleken was dat die derde de vijand van de een en de vriend van de ander was.

Ik nam hem voortdurend van opzij op. Hij liep weer even vlot als altijd. Voor mij lag de wereld in diggelen: die twee grote brokstukken, vriend en vijand, konden niet meer worden samengevoegd, de eenheid was verloren. En tegelijk wist ik dat ik nu eindelijk mijn vijand van vlees en bloed had gevonden. Door het verlies van een vriend.

Zonder nog veel te zeggen liepen we naar huis. Tot een gesprek kwam het niet meer. Ik had het idee dat hij van tijd tot tijd glimlachte. Hij dacht zeker aan zijn nieuwe vriend, hij had hem toch gezien en horen spreken? Hij zou vast nog veel meer over hem kunnen vertellen. Zou ik ernaar vragen? Mijn nieuwsgierigheid groeide, maar mijn trots was sterker. Het werd ondraaglijk.

En toen schoot ineens de krankzinnige gedachte door me heen dat hij hier bewust op had aangestuurd, dat die laatste uitspraken alleen bedoeld waren geweest om deze wandeling, die zo rustig en goed begonnen was, zonder ruzie te kunnen afronden, ter wille van de lieve vrede. Misschien dacht hij nu anders over me, maar dat verborg hij dan zorgvuldig.

We waren op de terugweg. Ik liep altijd met hem mee tot het huis van zijn tante en het laatste stuk liep ik dan alleen. Zo maakte ik het voor hem eigenlijk heel makkelijk, we konden afscheid nemen alsof er niets was gebeurd. Hij hoefde dan alleen de volgende vakantie over te slaan en hij was van me af. Maar ik bleef op mijn hoede.

Ineens zei hij: 'Ik zou je een verhaal willen vertellen.'

'Bij wijze van afscheid?' ontschoot het me.

'Wat je wilt,' antwoordde hij gelaten. 'Wat jij wilt. Ik heb dat verhaal kort geleden gehoord. Maar als je het niet wilt horen...'

'Wat voor een verhaal?' vroeg ik voorzichtig.

Hij glimlachte om mijn nieuwsgierigheid en zei: 'Het verhaal van de elanden. Ken je dat?'

'Nee.'

'Nou, luister.' Hij wachtte even en dacht na. Ik was bang dat hij er ineens geen zin meer in had, maar even later begon hij toch: 'Vele jaren geleden was onze keizer een keer op bezoek bij zijn neef, de tsaar van Rusland. Het was een langdurig bezoek met veel uitstapjes, veel feesten en veel jachtpartijen. Bij het afscheid schonk de tsaar zijn neef als teken van hun onverbrekelijke familieband een kudde elanden. Het waren prachtige grote dieren met brede geweien. Zulke dieren komen in ons land niet meer voor. Alleen daar leven zij nog in eenzame streken, schuw en trots, ze komen alleen voor in steppen en bossen waar bijna nooit een mens komt. De keizer nam de kudde mee naar ons land, ontbood al zijn houtvesters en vertelde hun wat een kostbaar geschenk zijn neef de tsaar hem en hun had gegeven. Samen zochten ze een plek waar de dieren zich thuis zouden kunnen voelen, en ze vonden aan de Oostzeekust een uitgestrekt gebied met bossen en open vlakten op de landtong tussen de zee en een haf, ver van alle menselijke nederzettingen. Ze maakten er een natuurreservaat van, bouwden kleine houten schuren en vulden die voor de winter met hooi en droog blad. Er werd een speciale houtvester voor het gebied aangesteld. Er ging enige tijd voorbij en de grote dieren leefden ongehinderd in hun rijk op de landtong, ze ontmoetten elkaar op de voederplaatsen en ze paarden onder de oude beuken. 's Ochtends kon je zien hoe ze langzaam van de open plekken naar het hoge geboomte trokken, en als je ze overdag besloop, zag je ze alleen en roerloos staan tussen laaghangende takken. De dieren staarden dan met hun grote bruine ogen naar de oneindigheid. Als je ze liet schrikken, krompen ze even in elkaar en sloegen dan met hoge sprongen op de vlucht, de grond trilde onder hun hoeven, ze draafden verder en jaagden door het heuvelige grasland, een heuvel op, wierpen soms hun kop in de nek zodat het was alsof het gewei op hun rug groeide en dan verdwenen ze in het donker van het bos. Hun zware lichaam zette de vlucht nog even voort, maar als vanzelf ging dat ten slotte weer over in hun gewone trotse gang. Hun kop boog zich weer naar de aarde, ze trokken grashalmen uit en plukten bladeren af, en dan leek hun gewei op knoestige takken die van de bomen waren gevallen. De geur van hun drek vermengde zich met die van de andere dieren van het bos, hun gebrul in de bronsttijd werd een van de vele dierengeluiden en het was alsof ze van oudsher op deze landtong tussen zee en haf thuis waren.

Maar na een paar jaren kwamen al de eerste berichten dat de kudde kleiner werd. Steeds vaker vond men in het bos of op de vlakte het lijk van een eland. Het eens zo mooie, warme lichaam lag stijf als een dode boom op de grond, de gebroken ogen staarden als levenloze kralen uit hun kassen. Men begreep niet wat de dood van deze dieren had kunnen veroorzaken. Tegelijk was het alsof de overlevenden steeds apathischer werden, hun sprongen waren niet meer zo gedurfd en op de vlucht gejaagd draafden zij niet meer zo zwevend heuvel op heuvel af.

De keizer ontbood opnieuw zijn houtvesters en samen overlegden zij wat zij konden doen tegen het stille sterven van de elanden. Men ging alle mogelijkheden na: klimaat, voer en huisvesting van de dieren, men haalde er dierenartsen bij die de kadavers onderzochten op stoffen die de dood hadden kunnen veroorzaken. Het was allemaal vergeefs, men vond geen enkele aanwijsbare oorzaak. Men verzocht ieder die zich op wetenschappelijke wijze bezighield met het leven in de bossen en wiens mening en oordeel van waarde werden geacht, een verklaring te geven van dit raadselachtige sterven. Maar niemand had er een. Ten slotte schreef de keizer aan zijn neef, de tsaar. Hij gaf uiting aan zijn droefheid over deze gang van zaken en vroeg raad.

De tsaar zond een van zijn houtvesters, een man die vele jaren gewoond had in het gebied van de elanden en die alles wist over hun gedrag. De man kwam en nam zijn intrek in een hut op de landtong tussen de zee en het haf. Hij bleef er een heel jaar. Hij onderzocht alles wat verband hield met het leven van de elanden in hun nieuwe vaderland en toen het jaar voorbij was, ging hij naar de keizer, de andere houtvesters en de geleerden en zei: "Ik heb alles onderzocht, en vastgesteld dat het hooi voortreffelijk is en de bladeren voedzaam zijn. Het klimaat is goed, de grond en het bos en de vlakten zijn goed. U heeft alles gedaan wat een mens kan doen om de dieren in leven te houden. Het ontbreekt ze aan niets."

"Waarom sterven ze dan?" vroeg de keizer ongeduldig. "Als het hun aan niets ontbreekt, waarom sterven ze dan?"

"Het ontbreekt ze aan niets," ging de oude man rustig verder. "Niemand heeft een fout gemaakt, maar er is één ding..."

"En wat is dat dan wel?" viel de keizer hem weer in de rede.

"Ze missen één ding," ging de houtvester voort, "en daarom sterven ze."

"En dat is?" zei de keizer, met zijn vingers op tafel trommelend.

"De wolven."

"De wolven?" herhaalde de keizer ongelovig.

"Ja," zei de oude man. "Het zijn de wolven die ze missen."

En toen ging hij weer naar huis, naar zijn elanden en wolven.'

Mijn vriend zweeg. Een tijdlang liepen we zwijgend naast elkaar verder, onophoudelijk herhaalde ik in mijzelf de woorden: 'Het zijn de wolven die ze missen.' De wolven! Ik was met stomheid geslagen.

Wie zou ooit hebben gedacht dat het de wolven waren die zij misten? Waarom niet de hemel boven de steppe of de inheemse zangvogels of...? Maar nee, het waren de wolven. Ik voelde dat ik iets moest zeggen, maar er schoot me niets te binnen.

'Een wonderlijk verhaal,' zei ik na een tijd, niet direct tegen hem. Hij antwoordde niet.

Waarom had hij me dit verhaal eigenlijk verteld? Hij moet er toch een heel bepaalde bedoeling mee hebben gehad dat hij mij dit verhaal en geen ander heeft verteld, ging het door me heen. En nu wacht hij misschien tot ik iets zeg en zijn verhaal mooi vind.

Ik zocht krampachtig naar woorden. Hij was zo lang aan het woord geweest en nu bleef hij zwijgen, en door beide, het spreken én het zwijgen, had hij mij met een probleem opgezadeld. Ik voelde de druk op mijn schouders, mijn tong was als verlamd.

Zijn verhaal had me getroffen. Het hield verband met ons gesprek, dat stond als een paal boven water, met de vijand en met alles eromheen. Ik vermoedde een samenhang en wond me daarover op, maar tegelijk voelde ik iets dat me afremde en ik vond geen woorden om mijn gedachten te uiten. 'Een heel eigenaardig verhaal,' herhaalde ik kwaad, en weer wachtte ik even om te laten merken dat ik nog eens heel goed moest nadenken over zijn vreemde verhaal.

'Ik geloof dat ik begrijp waarom je het verteld hebt,' ging ik verder. 'Maar helemaal begrijp ik het nog niet. Zulke dierenverhalen liggen me eigenlijk niet, ik heb ze nooit kunnen waarderen. Iemand wil iets zeggen over mensen en komt dan met een verhaal over dieren. Waarom? Mens en dier, dat zijn toch twee heel verschillende planeten. En wat voor de een geldt, hoeft nog niet voor de ander te gelden.'

Ik begon te debatteren om mijn oude zekerheid terug te vinden. Daarbij keek ik hem aan en zag hoe hij zijn hazenlip tegen zijn tanden drukte en afwezig in de verte staarde. Misschien had hij mijn laatste woorden helemaal niet meer gehoord. Ik kreeg een onbehaaglijk gevoel, zweeg en liep stil naast hem verder.

Bij de volgende kruising, nog een paar straten voor het huis van zijn tante, bleef ik staan. Ik stak mijn hand uit.

Zonder aarzelen greep hij hem. Hij scheen dit slot niet te hebben verwacht. Toen keek hij me recht in de ogen. Ik wist eigenlijk niet of hij droef of triomfantelijk wilde kijken. Ik kon zijn blik niet doorzien. Hij tilde zijn hoofd even op en keek de straat in. Hij was kennelijk opgelucht. Hij kuchte even. Het litteken op zijn lip werd een beetje rood. Dit was het laatste wat ik van hem zag.

5

Uit de tijd erna herinner ik me van mijn terneergeslagen stemming niet veel meer. Ik had dan wel mijn vriend verloren, iemand die ik bewonderde, die mij dierbaar was, voor wie ik hopelijk iets betekende. En na dit verlies stond ik onbeschermd bloot aan ruwheid en onrecht. Maar ik verborg me achter een grimmige trots, zodat ik mijn gedwongen eenzaamheid kon vermommen als eigen keus. Ik troostte me met het waandenkbeeld dat ik niet het slachtoffer, maar de aanstichter van een samenzwering was.

Mijn moeder was de eerste die de verandering merkte. Na een poosje informeerde ze eens terloops naar mijn vroegere vriend. 'We zien hem nooit meer,' zei ze.

Even terloops probeerde ik haar vraag te omzeilen.

'Is er wat gebeurd?' vroeg ze door.

Ik deelde mijn geheimen liever niet meer met mijn ouders.

'Ach, hij is drie jaar ouder dan ik,' antwoordde ik.

'Komt hij in de vakantie niet meer hier?'

'Weet ik niet.'

'Ik dacht dat ik hem gisteren zag, aan de overkant. Hij draaide net zijn hoofd om. Maar misschien was het een ander,' voegde zij eraan toe.

Hij was dus toch gekomen? Ik was verbijsterd, maar ik zei nonchalant: 'Ja, dat kan.'

Mijn vader had de laatste woorden van ons gesprek opgevangen. Hij had kennelijk alles geraden. Over zijn gezicht trok iets van de pijn die ik probeerde te verbergen, als van iemand die iets belangrijks is verloren. Hij dacht ingespannen na en speelde daarbij met zijn sleutelbos.

Hij keek me strak aan. 'Je zult eraan moeten wennen,' zei hij ten slotte.

Opeens overviel de haat me zo plotseling dat ik er niets meer aan kon doen: de haat voor mijn vader. Ik haatte hem omdat ik op zijn gezicht hetzelfde verdriet zag. Je zult eraan moeten wennen? En dat zeg je alsof dat het enige is? Weet je nu niets beters? Eraan wennen zoals jij je eraan gewend hebt, en je vader en diens vader en de hele rij daarvoor, alsof het normaal is dat je een vriend moet kwijtraken. Ik haatte hem. Hij had mij geketend aan een noodlot. Als een gevangene.

Onmogelijk je hieruit te bevrijden. Het vonnis was geveld, maar de schuldige was hij, mijn vader. Ook hij was eens geketend aan een lot dat van generatie op generatie was doorgegeven. Ik keek hem strak aan. Hij had me hierop moeten voorbereiden, hij had moeten zeggen dat dit met leed en ellende gepaard gaat, met smaad, verlies, afvalligheid, onrecht en machteloosheid, dat dit de wereld was, dat dit het leven was dat hij aan mij had overgedragen, en niet dat andere uit die brave kinderboeken.

'Een mens moet ook zijn trots bewaren.' Dat zei hij ook nog, alsof hij onze gedachten daarmee een fundament wilde verschaffen. Hij had geen betere woorden kunnen bedenken om mij nog opstandiger te maken. Trots? Hij had dat zelf niet eens! En trots op wat? Dat je bent wie je bent? Misschien zelfs nog een schietgebedje, zo van: God, ik dank u dat ik niet ben als die anderen? Dat is het begin van alle barbarij.

Mijn moeder kwam ertussen. 'Het duurt niet zo lang meer, dan ga je hier weg,' zei ze, 'en dan vind je wel andere vrienden.'

Ze zou gelijk krijgen. De omstandigheden dwongen me ertoe. Ik verliet de school en ging naar F. Min of meer toevallig kwam ik daar al gauw terecht in een kring van lotgenoten in dezelfde omstandigheden, die ook het teken droegen.

Wolf was een van hen, en Leo en Harry en Max, er schieten me nog veel meer namen te binnen, ik zou er een blocnote mee kunnen vullen. Misschien dat iemand die later deze aantekeningen leest, nog enkele namen eraan kan toevoegen om er dan een romantisch geheel van te maken. Zoiets is wel vaker gebeurd.

Vreemd eigenlijk, ik lijk er onbewust van uit te gaan dat ikzelf deze bladzijden niet terug zal zien. Misschien heeft dat gevoel iets te maken met het besluit dat ik binnenkort moet nemen, of misschien heb ik het al genomen want ik hou nu al rekening met eventuele gevolgen. Maar nu ben ik de draad kwijt...

O ja, ik was terechtgekomen in een groep lotgenoten van mijn eigen leeftijd. Het is toch opvallend hoe zich altijd en overal groepen vormen van mensen die door het noodlot op een of andere manier zijn samengebracht. Zoals zeelui die in elke haven hun eigen buurt vinden waar iemand hen verwacht. Je zondert je af en duidelijk zichtbaar voor anderen vorm je een eigen gemeenschap. Je bent anders, en daarin ligt misschien het eigene. En niemand weet meer of het nu het teken was of de gemeenschap die het verschil teweegbracht.

Wolf was niet de eerste die ik leerde kennen, maar hij heeft wel de meeste indruk op me gemaakt, hoewel ik hem niet mijn vriend zou kunnen noemen. Hij stak een hoofd boven ons uit en was een beetje gezet. Hij had te veel vet op zijn spieren en bewoog zich log. Ik had hem vaak aangespoord wat aan sport te gaan doen, maar dat was vergeefse moeite. Voor kleren had hij totaal geen aandacht, meestal had hij een bont hemd aan, blauw of rood, met een verkreukeld boord, nooit droeg hij een das. Hij had grote voeten, maar zijn schoenen waren altijd nog een maat groter en zaten als schuiten aan zijn voeten. Maar al zaten zijn kleren vol vlekken en kreukels, zijn goedmoedigheid straalde van zijn gezicht.

Hij was een paar jaar ouder dan wij, had meer ervaring en leek ook veel rijper. Samen met zijn moeder, een oudere broer en een jonger zusje woonde hij in een buitenwijk. Zijn vader was een paar jaar tevoren gestorven aan de verwondingen die hij bij een aanslag had opgelopen, hij was een van de eerste slachtoffers geweest. Men vermoedde dat hij de aanslag zelf had uitgelokt.

Hoewel ik Wolf al een paar maal had ontmoet, had ik het eerste echte gesprek met hem op de dag na een klein grappig voorval op de eerste verdieping van het warenhuis. Dat voorval had voor mij nog andere gevolgen, maar dat vertel ik later wel.

In die tijd werkte ik als invaller in het warenhuis dat midden in de stad in de hoofdstraat lag, een halve kilometer van het station. Als je vanuit het station het plein overstak en een paar stappen verder op de eerste brug bleef staan, naast de blinde straatmuzikant met zijn sint-bernard, zag je het liggen aan het einde van de straat bij een plein, recht tegenover het paleis, alleen door een parkeerterrein gescheiden van de beurs. Veel mensen vonden de beurs mooier maar ik hield meer van het warenhuis. Het was niet echt groot, maar solide gebouwd, geen paleis en geen sprookjeskasteel, maar eenvoudig een huis van zandsteen met rondom rechthoekige ramen. Het had maar zes verdiepingen, geen wolkenkrabber dus, maar een huis waar je op elke verdieping voelt dat je grond onder de voeten hebt en een dak boven je hoofd. Zeker, er zijn in de wereld grotere en luxere warenhuizen, in New York, in Chicago, Philadelphia of Rio, maar alles wat je van een warenhuis verwachtte, vond je hier ook, en nog veel meer waarvan je nooit had gedroomd. En dan de mensen uit de hele stad die je hier tegenkwam, met een dikke of een platte portemonnee, en al die mensen uit de provincie. Het was het mooiste wat ik ooit had gezien. Je kon er echt in verdwalen, maar vond toch altijd weer de weg terug. Maar misschien vond ik het alleen maar zo mooi omdat ik er werkte.

In de stad waren veel huizen die groter en hoger waren, met onafzienbaar veel verdiepingen, zoals de wolkenkrabber van de ziekenfondsen. Maar dat was een koud wit gebouw met talloze akelig symmetrische rijen ramen. Als je daar langsliep, voelde je dat het daarbinnen alleen maar ging om cijfers en papier, je zag de mensen gebogen over machines rekenen en schrijven, alleen maar gebogen ruggen en ladekasten langs de muren met dossiers en stof dat opwoei uit de dossiers. Uit dit pand kwam alleen maar stof.

Maar het warenhuis had een lange rij grote etalages, elke etalage was een klein verhaal vol grillige invallen en met liefde verteld, allemaal verschillend. Aan de voorgevel hingen kleurige reclames tot vlak boven de ingang, en 's avonds brandde de lichtreclame langs de dakgoot. Als je hier langsliep, trok elk raam je mee naar het volgende en was je weer het kind voor wie alles alleen bestaat voor eigen wensen en dromen. En dan loop je, al enigszins in de ban, de vier, vijf treden op naar de hoofdingang. Daar staat bij de draaideur een boom van een portier in zijn groene uniform en met zijn grote pet die ervoor zorgt dat de deur blijft draaien en dat de straatjongens niet binnenkomen. Zo nu en dan geeft hij met zijn lange arm de deur een duw, die gaat draaien en de mensen draaien mee, naar binnen, naar buiten, er waait een koel windje en de portier staat wijdbeens op straat naar de voorbijgangers te kijken zonder de deur uit het oog te verliezen.

En dan ben je binnen en sta je in een hoge zaal, die helder verlicht wordt door de grote ramen helemaal bovenin. De zaal strekt zich naar rechts en links uit als twee open armen die je welkom heten. Maar je overziet die ruimte niet, je vermoedt alleen dat zij heel groot is, want er is iets wat je het uitzicht beneemt, zodat je verrast wordt als je vanuit de brede middengang de talloze zijpaden links en rechts inslaat en tussen de hoog opgetaste toonbanken doorloopt. Het zijn allemaal kleine zaaltjes die in elkaar overgaan, alleen gescheiden door kleinere gangpaden. Het duurt lang voor je ze allemaal in je hebt opgenomen, want direct aan het eind van de middengang, vlak bij de grote trap en bij de liften, staat een man in hemdsmouwen in een soort tent. Enthousiast verkoopt hij aan de nieuwsgierigen die zich om hem heen verdringen een wonderapparaatje. Dat kan voor twee kwartjes uw eigendom worden, iets unieks dat hij u vandaag kan aanbieden, u moet zich wel haasten en het vandaag nog kopen, want morgen is het geen wonder meer. Maar als je daar nog verbaasd staat te kijken, komt er een licht briesje op je af, een geur van dennennaalden, zeep, parfum en poeder, een geur van kammen, tassen en sjaals. De vele vrouwen brengen die geur mee, vrouwen die altijd langzaam en peinzend over deze afdeling lopen die speciaal voor hen is, voor de jonge meisjes die in hun middagpauze in dichte drommen van hun kantoren komen om snel hun boodschappen te doen.

Je stapt in de lift en laat je naar de eerste verdieping brengen. Voordat je helemaal wegzweeft, zie je nog door een steeds kleiner wordende spleet de gestrekte halzen van mensen die je nakijken en de wirwar van de anderen die kleiner worden en hun weg zoeken tussen de stapels. Boven ben je bij de meubelen en de zware damasten stoffen voor stoelen en banken, die daar nonchalant zijn neergezet en die je uitnodigen erin neer te vallen. Maar je stapt manmoedig verder over stapels kleden waarin verre dromen en verhalen zijn geknoopt, waarvoor je nu echter niet de nodige belangstelling hebt. Je loopt langs de dikbuikige rollen koel linoleum die daar staan, zo stevig als zuilen, en je komt in de grote lichte vide die het hele warenhuis van boven tot onder openbreekt met haar licht, ruimte en hoogte, zodat je meent dat je op een groot plein staat in een vreemde stad, ergens in het zuiden, waar de mensen het leven gemakkelijker leven. En tegelijk is het een schitterende schouwburgzaal met talloze rangen en overal mensen, net alsof de voorstelling nu zal beginnen. Ze staan met elkaar te praten, ze lopen of zitten of kijken over de balustrade naar beneden, waar jijzelf net naar boven stond te kijken. Overal om je heen zijn stemmen, je hoort ze allemaal tegelijk, het is een koor van stemmen dat in jouw oren één enkele dof aanzwellende toon wordt, en zoals hij in je oor zoemt, zoemt hij door het hele pand, langs alle rangen en door alle gangen, en neemt alle tonen in zich op, net zoveel tonen als er kleuren zijn hier beneden in de vide, waar de stoffen schuin in de rekken liggen, de groene, de rode, de blauwe en de zwarte. Ontelbare schakeringen, daar het donkerblauwe fluweel en hier de Turkse zijde, het velours en het damast, de wijnrode voiles en het bedrukte katoen, daar de mousseline in halve tonen en de brokaten, hier de draperieën in het midden van de vide. En daartussendoor lopen de in het zwart geklede verkoopsters die je helpen, zodra je hen roept.

Waar men op de tweede rang aan lage ronde tafeltjes zit, begint het restaurant, over de gehele breedte tot aan de voorkant toe, maar op weg daarheen passeer je eerst nog de boekenafdeling.

Daar betreed je weer een andere wereld. Bij de tafels en rekken staan mensen die verdiept zijn in boeken, die hebben de tijd. Ook de verkoopsters en de chef zijn stil en hebben geen haast. Aan hun optreden merk je dat ze met boeken omgaan als met een lastige minnaar, en je hebt jezelf voorgenomen geen enkel boek in de hand te nemen en alleen maar te kijken en te genieten. Maar zonder dat je het in de gaten hebt, sta je al voor een tafel, pakt voorzichtig een klein boek en bladert erin, en dan sta je al in een tweede te lezen, in een derde, en je bent verloren. Langzaam sluip je van boek tot boek, tot de klanken van een vleugel je weglokken, de muziekafdeling is vlakbij. Je bent verrast: wat je hier ook had verwacht, geen vleugel. Er klinkt een dans, een lied met een krachtig ritme in de begeleiding en daar bovenuit een melodie die je direct aanspreekt. Een vrouw staat te luisteren naast de pianist, zij wil de bladmuziek die ze cadeau gaat geven eerst horen. Intussen klinkt uit de verste hoek klassieke muziek, een grammofoonplaat met een fuga en inventie. Je loopt erheen en luistert tot je het stuk herkent en dan ga je tevreden langs de grote trap naar de volgende verdieping, waar kostuums en japons aan verrijdbare rekken hangen, bontmantels en jasjes, simpele en dure, grote en kleine maten, en kijk, daar in de hoek staat een bruiloftsstoet van levensgrote poppen, de bruid lacht achter haar sluier, de bruidegom doet wat stijfjes en biedt haar zijn arm aan, houterige kinderen strooien lachend bloemen en daarachter komen oude en jonge mensen, dat zie je aan hun kleren. En nog een eindje verder, gescheiden door een smal gangpad, staat een kinderwagen met een wieg. En als je dan nog even omkijkt, zie je schilderijen hangen en je schrikt, want die zijn niet mooi.

Eindelijk heb je dus iets gevonden wat lelijk is. Zo'n schilderij zou je nooit ophangen en toch worden ze gekocht. Nee, schilderijen horen niet in een warenhuis, denk je, terwijl ze toch juist gemaakt zijn om te bekijken. Maar kijken naar schilderijen is een ander soort kijken. Niet blijven staan, de sportafdeling wacht nog. Wat een bedrijvigheid. Vlug even een linkse hoek tegen die boksbal. Heb je al eens gedroomd van een zeilboot? En daar kampeert men op een groene helling, de motorfiets staat er vlakbij, maar om de hoek is het al winter met slee en ski's, met skischoenen en rodelbaan. Het gelach dat je boven hoort, komt van de speelgoedafdeling, daar is het altijd druk en daar kun je nog één keer de verrukking van je eigen kinderjaren beleven en inhalen wat je gemist hebt.

Maar je bent er nog niet. Loop maar snel door de huishoudafdeling heen als je een man bent, wat kunnen jou de potten en pannen, de glazen, emmers en borstels, pollepels en wasmiddelen, messenslijpers en dweilen schelen. Alleen één blik op het gedecoreerde serviesgoed, de kopjes en potten, de borden; later, later, als je ergens echt thuis bent en denkt dat je er zult blijven.

Je bent moe en loopt en gaat verder omhoog. Je ziet niet meer wat er voor je ogen ligt, het is te veel, je kunt het niet meer in je opnemen, ook al zie je nu weer dat kleine bruine leren handtasje voor je dat je zo leuk vond, en je wist iemand die het graag zou hebben. Je bent te moe van dit alles en toch ben je nog niet bovenin geweest, op de levensmiddelenafdeling. Er is veel te veel te zien, zodat je ten slotte vergeet dat je alles kan kopen en er rondloopt als in een museum. Alles staat zo rijkgeschakeerd en vreedzaam naast elkaar, je moet blij zijn, je moet liefhebben, je moet gelukkig zijn, hier ligt de hele wereld voor je. Je hoeft al die dingen niet te kopen en je kunt ze ook niet kopen, want zo veel geld heb je niet en wil je ook niet hebben.

Maar je bent nog niet boven geweest, op de levensmiddelenafdeling, bij de geglaceerde vruchten en de noten, de amandelen en de blikjes, de kruiden, de nootmuskaat, de kruidnagels, de Indische kerrie, de sambal en de kaas, de worst en de ham, de zakken vol meel en erwten, de chocola, marsepein en wijn, bij verkoopsters met witte schorten en mutsjes. De witte tegels glimmen, ze worden voortdurend opgewreven, wit is schoon en smaakt beter. Je wilt niets meer, van louter begeerte wil je niets meer, want door de begeerte ben je al verzadigd, en er is zo veel te begeren dat je glimlacht over je eigen onverzadigbaarheid en kieskeurigheid, je ervaart een geluk dat je alleen kent in een warenhuis. Al had je het geld, dan nog zou je niet méér kunnen begeren. Met geld kun je je begeerten bevredigen, maar bevrediging is niet te bevredigen. En je ontdekt dat er op deze aarde veel te begeren is, ja, dat de begeerten naast elkaar liggen als in het warenhuis, voor iedereen iets anders, en dat je ertussendoor loopt als tussen de toonbanken in een warenhuis, dezelfde weg, de portier, de grote trap, de lift of de roltrap, de vide en verder naar boven en weer naar beneden door de draaideur.

En als je dan weer buiten staat, ook al heb je maar voor een of twee kwartjes gekocht, een potlood of een aansteker, heb je het gevoel dat je al het andere ook hebt gekocht.

Op een dag las ik in de krant dat het warenhuis jong personeel zocht voor alle afdelingen. Aanmelden daar en daar. Ik meldde me aan en kwam terecht bij een jonge personeelschef. Hij bekeek de formulieren die ik had ingevuld.

'Student?' vroeg hij. 'Wij zoeken voornamelijk personeel voor de verkoop, en dat leiden wij zelf op. Waarom solliciteert u?'

'Ik zou graag in dit warenhuis willen werken,' zei ik.

‘Waarom?’ vroeg hij weer. Maar ik merkte dat hij het belangstellend vroeg en eigenlijk helemaal niet verbaasd was dat ik me had aangemeld.

‘Ik loop vaak door de zaak,’ zei ik, ‘en ik heb al bijna het gevoel dat ik hier thuishoor. Bovendien moet ik geld verdienen.’

‘Als verkoper? Uitgesloten.’

‘Misschien hebt u iets anders,’ antwoordde ik.

‘Wat kunt u?’

‘Ik kan kisten openbreken en ik kan inpakken,’ zei ik. Thuis had ik mijn vader vaak genoeg geholpen als hij kisten kreeg met fotoartikelen en films. Ook inpakken had ik wel geleerd.

‘Zo?’ zei hij, alsof het de natuurlijkste zaak ter wereld was.

‘Morgen om twaalf uur in de expeditie, personeelsingang. Daar meldt u zich bij de chef.’ Hij krabbelde enkele regels op een blaadje en gaf het mij.

Sindsdien werkte ik elke dag een paar uur als invaller, meestal tussen de middag, in de expeditie. Soms ook bij het inpakken op de afdelingen.

Het was in de laatste dagen van de uitverkoop. De grootste drukte hadden we al overleefd, maar toen kwam er in de middagpauze nog een onverwachte run op een stapel stoffen in een hoek van de vide. Plotseling waren de tafels met de kleurige lappen en coupons omringd door een groep hevig opgewonden klanten. De aanwezige verkoopsters deden hun uiterste best. Ik stond bij de paktafel naast de kassa, tussen het publiek en mij een ijzeren hek. In de andere hoek ontstond groot rumoer; twee opgewonden stemmen drongen tot me door. Ik liep erheen en zag hoe in het midden van de wachtende klanten twee vrouwen vochten om een lap rood laken. Elk van hen had een eind beet en probeerde het de ander afhandig te maken. Hun pogingen gingen gepaard met schelle kreten; alle twee beweerden ze bij hoog en laag dat zij hem het eerst hadden en ze riepen de omstanders op als getuigen.

Altijd als twee mensen iets bijzonders willen hebben, vormen zich twee partijen om de zaak grondig uit te vechten en dat gebeurde ook hier.

Achter de tafels stonden de verkoopsters; zij schreven bonnen voor wie iets gevonden had, haalden nieuwe coupons tevoorschijn en brachten de verkochte ijlings naar de paktafel.

Een van de verkoopsters had het opgegeven toen haar pogingen mislukt waren de vrede te herstellen en zij leunde nu tegen de lege vakken en keek naar de ruziemaaksters. Ze was bleek, kennelijk onder de indruk van haar kleine nederlaag, en zij keek naar de vrouwen als naar een scène in een film, geboeid, maar op een afstand. Zij had een klein, ovaal gezicht, het linkeroog was ietsje kleiner dan het rechter, maar haar blik was levendig en warm. Haar haar had de kleur van een oude viool, roodbruin en glanzend als het licht erop viel. Ik zag haar staan, en zag tegelijk hoe apart ze was. Ze glimlachte naar me toen ik uit mijn hoekje tevoorschijn kwam en naar de vrouwen toeliep. Ik werkte al een week op deze afdeling en kennelijk herkende ze me en vond ze het vanzelfsprekend dat ik haar te hulp kwam.

'Dames,' zei ik, en alleen mijn stemgeluid was voldoende om hen te doen verstommen.

'Ik had hem het eerst,' zei de een, een gezette vrouw met een energieke kin en ver uitstekende jukbeenderen. Zij hield de coupon vast en trok hem naar zich toe.

'Ze vergist zich,' zei de ander. Ze was een beetje kleiner en ook minder robuust. 'Ze heeft niet goed opgelet, anders had ze me zien staan.' Zij trok het andere eind van de coupon naar zich toe.

Alle vrouwen keken ons aan, de verkoopsters legden stof en schaar op tafel en tuurden nieuwsgierig in onze richting. Ik wendde me tot de vrouw die het laatst had gesproken. 'Wilt u die stof voor uzelf kopen, mevrouw?' vroeg ik.

Het was knalrood laken.

Ze knikte. 'Ja, het is precies genoeg voor een jurk.'

'Maar die kleur zal u helemaal niet staan, mevrouw,' zei ik heel zacht om beter verstaan te worden. Dat trof haar zó dat haar vingers, die krampachtig de stof beet hadden, zich ontspanden en de lap bijna loslieten. De ander greep haar kans en trok hem met een ruk naar zich toe. De verslagene keek me strak aan, zij was een vrouw van middelbare leeftijd en had stellig niet verwacht dat ik haar zo gemoedelijk zou toespreken. Haar gezicht werd minder star, haar lippen ontspanden zich en de halfopen mond gaf haar gezicht iets hulpeloos.

'Maar dan krijgt die ander hem!' zei ze zachtjes, alleen voor mij verstaanbaar.

Ik boog een beetje naar voren en met mijn rug naar de andere vrouw zei ik zachtjes: 'Ik kan niemand verbieden iets te kopen, maar het is beslist niet uw kleur.'

Door deze plotselinge wending was zij zo verrast dat zij in haar onnozelheid zei: 'Dat vindt mijn man ook, hij heeft me nog zo gewaarschuwd. Dank u wel.'

Zij liet de ander de coupon houden, wendde zich tot de verkoopster, die vol verbazing de gang van zaken had gevolgd, en zei: 'Ik neem toch liever die andere coupon, die duifgrijze, die ik daarstraks al had uitgezocht.'

'Hoe heb je 'm dat gelapt?' vroeg Wolf, toen ik hem dit voorval vertelde.

'Dat weet ik zelf niet,' zei ik.

'Maar je moet toch een plan hebben gehad,' hield hij vol.

'Ik wilde een eind maken aan de ruzie. En toen kwam de rest vanzelf, heel eenvoudig,' antwoordde ik.

'Jammer dat je anders zo koppig bent,' zei hij.

'Ben ik dat?' vroeg ik. Het was de eerste keer dat hij openlijk zei wat hij van me dacht.

'Niemand weet wat je eigenlijk denkt en aan welke kant je staat,' ging hij verder.

'Nou zeg,' zei ik, 'ik dacht dat dat toch wel duidelijk was.'

Ik ben precies als zij, dacht ik bij mezelf, moeten zij dan nog twijfelen? Draag ik niet hetzelfde teken als zij, het teken dat ons verbindt? Denken zij soms dat ik er minder onder lijd dan zij, omdat ik er geen fier en uniek ereteken van maak, alsof dit het hoogste op aarde is? Ik wou dat ik wist of de oude fotograaf daarboven, over wie vader het zo vaak had, lievelingsfoto's heeft die hij zo nu en dan tevoorschijn haalt en dan vol liefde bekijkt. Misschien houdt hij van allemaal, van al zijn foto's, of speciaal van die ene, die radicaal mislukt is en die hij van tijd tot tijd een beetje bijwerkt? Maar niemand weet welke foto de mislukte is. Dat blijft het geheim van de donkere kamer.

'Zij vinden je over het algemeen te koppig,' zei Wolf. 'Misschien valt het mee als iemand je beter leert kennen, maar daar geef je ons nauwelijks de kans voor.'

'Hoezo vinden ze me koppig?' vroeg ik.

'Je houdt er nogal eigenwijze opvattingen op na,' zei hij. 'Tenminste, te oordelen naar de spaarzame woorden die je loslaat. De enkele keren dat jij komt, vinden ze jouw opvattingen koppig en eigenzinnig. Ik persoonlijk denk dat je onzeker bent. Haat je jezelf soms?'

'Bedoel je dat ik mezelf zou haten omdat ik liever een ander zou zijn dan ik ben?'

'Misschien,' zei hij aarzelend.

'Dan vergis je je,' zei ik beslist.

'Dat doet me genoegen,' zei hij. Zijn stem klonk tegelijk hoffelijk en ijzig. 'Je zou nu toch inmiddels kunnen weten waar je thuishoort. Maar ze hebben de indruk dat je aarzelt, dat je – ik zal het maar ronduit zeggen – dat je een "zwakke broeder" bent.'

'Of misschien wel een spion?' begon ik te honen.

'Dat beslist niet,' antwoordde hij ernstig, waardoor hij dat 'zwakke broeder' nog meer accentueerde. 'Dat niet. Met geld kunnen ze jou niet verleiden.'

'Jammer,' ging ik op dezelfde ironische toon voort. 'Ik had gehoopt dat ik er aanleg voor had.'

'Met geld zullen ze bij jou niets bereiken,' herhaalde hij en daardoor opende hij een andere mogelijkheid.

'Waarmee dan wel?' vroeg ik uitdagend.

Hij keek me rustig aan. 'Het is al erg genoeg dat we moeten verdragen dat we niet bepaald geliefd zijn,' zei hij, 'dus waarom spot je zo met jezelf?'

Ik schrok, en om te verbergen dat dat een schot in de roos was geweest, zei ik nonchalant: 'Hoe kom je daar nou bij?'

'Je verraadt jezelf.'

'O ja?' Ik merkte dat ik mijn opwinding niet langer de baas was en schraapte een paar keer fors mijn keel.

'Doe me een plezier,' zei hij op zijn kalme indringende toon, 'en neem hem niet voortdurend in bescherming.'

'Wie?' vroeg ik.

Hij lachte. 'Je weet bij jou nooit of je het meent of dat je doet alsof.'

'Juist, ja,' zei ik.

Zwijgen.

Na een poosje begon ik: 'Waarom verwijten ze me dat mijn opvattingen soms wat afwijken? Ik heb vroeger nu eenmaal bepaalde ervaringen opgedaan en ik...'

Hij viel me in de rede: 'Het is jou heus niet anders vergaan dan ons allemaal,' zei hij. 'Jouw ervaringen zijn geen excuus voor je gebrek aan medeleven, aan gevoel voor onze onderlinge band. Vergeet niet: zij die op deze aarde lijden, behoren tot de uitverkorenen.'

Zij lijden allemaal onder hun teken, besefte ik, maar zij verheffen het tot een fier en voornaam ereteken, iets unieks, alsof er niets mooiers bestaat. Eigenlijk bedriegen zij zichzelf een beetje met wat zij van hun lijden maken.

'Als ik nu maar zeker wist dat het werkelijk is zoals jij zegt,' antwoordde ik. 'Wist ik dat maar.'

'Natuurlijk,' zei hij snel, maar aan de manier waarop hij opkeek en zijn blik van mij afkeerde en ingespannen in de verte tuurde, zag ik dat hij zelf niet tevreden was met zijn antwoord.

'Neem ik hem dan in bescherming?' vroeg ik.

'Niet direct, maar je probeert je in hem te verplaatsen, zijn motieven te begrijpen en te verklaren. Dat wijst op een zekere sympathie, en dat terwijl...'

'...men zou mogen verwachten dat ik hem haatte,' voltooide ik zijn zin.

'Nee,' zei hij, 'niet haten, maar je trots zou je moeten verbieden je zo in hem in te leven dat je bijna vergeet wie jij bent en wie hij is, want dat is de essentie van sympathie. Of ben je bang dat een mens armer wordt als hij zich beperkingen oplegt?'

Het ging dus toch om de trots die je moest bewaren! En die bleek gekoppeld aan een beperking waarvan je ook al niet wist of die vrijwillig was of opgedrongen. In elk geval moest zo'n beperking kennelijk dienen als zelfbescherming en zelfrechtvaardiging.

'Jij wilt dus liever God danken dat je bent wie je bent en je trekt ten strijde tegen de ander alleen omdat hij een ander is,' zei ik. 'Vergeet niet: hij doet hetzelfde met jou, want voor hem ben jij de ander. Het is één grote draaimolen met allemaal identieke houten paardjes, ze zijn alleen verschillend geschilderd ter wille van het hooggeëerd publiek.'

'Maar er is een grens,' zei hij, 'waar meeleven en zich indenken in de ander vanzelf ophoudt.' Ik kreeg de indruk dat hij het droevig vond dat hij die grens moest stellen. Hij hield op en zweeg.

Ik had er bijna alles voor willen geven als ik geweten had welke gedachten er nu, terwijl hij zo zwijgend voor zich uit staarde, door zijn hoofd gingen. Zijn grote lichaam ademde zo zwaar, alsof hij met elke ademhaling alle leven uit de lucht haalde om het dienstbaar te maken aan zijn lichaam. Hij haalde adem alsof iedere ademtocht zijn laatste was.

Wolf was een goed mens; dat wist iedereen die weleens met hem te maken had gehad. Misschien dacht hij aan zijn vader, die ze vermoord hadden, of aan de dader. Misschien dacht hij aan beiden tegelijk, en aan vele andere dingen die ik me niet kon voorstellen omdat ik ze niet beleefd had. Ik had hem nooit gevraagd naar zijn vader en naar alles wat met die gebeurtenis verband hield. Ik dacht dat het niet juist was daarnaar te vragen. Ook had hij, vroeger dan ik, ondervonden wat het wil zeggen een vijand te hebben, maar hij had het kennelijk anders ervaren, dieper, waarachtiger misschien, maar hoe een ander iets ervaart, dat kun je je moeilijk voorstellen. Hijzelf zweeg. Ik wilde hem deze keer best het plezier doen om te denken en voelen zoals hij dacht en voelde, maar dan had ik de kloof moeten erkennen die mijn kinderwereld in tweeën had gespleten – hier vriend, daar vijand.

Ik was voorgoed mijn vriend aan mijn vijand kwijtgeraakt, ook al had ik hem destijds zelf laten gaan. Maar toen mijn moeder me aan de hand terugbracht naar de kinderen, had ik moeten weglopen; ik had mijn hoop moeten opgeven ze nog terug te winnen, ik had net zo hard en gemeen moeten zijn als zij om mezelf staande te houden. Aan de andere kant, dacht ik in stilte, zover is het dus al met je, dat jij aan één kant staat en in een gevecht bent verwikkeld nog voor je tijd hebt gehad om na te gaan waarom er gevochten wordt, wie de tegenstander is, waarom hij dat is en waarom het in deze strijd eigenlijk gaat. Kijk maar eens naar al die mensen in de grote wereld, je hoeft alleen maar een paar grove leugens te nemen en die aan iemand op te hangen en dan heb je al volgelingen die je geloven, dan komen er partijen, groepen, rassen. Hele werelddelen wapenen zich voor de strijd en dan steken ze de lont ook nog zelf in het kruitvat. Ze zijn tot alles bereid, offeren hun leven, zijn precies even fel en gemeen als de anderen, en misschien moet je wel zo zijn, of worden. Misschien krijg je alleen op die manier respect en word je op die manier ten slotte gelijk aan degene die eerst je vijand was. Maar deze gedachten waren voor mij zo verwarrend, je verruwde er zo door en alles wat er tot nog toe aan moois op aarde was en wat je liefhad, werd zwart en lelijk. Misschien zou het nog eens nodig worden, deze dingen te leren, ze goed te leren, later een keer. En zou er dan ook weer een tijd komen waarin we ze weer moesten afleren, waarin we alles weer moesten vergeten wat we geleerd hadden? Had Wolf het al geleerd, kon hij na alles wat hem en zijn vader was overkomen, fel en gemeen zijn? Als ik hem zo vlak naast me in de verte zag staren, zwijgend, kon ik dat onmogelijk geloven.

Dit alles wilde ik hem zeggen, ik zocht naar woorden om het hem duidelijk te maken. Maar wat betekenden woorden voor hem, die zijn vader had verloren en zo veel kon verdragen? Ik vond de woorden niet en hakkelde alleen: 'Al maakt hij ons slecht, dan hoeft hij zelf toch nog niet slecht te zijn. Er zal weleens een dag komen waarop hij zijn vergissing inziet, misschien met onze hulp.' Het voelt goed om iets aardigs te zeggen van iemand die zelf alleen maar slechte dingen van jou vertelt. Je voelt je zelf dan altijd een beter mens.

Hij luisterde rustig, hoewel ik merkte dat ik hem met mijn opmerking had geërgerd.

'Zou jij in staat zijn,' vroeg hij, 'om 's nachts een begraafplaats op te sluipen en die te vernielen? Zou jij de rustplaats van de doden kunnen verstoren?'

Ik wist dat er dergelijke dingen gebeurden, maar ik vond zijn vraag absurd en ik grinnikte.

'Wat valt er te grinniken?' zei hij.

'Ik dacht aan iets geks,' antwoordde ik.

'Wat dan?'

'Ja, ik zou me kunnen voorstellen dat ik het zou doen, dat wil zeggen, als iemand me aannemelijk had gemaakt dat zo'n daad, laten wij zeggen, door God gewild werd, verstandig was en zelfs noodzakelijk in het kader van een bepaald plan. Je kunt een mens nu eenmaal van de noodzaak van veel dingen overtuigen.'

'Dus dat zou jij kunnen,' zei hij. 'Je kletst, bij jou is het allemaal lege theorie en dan grinnik je er nog bij ook. Zou je werkelijk in staat zijn een oude man in een hinderlaag te lokken en hem dan in koelen bloede te vermoorden, omdat je jezelf had laten wijsmaken dat dit noodzakelijk was?'

'In zijn dromen laat een mens nog heel andere dingen gebeuren,' antwoordde ik.

Hij scheen dit antwoord verwacht te hebben; hij toonde niet de geringste verbazing. Hij legde zijn handen met gespreide vingers op zijn knieën, keek naar de grond en zei, alsof hij tot het binnenste van de aarde sprak: 'Het enige wat wij mensen kunnen hopen, is dat er niet een ander komt die al die dingen doet die wij proberen juist niet te doen. Wee hem, die onze dromen werkelijkheid maakt.'

Er liep een rilling over mijn rug en ik zei enigszins wanhopig: 'Wat moet ik dan? Iemand wordt populair en zegt dat jullie schurken zijn en...'

'Jullie? Wij!' verbeterde hij me. 'Jij hoort er ook bij, vergeet dat niet.'

'Goed. Je hebt gelijk. Ik versprak me. Hij zegt dus dat wij schurken zijn en op hetzelfde ogenblik weten wij niets beters dan mee te spelen en op onze beurt te gaan beweren dat híj een schurk is, een misschien nog veel grotere schurk.'

'Heb je er al eens over nagedacht waarom hij dat van ons zegt?'

De woorden van mijn vroegere vriend schoten me te binnen toen ik hem dezelfde vraag had gesteld, en ik herhaalde: 'Ik weet helemaal niet of hij het zo serieus bedoelt als wij denken. Hij jaagt een bepaald doel na en daarvoor heeft hij een vijand nodig aan wie hij zijn propaganda kan ophangen als aan een kapstok. Op die manier moet hij de wereld zijn plannen duidelijk maken. Maar eigenlijk, eigenlijk bedoelt hij zichzelf.'

'Dat is iets verschrikkelijks, wat je daar nu verkondigt,' zei Wolf, en zijn grote lichaam richtte zich een beetje op. 'Ik vraag me zelfs af, of je de reikwijdte ervan wel overziet.'

'Wat dacht jij dan dat hij van plan was? Ben je soms bang?'

'Ik vrees het ergste,' zei hij zachtjes. Hij ademde zwaar, zijn blauwe hemd rimpelde bij elke ademhaling. Zijn angst maakte indruk op me, vooral omdat ik vermoedde dat die niet voortkwam uit een zwak karakter maar eerder uit een zeker weten, uit een voorgevoel misschien wel. Hij keek me kalm en vriendelijk aan, zijn houding leek nu heel vastberaden.

'Wat moet ik dan?' herhaalde ik.

'Niets,' zei hij. 'Helemaal niets. Mensen die vragen wat ze moeten doen, moeten liever helemaal niets doen. Het grote ongeluk is namelijk dat zij het niet weten en dat ze denken dat ze toch iets moeten doen. Iemand die weet wat hij te doen heeft, welke plaats hij moet innemen, die handelt op het juiste ogenblik, die weet uit zichzelf, zonder eerst lang te moeten vragen, wat hij moet doen. Daarom is het beter dat jij niets doet.'

'Een vreemde vent ben jij toch,' zei ik.

'Ik vind jou veel vreemder,' antwoordde hij. 'Je komt uit een provinciestadje, en daar heb je vast wel heel wat onaangenaams beleefd. Ze hebben jou al buitengesloten toen je nog een kind was, heb ik gelijk? In de kern van de zaak weet je even goed als ik waar je thuishoort, ik geloof ook niet dat je je daartegen verzet, dat is het niet wat je onrustig maakt. Maar jij wilt iets onmogelijks, jij wilt de diepe kloof die door deze wereld loopt, afdekken, zo afdekken dat hij niet langer zichtbaar is, en dan denk je misschien dat hij niet meer bestaat. Je staat midden in de gebeurtenissen en je probeert ze te begrijpen en ze tegelijk te beïnvloeden door met één woord de dans te ontspringen en ze te bekijken vanuit het standpunt van bijvoorbeeld een bewoner van de maan. Iets heeft je geraakt, en jij probeert het te bekijken als iets wat je raakt en tegelijk niet raakt. Heb ik gelijk?'

Ik had vol bewondering naar hem geluisterd, omdat hij gedachten uitsprak die ik nooit zo had kunnen verwoorden. Ik knikte zwijgend en wilde dat hij doorging.

'Er zal een dag komen waarop je ontdekt dat het onmogelijk is, en dan...'

'En dan wat?' vroeg ik snel.

'Dan zul je niet meer hoeven vragen wat je te doen staat.'

'Als er niet nog een heel ander probleem bij kwam,' ging ik verder.

'En dat is?' vroeg hij.

'Dat iedereen ervan uitgaat dat hij bij wijze van spreken de legitimatie al op zak heeft, en dat dat de enige ware legitimatie is, bij wijze van spreken een persoonlijke aanbeveling van de allerhoogste instantie.'

'Ik kan je moeilijkheden wel begrijpen,' antwoordde hij. 'Het zijn ook de onze. Vergeet niet: de kloof die je buiten in de wereld denkt te zien, zit van binnen. Die zit al in de schepping, als je dat iets zegt. Hij loopt tot in onze dromen door.'

'Dan heeft hij dus toch gelijk,' zei ik na even te hebben nagedacht.

'Zeker,' zei hij, 'maar wij ook.'

'Dan is er dus ook geen uitzicht op, dat dit spel ooit zal eindigen.'

'Dat weet ik niet,' zei hij. 'Wie zou dat kunnen weten?'

'Het zal dus altijd zo verder gaan?'

Hij haalde zijn schouders op en maakte met zijn handen een vragend gebaar.

'Je weet ook wel,' zei ik, 'er zullen altijd weer nieuwe haters opstaan en de arena binnenkomen, en van onze mooie wereld zal elke dag weer een stukje afbrokkelen zoals dat gaat bij een oude ruïne van vroeger. Door weer en wind zal er elke dag weer een stukje afbrokkelen, tot alles in puin valt en alleen wat stomme stenen de plek aangeven waar eens in goede tijden een mooie burcht stond. En dit afschuwelijke spel spelen wij mee, in de illusie dat wij het tot een goed einde kunnen brengen. Als ik aan het einde denk, word ik echt heel droevig.'

Wolf leunde met zijn hoofd op zijn handen en streek langzaam over zijn stoppelige wangen. Hij liet me uitpraten en wachtte.

'Wil jij daarin verandering brengen?' vroeg hij.

'Ik heb als kind postzegels vervalst, wat doe je al niet als kind, mijn vader is fotograaf, ik ben helemaal thuis in zijn donkere kamer,' zei ik.

Hij lachte opgelucht. 'En?' vroeg hij.

'Je hebt gelijk, de kloof loopt vanbinnen. Zonder een tikje bedrog gaat het blijkbaar niet.'

'Kom je morgenavond bij ons?'

'Waarom?' vroeg ik onthutst. 'Waarom?'

'Harry houdt een voordracht. Je zult een toelichting en misschien het antwoord horen op veel van de vragen die we nu hebben besproken.'

'Geloof je ook niet dat ons eigen bestaan het akelige voorbeeld is van een afzichtelijke waarheid?' vroeg ik.

'Misschien,' zei hij peinzend. 'Misschien...'

'Ik kom,' zei ik aarzelend. Hij gaf me een hand en ging weg.

De volgende avond kwam ik, en ook daarna liet ik me herhaaldelijk in hun kring zien. Dat 'Wij zijn...' van mijn vader klonk nog na in mijn oren en zo werd ik schuchter een van hen, of beter: een van ons – schuchter omdat het vertrouwen in de eigen zaak me te licht woog en ik niet wilde uitsluiten dat er een toekomst kon zijn waarin ook de tegenstander zijn aandeel had.

We kennen nu de omstandigheden aan het eind van de jaren twintig en het begin van de jaren dertig, de tijd vóór de Gebeurtenis. Alles scheen te wijzen naar wat komen ging. Dat wil zeggen, zo lijkt het in onze herinnering. Het is bedrieglijk de tijd te verdelen in een 'daarvoor' en een 'daarna', zoals een historicus doet als hij een boek over de geschiedenis wil schrijven. De werkelijkheid is anders.

Het gaat erom dat ik argwanend stond tegenover de zelfbewuste handelingen van mijn zogenoemde lotgenoten en medeslachtoffers. Niet dat ik hun het recht betwistte op een beslissing, op positie kiezen, maar zij slaagden er niet in mij te overtuigen. Ik ging wel met ze om en ik sloot vriendschap met ze, ook al had ik vriendschappen leren wantrouwen, maar ik bleef van plan de grote uitdaging die tot ons allen was gericht tot het bittere einde te aanvaarden. Ik wilde niet voortijdig mijn grenzen laten afpalen, niet voordat het hele terrein was opgemeten. Bangelijke bescheidenheid maakt de wereld klein, maar wie de werkelijkheid in de ogen durft te zien, maakt de wereld juist ruimer. Ik had het idee dat trots en haat er alleen toe bijdroegen de blik te verengen.

Natuurlijk was dit alles tegelijk ook een dwaasheid. Je moet inderdaad wel een 'zwakke broeder' zijn als je zo denkt. De menselijke natuur leeft bij de gratie van de beperking. De menselijke geest verzamelt zijn ervaringen binnen de grenzen die zijn handen kunnen betasten. Elk mens heeft recht op zijn wraak – zo zegt men dat toch? Mijn aarzeling was zwakte, dat verweten mijn makkers me telkens. Midden onder de gesprekken en debatten, die ongewild altijd weer om het ene en die ene draaiden, ook al werd zijn naam – geen boze geesten oproepen! – nooit genoemd, besloop mij een tot dan toe onbekend gevoel. Ik moest dan ineens denken aan het verlies dat ik geruime tijd daarvoor had geleden. Was ik daar nog altijd niet overheen? Had ik het nog altijd niet overwonnen? Overwonnen? Wat betekent dat eigenlijk? Niemand overwint zijn verlies: óf je maakt het je eigen, je neemt het helemaal in jezelf op en je leeft ermee tot het iets vertrouwds wordt, óf het verlies blijft je dwarszitten zoals een graat in je keel kan blijven steken.

Als mijn vrienden uit die tijd grappen en grollen maakten of op een andere manier probeerden hem belachelijk te maken, vertrok ik geen spier en zweeg. Wacht maar, dacht ik met de dreigende allure van een mislukte profeet, het lachen zal jullie wel vergaan. Maar ook als zij, in het andere uiterste, hun haat de vrije teugel lieten en het mene tekel van zijn verschijning in een steeds donkerder toekomst projecteerden, bleef ik, onaangedaan door hun heftige gevoelens, een eenzame in hun midden.

6

De dag van het voorval in het warenhuis regende het toen ik na sluitingstijd door de achteruitgang naar buiten liep. In de portiek en buiten onder de luifel stonden massa's mensen te schuilen, anderen sloegen hun jaskraag op en trotseerden de regen op weg naar huis. Uit de groep die stond te wachten, maakte iemand zich los, kwam naar me toe en stak de hand naar mij uit. Onder het regenkapje herkende ik de verkoopster van die middag.

'Het regent,' zei zij glimlachend, alsof zij daarmee haar wachten wilde verontschuldigen. Ik keek naar haar enigszins onregelmatige gezicht en zag haar warme, levendige ogen.

'Maar ook als het niet had geregend, zou ik op u hebben gewacht om u te bedanken voor uw hulp.'

'Het was een vreemd geval,' zei ik snel om mijn verlegenheid te verbergen. 'U had uw pogingen al gestaakt?'

'Ja,' antwoordde zij openhartig, 'ik zag geen kans meer iets te doen, maar er fluisterde bovendien een duveltje in me. Ik wilde het ze samen laten uitvechten, het is zo'n leuk gezicht als mensen elkaar in de haren vliegen.'

Ik had mijn verlegenheid nog niet overwonnen en maakte een paar spottende opmerkingen over de twee vrouwen. Zij lachte en vertelde ongedwongen over andere scènes waarin ze met meer resultaat had bemiddeld.

Het regende niet meer.

'Zullen we gaan?' vroeg ik. Wij liepen samen de straat in, die door de regen blinkend schoon was gespoeld. Bij de hoek bleven wij staan.

'Hebt u haast?' vroeg ik.

'Nee, en u?'

'Ik ook niet,' zei ik. Ze was zo aardig en onbevangen dat mijn verlegenheid vanzelf verdween.

'Ik kook vandaag niet,' zei ze. 'Ik heb met mijn broer afgesproken in een lunchroom. Wat doet u?'

'Ik eet meestal in een cafetaria, daar heb ik een abonnement. Maar ik kan ook ergens anders heen gaan,' voegde ik eraan toe.

We liepen door, ze praatte over haar leven met haar broer, die twee jaar ouder was. Ze hadden samen een flatje. Zij deed het huishouden als ze 's avonds thuiskwam. Hij zat op kantoor en studeerde 's avonds. Ze vertelde het vluchtig en ik vroeg helaas niet verder, want in het eerste kwartiertje na een kennismaking, als de ander nog in de roes is van het nieuwe en makkelijker praat, moet je doordringen in zijn leven en zo veel mogelijk wetenswaardigheden oppikken. Pas veel later, en vaak te laat, hoor je dingen die je met enige handigheid direct aan de weet had kunnen komen en waarmee je rekening had kunnen houden. Ze praatte vlot en gemakkelijk.

'Bent u hier geboren?' vroeg ik.

'Nee, nee, wij komen uit de provincie. En u?' ging ze verder.

'Ik ook,' antwoordde ik.

Zij woonde hier ongeveer een jaar. Door een samenloop van omstandigheden waar ze niet verder op inging, was ze gedwongen geweest samen met haar broer hier haar geluk te zoeken, in twee kamers en een keuken in het westen van de stad. Zij maakte niet de indruk van iemand die worstelt met haar lot. Was haar tevredenheid te danken aan een geestelijk evenwicht, een harmonie die alle innerlijke tegenstrijdigheden verzoent, of aan iets anders, aan een blinde vlek, een gebrek aan diepgang?

'U werkt alleen als invaller bij ons?' vroeg zij.

'Hoe weet u dat?' vroeg ik.

'U bent er nooit langer dan een paar uur,' zei ze. Dat was haar dus opgevallen.

'Ja,' zei ik.

'Bevalt het?'

'Ik werk erg graag in het warenhuis.'

Zij keek me verbaasd aan en glimlachte om mijn enthousiasme. Blijkbaar voelde zij dat anders, ook al had ze 'bij ons' gezegd.

'U bent er meestal maar kort,' zei zij, 'maar als je dag in, dag uit...' Ze maakte de zin niet af. 'Alles wat je in het begin enig vindt, wordt dan nogal gewoontjes. Zo gaat het nu eenmaal.'

Ik vertelde haar van mijn eerste bezoeken aan het warenhuis, van mijn zwerftochten over de verschillende verdiepingen, en hoe de veelheid van wat ik daar had gezien me een gevoel van geluk had gegeven, een gevoel van overvloed en onuitputtelijkheid, als het leven zelf.

'Ik werk er vanaf de dag dat ik in de stad kwam,' zei zij.

'En bevalt het u?'

'Ik heb nooit zo rondgewandeld, er zijn afdelingen waar ik nog nooit ben geweest.'

'Vreemd.'

'Vindt u? Als je er zo de hele lange lieve dag staat...,' zei ze. 'Trouwens, zo'n warenhuis heeft ook zijn schaduwkanten.'

'Zeker, al zou ik nu even niet weten welke.'

'Het zijn honderd winkels in één zaak,' zei ze. 'Maar denkt u nu eens aan een kleine plaats, daar heb je een kantoorboekhandel of een modezaak, en dan wordt er op een dag ineens een warenhuis geopend...'

'Ik ken de verhalen,' zei ik, 'maar gaat het werkelijk zo?'

'Ik dacht van wel,' zei ze kortaf en zweeg. Dat laatste had ze koppiger en feller gezegd dan ik van haar had verwacht. En nu wekte ze de indruk dat ze uit ervaring sprak. Wie weet?

Daar zit vast een familietragedie achter, dacht ik, en ik zag de hele geschiedenis voor me: de vader, een kleine zakenman van het oude slag, degelijk, maar niet met zijn tijd meegegaan, een en al ressentiment dat hij overdraagt op zijn kinderen, die naar de grote stad verhuizen en dan gaat de dochter werken bij een baas die zij eigenlijk moet verachten of zelfs haten als de 'moordenaar' van haar vader. Ze lijkt zich half en half bewust van deze tweespalt, maar haar aangeboren levenslust helpt haar eroverheen – een doodgewone en nogal huisbakken affaire eigenlijk.

'Verveelt het u niet, steeds maar inpakken?' vroeg zij na een poosje. Ze was alweer over haar kleine boosheid heen en uit de warme toon van haar stem sprak oprechte belangstelling.

'Integendeel: het zet mijn fantasie aan het werk,' zei ik half spottend.

'Fantasie en inpakken,' zei ze. 'Pakt u soms uw fantasie in de verkeerde pakjes?'

'Krijgt u nooit een pakje?'

'Soms,' antwoordde ze en kneep haar linkeroog, dat iets kleiner was dan het rechter, toe.

'En vindt u dat dan niet leuk?' ging ik verder.

'Natuurlijk,' antwoordde ze, maar ze zei het op een toon alsof ze zelden een pakje kreeg.

'Dat is toch het mooiste wat er is?' zei ik. 'Het enige wonder, de enige verrassing die ons nog is gebleven op deze wereld.'

'Ik geloof dat het weer begint te regenen,' zei zij. Ze trok het kapje uit haar jaszak, waarin ze het had opgeborgen.

'Ze sturen me overal heen,' ging ik verder. 'Ik heb al op bijna alle afdelingen gewerkt, alleen nog niet op glaswerk. Dat vertrouwen ze me blijkbaar nog niet toe...'

Ondertussen stak zij haar hand op en keek omhoog om de regen te voelen. Ze lachte en keek me daarbij van opzij aan. Deze andere houding van haar hoofd toonde me een heel ander gezicht. Het verraste me.

'...hoewel ik toch erg voorzichtig ben,' voegde ik eraan toe, een beetje van mijn stuk gebracht. Tegelijk dacht ik: met dit gezicht zal ik heel voorzichtig omgaan als ik het ooit in mijn handen mag nemen.

'U ziet de mensen als ze druk bezig zijn met kiezen en beslissen over een koop. Dat moet toch ook geweldig boeiend zijn? U ziet ze als het ware in het vuur van de strijd. Maar ik zie ze daarna, na de overwinning of de nederlaag, hoe je het wilt noemen, als zij hun trofee mee naar huis nemen. Er zijn mensen voor wie een koop niets meer betekent; zij zijn al zo afgestompt dat zij helemaal geen voldoening meer voelen bij de vervulling van een wens. Maar ik zie ook de gelukkigen, de tevredenen en de twijfelaars, die nooit weten of zij nu wel het goede hebben gekocht.'

Wij staken een straat over.

'Pas op,' zei zij en pakte mijn arm. Haar greep was beslist en vriendelijk.

'Aan de manier waarop mensen van de kassa komen en mij de bon aangeven, merk ik tot welk soort kopers zij behoren. Wat ik inpak, is al hun eigendom. Ze staan te wachten om hun pakje in ontvangst te nemen en ik stel me voor hoe ze het thuis zullen uitpakken of het zullen overhandigen, als het een cadeautje is. Zo nu en dan bedanken ze me als ik het hun aanreik, ondanks het feit dat het al hun eigendom is.'

'Wie geld heeft, is gewend om dingen te kopen, en dan is het ook veel makkelijker dan als je heel lang moet rekenen,' zei ze. 'Kunt u ook in hun portemonnee kijken?'

'Jazeker,' antwoordde ik. 'Je ziet het aan ze, het hoort bij hun plezier of hun twijfel. De een heeft niet veel en daarom is hij blij met een aankoop, een ander, die ook weinig heeft, aarzelt juist daarom en beschouwt elke koop als een echt probleem. En dan zijn er ook mensen aan wie je kunt zien dat ze van nature tevreden zijn, of ze geld hebben of niet. Het kan ze gewoon niet schelen.'

'Maar het leukst zijn toch de kinderen,' zei ze. 'Hebt u daar weleens naar gekeken?'

'Ja,' zei ik, blij, dat ze me aan de kinderen herinnerde. 'U hebt gelijk, het leukst in het warenhuis zijn de kinderen. Je zou de warenhuizen eigenlijk alleen voor kinderen moeten openstellen. Het begint al beneden aan de trap, het gejuich, ze lachen en proesten of ze zijn bang en huilen. En dan die heerlijke opwinding bij het speelgoed! Als een kind zich ooit een voorstelling zou kunnen maken van het paradijs, dan moet het de speelgoedafdeling zijn.'

'Of het snelbuffet.'

'Ja, het snelbuffet op de bovenste etage,' zei ik. 'Als ik maar niet zo vaak zin kreeg om de slagroom over de balustrade van de vide te gooien.'

'Hier is mijn lunchroom.' Ze bleef staan. 'Hebt u zin om kennis te maken met mijn broer?' De deuren van de lunchroom zwiepten onophoudelijk heen en weer, steeds kwamen en gingen er mensen. Wij gingen naar binnen.

Haar broer zat al te wachten aan een klein tafeltje in een hoek, met twee stoelen. Hij had ons al zien komen. Zij groetten elkaar onopvallend, even wuiven met de hand, even knikken met het hoofd, hallo. Wij gaven elkaar een hand. Het was een lange magere jongen met een klein snorretje, ouder dan zijn zuster, dat was hem ook aan te zien, en hij bewoog zich houterig en met onzekere gebaren. Zijn gezicht zei niets toen wij elkaar begroetten. Wij gingen zitten en bestelden. We vormden een zwijgzaam en niet erg opgewekt gezelschap. Zij hield het gesprek nog enigszins gaande, ze vertelde uitvoerig over de scène op de afdeling en over mijn aandeel in de oplossing. Hij beperkte zich tot enkele nietszeggende uitingen, zo van 'O' en 'Aha', alsof het hem allemaal niet interesseerde. Vast stond in elk geval dat mijn aanwezigheid hem hinderde. Onder het eten nam hij me een paar keer kritisch op en hij keek niet weg als hij zag dat ik het merkte. Ook zijn zuster bekeek hij zo, maar zij scheen eraan gewend te zijn. Ik kreeg spijt dat ik was meegegaan. We aten snel af.

Het eten had een waarschuwing voor me moeten zijn. Je moet niet omgaan met mensen die aan tafel geen genoeglijke stemming kunnen handhaven en die op hun stoel zitten alsof ze bij de tandarts zijn.

'U moet me excuseren,' zei hij zodra we buiten stonden, en tegen zijn zuster: 'Je weet dat ik een belangrijke afspraak heb.'

Uit de enkele woorden die hij nog tot haar richtte, hoorde ik iets van bezorgdheid. Dat nam me dan nog enigszins voor hem in, al bleef mijn wantrouwen.

Hij nam snel afscheid. Het duurde nog heel lang voor wij de onbevangenheid hadden teruggevonden die er in het begin tussen ons geweest was. Ook zij leek wat bedrukt door het mislukte etentje. Ze deed alle moeite om mij en zichzelf over de nare nasmaak heen te helpen. Je kon onmogelijk zeggen dat ze komedie speelde.

'Loopt u nog even mee tot aan mijn bushalte?' zei ze. 'Ik heb straks nog een afspraak met een vriendin van de zaak. Hebt u nog tijd?'

We liepen samen door de drukke straten, de avond begon te vallen. Bij de halte vroeg ze naar mijn studie, informeerde naar dit, vroeg naar dat, ging in op mijn antwoorden en allengs hervonden we de oude toon van voor ons bezoek aan de lunchroom.

'O ja,' zei ze, 'hebt u daarstraks niet gezegd dat men in het warenhuis alles kan kopen wat een mens maar nodig heeft van de wieg tot het graf?'

'Ja, dat heb ik gezegd.'

'Maar ik bedenk me net, dat er toch iets is wat je niet bij ons kunt kopen.'

Weer dat 'bij ons' – ze rekende mij er dus ook bij. Ze wachtte om mij de kans te geven het antwoord te raden.

'Ik weet het niet,' zei ik.

'Doodskisten,' zei zij. 'Je kunt bij ons geen doodskisten kopen. En bij de dingen die een mens nodig heeft van de wieg tot het graf, horen toch ook doodskisten.'

'Ik zal het tegen de directeur zeggen,' antwoordde ik met een ernstig gezicht. 'Er zijn trouwens warenhuizen waar ze wel doodskisten verkopen, heb ik gehoord.'

'Wij in elk geval niet,' herhaalde ze. 'Misschien zou u chef van de afdeling doodskisten kunnen worden, wat zou u daarvan zeggen?'

Hoewel ik om haar komische inval moest lachen, kreeg ik nu toch een onbehaaglijk gevoel. Ik schudde heel even mijn hoofd. Was het misschien alleen een voorgevoel?

'Daar komt mijn bus,' zei ze.

'Tot ziens, prettige avond verder,' zei ik.

'Tot ziens,' zei zij. 'Morgen?' De bus kwam. Ik knikte. Zij keek mij aan met een warme blik, ik lachte vriendelijk terug. De bus trok snel weer op. Zij stond bij de ingang. Ik zag hoe ze door de beslagen ruit naar me zwaaide.

7

De herinnering aan mijn verloren vriend gaf de doorslag. Wat de woorden van mijn vader niet hadden bereikt, wat mijn tegenwoordige vrienden met al hun hartstocht, haat en trots niet voor elkaar hadden gekregen, dat lukte de herinnering aan hem: doordat hij bekend had een vriend te zijn geworden van hem, kwam mijn vijand me nader. Met een grote stap trad hij naar voren uit zijn vormloze eenzaamheid en sprak tot mij. Ik kon mij nu een voorstelling van hem maken: een machtig man, iemand die veranderingen tot stand bracht waar hij verscheen, die gevaren meebracht, die vele harten kon bewegen en bedwingen. Zijn toekomstige contouren werden langzaam zichtbaar, als op een grote steen waar liefde en haat zijn gedaante langzaam maar zeker in uithakten.

Er zou een dag komen waarop onze wegen elkaar zouden kruisen. Achteraf kreeg ik spijt dat ik destijds zonder meer afscheid had genomen van mijn vriend. Ik had me te vroeg gewonnen gegeven. Tegenstrijdige gevoelens: bewondering, vrees, nieuwsgierigheid, trots beheersten mij in de jaren daarna. Als ik toen meer moed had getoond, zou ik misschien eerder de waarheid hebben gevonden.

Vandaag, nu ik de tijd heb meegemaakt waarin hij opklom naar de macht, hoewel ik die macht minacht, – nu ik heb geleden onder de gevaren die hij had opgeroepen, ook al heb ik die doorstaan – vandaag, nu ik weet dat steeds maar weer vragen of het noodlot (of hoe noem je dat?) hem, weliswaar tevergeefs, misschien toch een taak had toebedeeld (je mag die groots of juist klein vinden) die hij had kunnen volbrengen als, ja als... – nu ik weet dat een dergelijke vraag een zinloze bezwering is tegenover een onbarmhartig verbond op leven en dood, nu ik me voorbereid en wacht op zijn dood om hem te ontmoeten zoals ik hem tijdens zijn leven nooit heb kunnen ontmoeten, – nu ben ik er zeker van dat er bij de tegenstrijdige gevoelens van destijds één was waarvoor ik me eigenlijk zou moeten schamen. Wat een onvoorstelbare ironie: je aangetrokken te voelen tot degene die als tegenstander tegenover je is geplaatst! De weg naar hem en door hem heen was tegelijk de weg naar mijzelf.

Maar destijds wist ik nog niet goed raad met deze gevoelens. Kun je een mens uit het diepst van je hart haten en je tegelijk tot hem aangetrokken voelen, ook al heb je hem nooit persoonlijk ontmoet?

Totdat ik, als door een toeval, enkele jaren later zijn stem hoorde, de stem van mijn vijand.

Er zijn mensen die in alle ernst beweren dat het komt door zijn stem, er zijn anderen die zeggen dat het de kracht van zijn ogen is, een geheimzinnig flonkeren, gloeiende lichtjes. Nog weer anderen houden vol dat er een soort elektrische stroom van hem uitgaat, een fluïdum, en dat dat zijn succes kan verklaren. Al deze beweringen heb ik in de loop van de jaren voor mezelf kunnen controleren. Ze zijn overdreven en belachelijk. Ze zijn een deel van de legende die ze zelf hebben geschapen. Het is absolute onzin. Alleen zijn stem heeft een bijzondere macht.

Stemmen hebben altijd grote indruk op me gemaakt. Een keer stonden twee mensen onder mijn raam op straat te praten. Ik hoorde alleen hun stemmen. De wind waaide hun woorden uiteen, alleen de snelle opeenvolging van trillingen bleef op mijn trommelvlies achter, ik verstond niets van wat zij bespraken. Maar uit de stemmen, uit de toon kon ik de aard van hun gesprek afleiden. Naar de stem van een kind kan ik niet zonder ontroering luisteren. De eerste woorden, de eerste pogingen om zich verstaanbaar te maken, vanaf het eerste gekraai en gestamel. Alleen al in dat stemmetje klinkt het kostelijke ontwaken van de kleine ziel. Ik hoor de stem van een mens en langzaam rijst een beeld van de spreker voor me op, ik stel me hem voor zoals hij zou kunnen zijn. Vaak heb ik de indruk dat een bepaalde toon in de stem geheimen verraadt waarvan de spreker zich zelf niet eens bewust is.

Welnu, ik maakte een keer een grote voettocht en kwam op een avond na een lange dag moe aan in een provinciestad. Die stad lag tussen de heuvels, er stroomde een rivier doorheen. Ik houd van lange wandeltochten, het is voor mij de beste ontspanning. Zo kon ik ontsnappen aan de draaimolen van het dagelijks leven en het dagelijkse denken. Maar ik had geen rekening gehouden met de ironie van de kleine god der reizigers.

Toen ik tegen de avond moe uit de bossen afdaalde naar de stad, waren me wel hier en daar vuurrode aanplakbiljetten opgevallen, sommige afgescheurd of overgeplakt. Zij hingen op reclamezuilen of waren op de muren van huizen geplakt. Maar ik had er verder niet zo op gelet en nam een kamer in het eerste het beste hotel in het centrum. Het was opvallend druk in het hotel. De hotelier wees me mijn kamer. Uit het raam zag ik de brug over de rivier, het traag voortstromende water glinsterde in het licht van de ondergaande zon.

Ik was eigenlijk van plan dit keer vroeg naar bed te gaan, want meestal dwaalde ik graag 's avonds laat door de straten, zomaar, op goed geluk. De silhouetten en schimmen van een mij volledig onbekende stad geven me een vertrouwd gevoel. Nu was ik te moe.

Maar het lawaai trok me naar beneden. Het leek wel of het hele stadje op de been was en op weg naar dit hotel. Er kwamen steeds meer gasten.

Ik liep door de drukte in de hal naar het cafégedeelte. In deze ietwat ouderwetse ruimte met zijn houten balken was het rustig. De tinnen kannen en borden op de schoorsteen, de met houtsnijwerk bewerkte tafels en stoelen met zachte kussens maakten een gezellige indruk en mijn lichte ergernis zakte weg. Eindelijk slaagde ik erin de hotelier te pakken te krijgen.

'Wat is hier aan de hand?' vroeg ik. 'Is er een toneelstuk? Of een cabaret?' Ik had wel zin in een beetje vertier.

'Weet u dat dan niet?' vroeg hij verbaasd.

'Wat zou ik moeten weten?'

'Vanavond houden zij hier een vergadering.'

'Zo? En wie spreekt er dan wel?'

'B.,' zei hij.

Ik was oprecht verrast en zweeg.

'De deuren van de zaal zijn al dicht, er mag niemand meer in,' ging hij opgewonden verder. 'Ik heb hier de grootste zaal van de stad, maar het zit al stikvol.'

'Met aanhangers?' vroeg ik nieuwsgierig.

'Niet alleen met aanhangers,' antwoordde de hotelier, 'hoewel er hier heel wat zijn. Maar er zijn ook tegenstanders. Als u wilt, kan ik u nog wel een plaatsje bezorgen.' Hij deed het aanbod in alle onschuld en daarom maakte ik me er niet al te druk over. Zalen verhuren behoorde per slot van rekening tot zijn bedrijf, dat had niets met zijn overtuiging te maken, en die liet me trouwens ook koud. Maar zijn aanbod trok me wel. Aarzelend stond ik op, ik wist eigenlijk nog niet of ik zou gaan of blijven. De hotelier zag alleen dat ik opstond.

'Ik zal u door de achterdeur binnenbrengen,' zei hij zachtjes, alsof het een samenzwering was. 'Komt u maar mee.'

Nog altijd aarzelend ging ik met hem mee. Dit was een unieke kans, die mocht ik niet laten lopen. En toch was er iets in me wat zei: niet doen.

Maar we verdwenen, de hotelier voorop, de kelder in, donkere gangen door, trap op trap af, en kwamen toen ergens in een achterhuis terecht. De zaal moest hier vlakbij zijn; we hoorden het geroezemoes van al die stemmen door de stenen muren heen. De hotelier opende een deur: we stonden vooraan in de zaal, op een kleine verhoging, en zagen een feestelijke chaos.

De zaal was versierd met vlaggen en slingers, voor de galerij hingen grote spandoeken met leuzen. Wij zagen lange rijen stoelen, daartussen tafels met vaantjes, ook langs de muur stonden tafels. Daaraan zaten hele gezinnen. Tussen dit alles door balanceerden kelners met witte jassen, hun zilveren bladen hoog boven hun hoofd. De mensen dronken en rookten. Er hing al een blauw waas van rook en damp. Wie hier zat was verloren, hoe hij ook over de dingen dacht.

'Ik zal hier vooraan een stoel voor u neerzetten,' zei de hotelier en wees op de eerste rij. 'Dan kunt u hem goed zien.' Hij scheen er een bijzondere behoefte aan te hebben mij de zaal binnen te loodsen. Hij maakte aanstalten om uit een van de kamers naast het toneel een stoel te halen.

'Nee, laat u maar,' zei ik. Hij keek me teleurgesteld aan. 'Bij nader inzien vind ik het hier te vol en die lucht... laten we maar teruggaan.' Ik deed de deur dicht.

Bij tabak en bier wilde ik niet voor de eerste keer mijn vijand ontmoeten.

Wij liepen terug en kwamen weer in het café. Daar was ik de enige gast.

Zo was ik dus in hetzelfde stadje, onder hetzelfde dak als hij. Als ik de hotelier had gevolgd, had ik bij wijze van spreken aan zijn voeten gezeten, dan had ik naar hem zitten luisteren en hem kunnen bekijken. Dan zou ik eindelijk ontdekt hebben wat voor een mens hij was. Vreemd, dat ik nooit op het idee was gekomen een van de vele vergaderingen te bezoeken waar hij sprak. Maar nu overviel het me toch. Ik was immers niet op reis gegaan om zo onvoorbereid tegenover hem te staan. Ik kende de weg naar de zaal nu. Als ik wilde, kon ik vlak bij hem komen. Als ik over voldoende moed beschikte – en in mijn verbeelding had ik die meer dan genoeg – zou ik vanavond buitengewone dingen kunnen doen. In de pauze ga ik naar hem toe en lok een debat uit. Ik vertel hem niet wie ik ben en waar ik vandaan kom. Ik ben een willekeurige bezoeker. Een aanhanger of een tegenstander – ook dat zou ik in het midden laten. In mijn hoofd tolden allerlei fantasieën rond, waarschijnlijk door mijn vermoeidheid na een lange dag lopen en door mijn ergernis over al die drukte. Ik stelde me voor, hoe in mijn discussie met hem iets tussen ons zou ontstaan, geen vriendschap, meer een soort begrip, overeenstemming. Ik merk uit de manier waarop hij luistert en antwoordt welke gevoelens langzamerhand de overhand bij hem krijgen. Hij betreurt het dat nooit eerder iemand op deze wijze met hem heeft gesproken. Ik laat doorschemeren dat ik het begrijp en neem een grote mate van discretie in acht. Wat kan hij nog te zeggen hebben? Langzaam lukt het me hem ervan te overtuigen dat hij zich op de verkeerde weg bevindt, dat hij zich van zijn tegenstander een voorstelling maakt die in geen enkel opzicht overeenkomt met het werkelijke beeld. Ik zal er wel voor waken te zeggen: 'Kijk me aan en beken dat je je vergist hebt.' Ik discussieer verder met hem. Zo snel geeft hij zich niet gewonnen, natuurlijk niet. Maar het hangt van mij af, van mijn tact, mijn overtuigingskracht, van mijn argumenten, of hij tot inzicht komt. Als het me eens zou lukken hem te overtuigen!

Ja, in die tijd was ik nog van mening dat men een mens door een discussie kan veranderen. Als ik hem tot een ander inzicht zou kunnen brengen, zou mijn bewondering voor hem alleen maar toenemen.

Moet ik mij hier nu verontschuldigen voor de karakterloosheid die ik toen aan de dag heb gelegd? In de ogen van mijn toenmalige makkers was ik een 'zwakke broeder', dat wil zeggen, ik toonde weinig ruggengraat, in gesprekken en debatten gaf ik te weinig blijk van mijn inzet. Ik woog en wikte te veel, ik vroeg me telkens weer af wat de andere kant aan argumenten en bezwaren kon opperen. Ik schonk daaraan overdreven veel aandacht, vonden zij. Het was mij onmogelijk hun allen iets te laten zien van de verwarring waarin mijn tegenstrijdige gevoelens me hadden gebracht. Bovendien – ik beken alleen nogmaals mijn geraffineerde zwakheid – ik wist zelf niet precies wat mij dreef. Kon ik mijn nieuwe vrienden zo ver in vertrouwen nemen dat ik hen vertelde over de ervaringen met mijn vriend van vroeger? Mensen lachen je om dat soort gevoelens vaak uit. Kon ik openlijk mijn zwakke plek laten zien in een strijd waar het ging om leven of dood – die zwakke plek waardoor ik– althans voorlopig – geen partij kon kiezen, geen besluit kon nemen?

Ik hoorde tot de groep der zogeheten objectieven, dat wil zeggen tot de groep mensen die het als hun morele plicht beschouwen om elke gebeurtenis te beoordelen los van hun persoonlijke mening. Want meningen komen doorgaans alleen voort uit bekrompen vooroordelen. Zo'n houding begint niet met een nuchtere waarneming van alle dingen, hoewel, dat is wel het einddoel. Nee, die houding verwerf je moeizaam in de strijd met tegenslagen en bitter leed. Ook al dreigen wij daarbij om te komen, we moeten erbovenuit groeien, want het zou kunnen dat onze tegenstander gelijk heeft. Is dat het geval, dan blijft ons niets anders over dan dit vrijmoedig te erkennen. Dan zal de menselijke waardigheid van ons verlangen dat we borden beschilderen, die om onze nek hangen en ermee door de stad lopen, zodat iedereen het kan lezen: 'Wij zijn uw ongeluk. D'ruit met ons!'.

Zo'n objectief mens was ik met hart en ziel. Als je het principe van de gerechtigheid gekozen hebt als richtsnoer voor je doen en laten, moet je dan niet in de eerste plaats je vijand recht doen? De hardste schreeuwers om recht als het henzelf betreft, zijn vaak de meest onrechtvaardigen als het hun tegenstander aangaat. Die types zijn ronduit een karikatuur van het menselijk geslacht en het is door hun schuld dat rechtvaardigheid, de edelste van alle hemelse deugden, nog geen burgerrecht heeft gekregen op aarde.

Hoe dan ook, ik koesterde me in de strenge gedachte dat ik mijn vijand recht deed. Maar ja, in die tijd hadden ze mij persoonlijk nog niet bij de strot.

Wat een wonderlijke ontmoeting op zo'n onverwacht moment, dacht ik. Ik zat rustig in het nog lege café. Er waren verder alleen twee verliefde paartjes, veilig verscholen in een nis. Ik liet mijn gedachten gaan. Dat gesprek met mijn vriend was al jaren geleden. De ideeën die B. op zijn tochten door het land verkondigde, kende ik inmiddels goed. Ik had veel over hem gelezen. Hij voerde een grote campagne van stad tot stad om de mensen voor zich te winnen. Hij nam alle middelen te baat om dat te bereiken. Hij moest zich nog steeds inhouden, maar zijn dreigementen en waarschuwingen kon niemand misverstaan. Nog steeds was hij geen meester over leven en dood. Nog niet.

Toen ik daar zo zat aan mijn tafeltje in het bijna lege café, droomde ik zachtjes weg en mijn vermoeidheid na de lange wandeltocht werd een prettig loom gevoel. De hotelier vertoonde zich zo nu en dan, scharrelde dan wat in een hoek, deed heel gewichtig en sprak geen woord. Ik had een rinse wijn besteld, gerijpt op de hellingen in de omgeving. Buiten op de gang was het intussen rustiger geworden. De zaal zat nu vol. De twee paartjes en drie nieuwe gasten spraken zachtjes met elkaar. De wijn deed me goed.

Plotseling mengde zich in dit zachte geroezemoes een typisch gekraak en geknetter. Het begon ergens hoog in een hoek – het karakteristieke geluid van de techniek. Blijkbaar was de hotelier in zijn onnozelheid op het idee gekomen de rede in de zaal via een luidspreker ook hier in het café hoorbaar te maken en zijn gasten zo te laten delen in de feestelijkheden. Een blaasorkest zette in, het algemene lawaai werd groter, er klonken kreten, er werd gefloten, mensen wilden gaan meezingen. Toen was het ineens uit. Je hoorde de planken van het podium kraken, het geluid van enkele forse stappen en met applaus, gejoel en geschreeuw, met een werkelijk infernaal kabaal werd B. begroet. De hotelier kwam binnen, draaide aan een knop en het lawaai werd iets minder. Weer zwol het aan en ebde het weg. Diepe stilte. Ook in het café. Deze enkele seconden stilte aan het begin – ik zal ze nooit vergeten – die paar seconden stilte hoorden al tot zijn rede, evengoed als de toejuichingen aan het eind en de interrupties tijdens zijn optreden. De zwijgende afwachting in de zaal maakte zich ook meester van ons in het café.

In deze doodstille spanning kwamen zijn eerste woorden. Aarzelend, voorzichtig. Zij doorbraken de stilte niet, nee, zij sloten er zo volkomen bij aan dat je had kunnen denken dat ze uit de stilte waren voortgekomen. Zelden heb ik een stem horen spreken in zo'n gespannen zwijgen. Het klonk als uit een graf, donker en diep, ietwat luguber. Het liep als een straal ijskoud water langs je rug. Naar een dergelijke stem luister je met al je zintuigen. Wat betekent dit, dacht ik, waarom dit benauwende, griezelige begin? Heeft hij vandaag een slechte dag? Ik was een beetje teleurgesteld, verbaasd ook. Maar al vrij snel begreep ik wat het betekende. De eentonigheid van dit begin werd lang aangehouden. Het moest iets anders onderdrukken, verbergen en tegelijk voorbereiden. Je voelde de inspanning.

De hotelier sloop op zijn tenen naar mijn tafeltje.

'Verstaat u het?' fluisterde hij veelbetekenend.

Ik knikte.

'Of zal ik hem iets harder zetten?'

'Dat stoort de anderen,' zei ik, om maar iets te zeggen.

'Daar ben ik niet bang voor.'

'Voor mij is het hard genoeg zo,' zei ik.

'Straks wordt het harder, hoor. Als hij eenmaal op gang is...' Op z'n tenen sloop hij weer terug.

Ik moest weer aan mijn vriend denken. Af en toe had ik het gevoel dat hij ergens samen met mij naar deze rede luisterde. 'Ik heb hem horen spreken en meteen had hij me voor de zaak gewonnen.' Hij had toen goed opgelet welke indruk zijn woorden op mij maakten, alsof hij eigenlijk hoopte dat ik ook onder zijn invloed kwam.

De herinnering aan die laatste ontmoeting maakte me weemoedig. Er waren inmiddels jaren verstreken, maar ik beschouwde hem nog altijd als mijn vriend. Op dit moment hield ik me in mijn sentimentele bui aan de herinnering vast. Maar ik was nog nuchter genoeg en wilde op mijn hoede blijven. Was B. nu een zwendelaar, een valsspeler, of was hij werkelijk iemand die het nodig maakte Gods genade over ons af te smeken – ik wilde mezelf geen rust gunnen voor ik dit geheim had ontraadseld, als er tenminste van een geheim sprake was. De rede ging verder. Het was duidelijk dat hij nog altijd tastte en een afwachtende houding bleef aannemen. Een enkele ironische opmerking onderbrak af en toe de eentonigheid en ontlokte de zaal een eerste lach. Geleidelijk maakte de stem zich vrij van die dwang, de toonhoogte steeg, er kwam veel meer afwisseling en nuance. Vol klonk de stem nu door de luidspreker in het café, alsof de spreker vlakbij stond. Omdat hier maar enkele toehoorders zaten, deed het ietwat komisch aan dat hij zo uit volle borst sprak. Hij sprak met een zeer bijzondere articulatie, waardoor hij tot in de verste hoeken verstaanbaar was.

Het leek nu zekerder te worden van zijn zaak. Daarom ging hij over tot de aanval. Vol overtuiging verkondigde hij enkele waarheden. Het waren zulke waarheden als koeien dat iedereen, of hij wilde of niet, ermee moest instemmen: de man heeft gelijk. Hoewel er nergens iemand te bekennen was die een andere waarheid had verkondigd of de zo-even geuite waarheid in twijfel trok, deed hij toch alsof die niemand er wel was en alsof hij zich zelfs in de zaal had verborgen. Hij had zijn doel bereikt. De eerste instemmende kreten klonken. Het begin van zijn succes. Zijn moed groeide en hij gaf nog meer, steeds gedurfder waarheden ten beste. Het werden waarheden waarover je eerst goed moest nadenken, zo weerzinwekkend leken ze op het eerste gezicht. Maar een enkel greintje waarheid zat er misschien toch wel in. Het hoorde bij zijn vaste programma. Bijna nooit miste het zijn uitwerking. Het was inderdaad gedurfd en zweepte de zaal op. Ook de manier waarop hij alles voordroeg was gedurfd. Weer wekte hij de indruk alsof hij met die niemand aan het debatteren was. Hij verhief hem tot tegenstander en bond voor het oog van de zaal de strijd met hem aan. Een krankzinnig bedenksel! Hij had hem bij wijze van spreken in zijn vestzak binnengesmokkeld – niemand van de aanwezigen had er iets van gemerkt – en hem ergens midden tussen de toehoorders neergezet. En daar zat hij nu. 'Kijk, daar zit hij, horen jullie wel wat hij zegt?' En dan bedacht hij alles wat de ander, die hij zelf had uitgevonden, zei. Waarom zou er niet iemand zijn die er zo uitziet en die deze woorden uitspreekt? Maar hij legde hem alleen vragen in de mond, die in zijn eigen hoofd opkwamen, en aangezien hij zelf voortdurend aan het woord was, ook al gaf hij dat woord ogenschijnlijk aan zijn tegenstander, slaagde hij erin zijn toehoorders in zijn ban te houden.

Hij begon met meer nadruk te spreken, en toen hij merkte dat zijn invloed groter werd, begon hij opeens onverwacht – slechts een zekere spanning in zijn stem had er iets van aangekondigd – te schreeuwen. Midden in een zin, midden in een discussie met zijn tegenstander, begon hij te tieren en te schreeuwen. Een krankzinnige!

Hij viel aan, beschuldigde, bespotte, vernederde, sloeg naar links en naar rechts, blindelings, weerlegde beweringen die niemand had geuit en wond zich daarbij vreselijk op. De ander had niemand meer die voor hem sprak. Hij, die niet bestond, werd doodgedrukt door de stem en aangezien hij zweeg, meende iedereen dat hij ook werkelijk dood was.

Weerloos zat ik in het café: die niemand in de zaal was ík. Ik hoorde mijn eigen vernietiging. Een duister voorgevoel bekroop me, de moed zonk me in de schoenen.

‘Die brult,’ zei iemand, enkele tafeltjes verder.

‘Wat kan een mens toch brullen,’ antwoordde een ander.

Toen viel er weer een stilte. Alleen de luidspreker trilde en kraakte even. Maar daar had die stem zijn eigen geluid weer te pakken. Hij klonk alleen hartstochtelijker, de ondertoon was opgewonden en verraderlijk. Zijn gloed was koud vuur. Waar haalde die stem dat flakkerende vandaan? Als een vreemd metaal lag het erin verborgen en zond van tijd tot tijd onzichtbare stralen uit. Die braken door de stem heen, vreemd brandend en fascinerend – heel eigenaardig. Het kwam niet voort uit de man zelf. Zijn opwinding was niet die van een opgewonden mens. B. was niet het type redenaar dat zichzelf tot kookhitte opzweept en tijdens het spreken in vuur en vlam raakt, door zichzelf betoverd wordt en dwaasheden begaat omdat hij dan dingen gaat zeggen die hij beter had kunnen verzwijgen. Deze man wist maar al te goed wat hij zei en nog nooit had hij zijn mond voorbijgepraat. Als hij brulde, wist hij dat hij het deed. Het hoorde tot zijn programma, hij had alles van tevoren berekend. Eén seconde later had hij zichzelf alweer in bedwang en was hij weer volkomen vlak.

In later jaren is het vaak gebeurd dat hij na een grote belangrijke rede, waarin hij alle registers had bespeeld, heel rustig en beheerst van het podium kwam, terwijl zijn toehoorders door opwinding en spanning nog lang buiten zichzelf waren.

Was het de inhoud van zijn uiteenzettingen, zijn bewijsvoering, of was het de manier waarop hij zijn rede voordroeg, dit wonderlijke vuurwerk van bonte, schel uiteenspattende raketten dat samen met het voortdurende ontploffen van lichte en zware springstof het verbaasde publiek de adem en de nuchterheid ontnam?

Het ging hem klaarblijkelijk ook niet om de min of meer gedurfde waarheden die hij stond te verkondigen. Het ging hem eerder om de tegenstander, die hij met alle aanvechtbare waarheden te lijf ging. Maar in laatste instantie ging het hem misschien alleen om een bepaalde uitwerking op zijn toehoorders, een uitwerking die hij volgens zijn eigen berekening weer nodig had om een ander doel te bereiken. Daarom voerde hij telkens weer in eindeloze herhaling dezelfde argumenten aan, tot men minder naar zijn woorden dan naar zijn stem luisterde. In die stem lag het definitieve doel besloten.

De hotelier was weer binnengekomen. 'Het staat een beetje te hard,' zei hij, en zette de luidspreker iets zachter. Hij knikte me toe. Ik reageerde niet.

Langzaam was mijn eerste schrik weggezakt. De betovering was verbroken. Mijn vermoeidheid deed zich weer meer gelden. Ik zat nu wat te soezen in een wonderlijke stemming, zwevend tussen waken en slapen. Het was zo'n toestand waarin je bewustzijn versluierd is, terwijl al je zintuigen alles juist heel helder waarnemen. De aantrekkingskracht van de aarde wordt groter, je ledematen hangen loodzwaar aan je lichaam, als je je ontspant voel je hun warme gewicht. Het is alsof alle dingen tot in hun diepste kern zichtbaar zijn. Je besef van tijd, van vroeger en later, is verdwenen. Verleden, heden en toekomst vloeien ineen. De wereld lijkt geheeld.

Ik hoorde de andere gasten met elkaar praten en lachen. Ze hadden geen aandacht voor de redevoering. De stem leek verder weg en kreeg steeds meer iets spookachtigs, onwerkelijks. Ik leunde achterover tegen de kussens en sloot de ogen. Maar de ver verwijderde stem had niets van zijn indringendheid verloren.

Iets in deze stem stond los van de man persoonlijk. Achter dit geschreeuw uit koele hartstocht, achter deze grofheden die een geraffineerde, meedogenloze instelling verrieden – daarachter klonk nog iets anders door: een groot en machtig succes of een vervaarlijke ondergang?

Het werkte beklemmend en hield me in zijn ban. Anders dan in het begin leek het nu of de stem een persoonlijke boodschap voor mij had. Wat het was, wist ik niet. Maar het ging hem alleen om mij, zijn vrienden hadden er niets mee te maken. Een kleine, onaanzienlijke man, gegrepen door iets wat sterker was dan hij-zelf, praatte alsof hij bezig was zichzelf te wurgen. Het was alsof hij tegenover de verdoemenis stond. Een fakkel flakkerde op een kruispunt. Hij moest kiezen. Het noodlot meldde zich. En wie daarmee in aanraking kwam, werd getekend. Maar hijzelf bleef klein, eerzuchtig, een klerk die dolgraag een baas zou zijn geweest. Van tijd tot tijd, als het vreemde, grotere in hem doorbrak en hem geheel in zijn macht kreeg, werd hij radeloos en stond hij voor iets wat hij niet kon vatten. Het omvatte hem, maar hij omvatte het niet. Wie was hij nu eigenlijk? Zonder ophouden stelde hij zichzelf deze vraag. Hij wist het niet. Op deze momenten werd hij voor zichzelf een vreemde. Wat over hem kwam, was het vreemde. Vaak dacht hij ook dat hij het zelf was, die over zich kwam. Op zulke ogenblikken waande hij zichzelf even groot en machtig en onweerstaanbaar als een rivier. Dan begon hij te schreeuwen en te razen. Hij kon zichzelf niet in bedwang houden en trad buiten zijn oevers. Maar hij begreep het niet. Hij schreeuwde als een drenkeling die gered wil worden.

Uit deze dromen werd ik ruw wakker geschud. Een hagel van stenen viel neer in het café, de ramen vielen kletterend in scherven, nog meer stenen ketsten tegen de houten muren en de tinnen kruiken die bolderend op de grond vielen. Eén steen trof de luidspreker. Die zweeg onmiddellijk. Toen stormden een paar lugubere mannen het café binnen. Een bleef bij de deur staan en hield met een hand op de rug de klink vast. Niemand kon meer naar buiten. De paar gasten en ik wisten niet precies wat dit moest betekenen. De mannen begonnen stoelen aan de leuningen door de lucht te zwaaien en sloegen ze daarna met een woedende zwaai stuk tegen de grond. De grimmige uitdrukking op hun gezicht stond in wonderlijk contrast met de toewijding waarmee ze hun werk deden. Tafels werden omvergegooid, stoelpoten lagen overal in het rond, rieten zittingen waren gescheurd, kleurige tafelkleedjes lagen in de hoeken. Een indringer stapte achter de tapkast en smeet alle glazen die hij te pakken kon krijgen op de vloer. Het laatste glas hield hij onder de bierkraan, liet het snel volschuimen en dronk het leeg. Plotseling hielden ze op met de stoelen en tafels en maakten zij aanstalten de gasten te lijf te gaan. Er kwam een man op mijn tafeltje toe, zijn gezicht voorspelde niet veel goeds.

'Kom hier, jochie,' riep hij dreigend. Zijn stem was een mengeling van de blinde woede en gehuichelde vaderlijkheid die gewoonlijk voorafgaat aan handtastelijkheden.

'Wat betekent dit?' brulde ik terug. Mijn vermoeidheid was plotseling geheel verdwenen. Zijn stommiteit ergerde me meer dan zijn brute optreden. Ik had onmiddellijk begrepen naar wie zijn woede eigenlijk op zoek was. 'Wat moet u van mij?' voegde ik er iets minder verbitterd aan toe.

'Hoor jij daar ook bij?' vroeg hij, met zijn hand naar de zaal wijzend.

'Ga daar maar heen, daar vindt u wie u zoekt,' zei ik bars.

'Wat ben jij eigenlijk voor een vent?' zei hij, plotseling kalmer. Hij probeerde terug te krabbelen. Hij was blijkbaar tot de ontdekking gekomen dat ik een vreemdeling was en hier zat als gast van het hotel. Zijn metgezellen voerden verhitte gesprekken met de anderen. Hij stond bij mijn tafeltje. Ik bleef zitten.

Hij was een eenvoudig man, klein, eigenlijk goeiig als je hem van dichtbij bekeek, ongetwijfeld een brave huisvader en thuis een en al vriendelijkheid, maar nu was hij bezeten door een idee dat maakte dat hij op de verkeerde plek zocht naar iemand die hij ergens anders direct had kunnen vinden. Hij kon niet weten met wie hij in aanraking was gekomen toen hij op mij afkwam. Het komische van mijn situatie – de plotselinge bedreiging door een bondgenoot – drong steeds scherper tot me door. Ik begon te grinniken en lachte hem openlijk uit.

Hij keek me aan, een en al onbegrip.

'Nee, nee,' zei ik gemoedelijk, om hem te helpen. 'Ik ben niet de man die je zoekt. Integendeel.'

Hij aarzelde nog steeds. Ten slotte vroeg hij wantrouwend, omdat hij niet kon geloven dat hij bijna een onmogelijke vergissing had begaan: 'Maar waarom zit u dan hier?'

Eerst wilde ik antwoorden dat het hem niets aanging. Maar ik bedwong mijn opkomende ongeduld en zei met een klemtoon op elk woord: 'Ik zit hier omdat ik niet in de zaal wil zitten, dat begrijpt u toch wel?'

Dat was duidelijk genoeg. Hij wist niet wat hij nog moest zeggen. Per slot van rekening was hij hier gekomen om te handelen. Zijn vastbeslotenheid had me aanvankelijk in de war gebracht. Hij had het niet gemerkt. Eigenlijk bewonderde ik hem een beetje, omdat hij eenvoudig een café binnendrong en ging handelen, zij het dat voorlopig stoelen en tafels het slachtoffer werden. Hij bleef besluiteloos naast mijn tafeltje staan. 'Ik ben moe en ik ga naar bed,' zei ik, 'goedenacht.'

'Goedenacht,' antwoordde hij in zijn onschuld.

Intussen was de hotelier teruggekomen. Hij had de stand van zaken snel opgenomen en was weer verdwenen. Even later keerde hij terug in gezelschap van enkele potige knapen.

Ik was juist opgestaan toen zij binnenkwamen. De hotelier beefde. In minder dan geen tijd was het ontredderde café gezuiverd van de indringers, gevochten was er nauwelijks.

'Maakt u zich alstublieft niet ongerust,' zei hij bevend. 'Maakt u zich niet ongerust. Verzekering dekt de schade. Zulke kerels, toch!' Zijn potige helpers hadden zich in een kring opgesteld, mannelijk en vastberaden.

'Opruimen,' zei de hotelier. 'En dan kunnen jullie op mijn kosten een biertje drinken.' Zij ruimden op, gingen midden in het café zitten, dronken hun biertje en bespraken de gebeurtenissen nog even. De hotelier kwam naar mijn tafeltje toe, nog steeds bleek van opwinding. Hij zag me staan en vroeg onthutst: 'Hebben zij u lastiggevallen? Die kerels, hun stenen waren bedoeld voor iemand die zij toch niet hebben geraakt. Zoiets is hier nog nooit gebeurd.'

‘Hij heeft hier vermoedelijk ook nooit eerder gesproken,’ zei ik.

‘Het is de eerste keer,’ antwoordde de hotelier. ‘Ik heb er helemaal niets mee te maken. Ik verhuur de zaal aan iedereen die ervoor betaalt.’

Hij ging van opwinding zitten, het zweet parelde op zijn voorhoofd. ‘Beter mijn bierglazen en mijn meubilair dan mijn gasten,’ zei hij. Hij veegde met zijn mouw over zijn gezicht. ‘Waarom moeten ze altijd meteen gaan knokken?’ vroeg hij.

De politie kwam binnen. De hotelier stond op. ‘Excuseert u me.’

Ik wachtte het slot niet af en verdween naar mijn kamer boven.

8

Deze avond met zijn tragikomisch slot had diepe indruk op me gemaakt. In de halve schemertoestand waarin ik me bevond toen ik daar als heimelijk toehoorder in het café zat en kon deelnemen aan alles wat in de zaal gebeurde, was een wonderlijk idee opgekomen en had zich in mij vastgezet. Dat idee moet zich lang in mij verborgen hebben gehouden.

Er zijn ontmoetingen die het noodlot in onzichtbaar schrift lang tevoren heeft opgetekend. Pas als het voor je deur staat, wordt de betekenis ervan openbaar: de afzonderlijke tekens worden zichtbaar op de muur, groeperen zich tot woorden, de zin ervan is nu te lezen. Het lot voltrekt zich, je wordt al meegesleurd door de maalstroom en toch verzet je je nog.

In het begin durfde ik dit idee niet bewust te denken, zo absurd vond ik het. Als ik mijn ogen sloot, rees zijn beeld voor me op, en als ik naar mijzelf luisterde, zoemde zijn stem in mijn oor. Hoe ik me ook verweerde, ik kon niet voorkomen dat beeld en klank me vertrouwd werden, zo vertrouwd alsof zij geheel waren voortgekomen uit mijn zintuigen en alsof zij zelfstandig hun eigen leven leidden. Verging het hem ten aanzien van mij niet net zo? Wat een enorme plaats ik in zijn gedachten innam, heb ik die avond pas weer gemerkt. Geen minnaar kan met meer toewijding over het voorwerp van zijn liefde spreken dan hij over mij, ook al verwenste hij mij dan. Hij zocht me. Was dit niet zonneklaar? Steeds was ik bij hem. Hij droeg mij met zich mee, precies zoals hij zijn hand, zijn oor of zijn tong steeds met zich meedroeg. Hij moest van mij bezeten zijn.

Wij mensen zijn niet geboren voor vriendschap. Zo zijn de menselijke verhoudingen nu eenmaal niet. Zelfs de meest hooggestemde lofzang kan de achterdocht niet verdoezelen die als een muur tussen de levenden staat. Wij spelen allemaal een dubbelrol. Dat is wat ons in de eerste plaats verbindt. Eenzaamheid, in onszelf opgesloten zijn, dat is het gemeenschappelijke. Het in liefde samen zijn – lieve mensen, wat bedoelt men daar toch mee? Misschien de gemeenschappelijke belangen die net voldoende zijn voor de oprichting van een consumentenbond? Je hoeft maar om je heen te kijken, er zijn voorbeelden genoeg van de bouwplannen voor een menselijke samenleving. En speciaal de gelieven van wie de dichters zo graag zingen!

De diepste basis van ons bestaan openbaart zich in de manier waarop ik tegenover mijn vijand sta en waarop hij tegenover mij staat – die openbaart zich in de vermommingen en maskerades van onze vijandschap.

Dat wonderlijke idee dat bezit van me had genomen, was dit: dat hij precies zo onzeker was als ikzelf, dat ook hij twijfelde, en dat hij – gegrepen door de angst dat hij voor zichzelf een vreemde was – zijn tegenstander, mij dus, had uitgedaagd en mijn beeltenis op de muur had geschilderd zoals de oude schilders in hun angstzweet hun heiligen schilderden als hun demon hen belaagde. Ik was alleen een mombakkes, een masker dat hij in zijn benauwdheid had gemaakt. Maar voor hem was het genoeg. Het was zijn evenbeeld. Misschien had ook zijn vader hem eens toegefluisterd: 'Wij zijn...!' En nu zocht hij in zijn nood naar de zin en de betekenis van die influistering. Misschien had hij het al eens geweten, maar was hij deze kennis weer verloren. Misschien betekende het ook niets meer voor hem omdat hij ten prooi was gevallen aan andere verhoudingen. Misschien voelde hij alleen: wie ik ben, weet ik niet. Hij schreeuwde, omdat hij het niet wist. Hij wilde iemand zijn die zichzelf kon bekijken, zo buiten zichzelf, op de manier waarop hij een boom of een huis bekeek, of een onweer dat losbarstte. Ook hij kende de verleidelijke geheimen van de donkere kamer, de retouche en de trucs die je daar kunt toepassen, de hele en halve gelijkenis waarmee je nooit in het reine komt. En toen had hij de weg naar mij gevonden. Hij zag in mij de influistering van mijn vader, de enkele woorden die tegelijk een verwonderde vraag waren: 'Zijn wij dan...?' Zo schiep hij zich in mij een evenbeeld en wist van dat ogenblik af: wie ik niet ben, weet ik nu goed. Alles wat hij in zichzelf verzweeg en waarmee hij niet in het reine kon komen, zag hij in mij. Betoverd, meegesleept en tegelijk een en al schrik en afkeer. Hij geloofde dat ik was zoals hij me beschreef. Maar hij vergiste zich enorm. Zijn afkeer maakte dat mijn ware gedaante hem verborgen bleef. Had hij niet dankbaar moeten zijn? Was ik niet de enige die hem zeker maakte van zichzelf? Niet de lawaaiige schare van zijn benevelde meelopers, om nog maar te zwijgen van degenen die zich zijn vrienden noemden. Hij en ik waren in elkaars gezichtsveld gekomen, wij hadden met elkaar te maken. Wij groeiden naar elkaar toe, tussen ons was verwantschap ontstaan, wij waren aan elkaar verbonden met de sterke banden van vijandschap op leven en dood. Die verwantschap begon met het leven, het doel was de dood. Maar in het begin was zij alle twee: leven én dood. Wij beiden moesten kiezen. In zijn gezicht was ik de rimpel die scherp van de neus rond de mond liep. Als zijn stem brulde, was ik de trilling. De stap van de een was die van de ander. Dat ik me zorgen maakte om mijzelf, gold ook voor hem. Dat ik me zorgen maakte om hem, gold ook voor mij. Ik had naar zijn stem geluisterd. Lagen nog niet alle mogelijkheden tussen dood en leven voor hem open? Hij kon nog ieders hoop worden óf ieders grote angst. Een veelbelovende opkomst óf afgrijzen en ondergang. Het deed er niet toe: hij moest kiezen en het hing van hem af hoe hij zou kiezen, en tegelijk ook van mij. Daar werd ik steeds zekerder van, hoe dieper hij in mij verstrikt raakte. Als zijn trouwe tegenstander was het mijn taak ervoor te zorgen dat hij de goede keuze maakte. Nog had hij niet gekozen, nog had hij niet gehandeld, nog geen daden gesteld waardoor hij zichzelf veroordeelde. Maar het gevaar bleef.

Ja, hij had nog niet gehandeld. Die gedachte troostte mij. En zolang was er nog niets verloren. Zo nu en dan was het volslagen onzeker of hij ooit zou handelen. Handelde een man, die zo sprak, wel ooit? Hij had nog tijd, ook daarvan was ik zeker. En ook ik had nog niet gekozen, daarvan kon hij zeker zijn.

En dan de gedachte dat wij beiden misschien als elkaars tegenstander waren uitverkoren, in het plan van de schepping dat zich gestaag voltrok?

O God, mijn God!

9

Nog is hij niet dood. Nog verbijstert hij de wereld met een lange reeks daden die zijn ondergang aankondigen. Hij neemt besluiten en laat ze verbeten uitvoeren alsof hij zich zeker voelt in zijn barbaarse geweten. Hij handelt, hij heeft macht over leven en dood. Hij laat mensen trillen van geluk als hij welgemoed op hen toekomt, en beven van verlorenheid als hij hen in zijn overmoed de maat neemt. Alles richt hij te gronde. Het is zijn eigen vernietiging die hem voortzweept. Maar zijn roem, gebaseerd op afschuw, verbleekt inmiddels in de ogen van mensen die leerden hun angst voor hem te overwinnen. De opgaande zon werpt een heel ander licht op de wereld dan de avondzon. Hij had het kunnen weten.

Maar in die tijd dacht ik dat het noodlot nog van ons beiden kon worden afgewend. Ik verkeerde toen in de waan hem van zijn waan te kunnen bevrijden. Onafwendbaar dreigde het gevaar. Ik hield koppig vast aan mijn opvattingen. Een mens wil blind zijn, hij weigert de tekenen te zien die de toekomst aankondigen. We gebruiken alle listen, roepen de voorzienigheid erbij, de hemel, de schepping en nog vele andere zaken om ons te verschansen. Een onbekende huivering, van intensivering en spanning en verlamming tegelijk, overmeestert ons. Als mens ben je weerloos als je een uitzonderlijke gebeurtenis onafwendbaar op je af voelt komen. Steeds beter begrijp ik nu die bezwering van mijn vader: 'Dan zij God ons genadig!'

In de jaren waarin ik in het geheim met hem vocht, martelde de angst mij. Maar toen wist ik nog niet dat het angst was. Zonder ophouden vernederde ik mezelf, met een bijna zelfvernietigende vreugde over de vernedering. Elke keer dat een slag mij trof, dacht ik dat het zo moest gebeuren en dat het mijn schuld was. Ik verbeeldde mij dat hij bij alles wat hij deed het recht aan zijn kant had en dat er een rechtvaardiging in school die voor mij de bijzondere betekenis ervan kon bewijzen. Ik meende dat ik die rechtvaardiging niet buiten beschouwing mocht laten.

Ik kon hem niet loslaten, ik had hem nodig. Zijn bestaan betekende in een nabije toekomst mijn vernietiging, dat stond vast. Maar zijn plotselinge dood of een andere gebeurtenis die hem van mij zou wegnemen, zou ook mijn ondergang zijn geweest. Tussen ons bestonden banden en verplichtingen, en wie kan de gemeenschap verbreken die in het geheim is ontstaan tussen vervolgers en vervolgden?

Hij liet mij lijden en ik leed vol overgave. Elke verandering in deze toestand tussen ons zou me in een vacuüm hebben gestort, zou me hebben beroofd van de felle levenswil die voortkomt uit de wil om te lijden. Waar had ik heen gemoeten? Hij was mijn alles!

Elk mens heeft vrienden en kennissen, een 'goedendag', een vriendelijke glimlach, een handdruk en een kus van mond op mond – het zijn de alledaagse dingen die hun waarde in zichzelf hebben. Je schenkt er geen aandacht meer aan. Maar hij was mij gezonden als mijn vijand, hij had een opdracht te vervullen, dat wil zeggen: ik verbeeldde mij dat die opdracht hem was gegeven. In laatste instantie was ik het zelf die hem die opdracht opgedrongen had. Ik had hem nodig, zoals je een glas nodig hebt dat je eerst vult en dan leegdrinkt. En tegelijk minachtte ik hem eigenlijk, omdat hij het geheim niet kende dat mij dankzij hem geschonken was. Niets wist hij van dit alles. Maar ook degenen die mijn vader bedoelde als hij zei: 'Wij zijn...' – wat wisten die van de heerlijkheid die je geschonken kan worden door je tegenstander? Voor hen was hij een hinderlijk onmens die hun het leven zuur maakte. Zij zagen alleen de dagelijkse dreiging duidelijk, die eerst de uiterlijkheden van het leven raakte en vervolgens zou doorstoten tot het leven zelf in zijn kern was vernietigd.

Vol van zulke gedachten en twijfels liep ik in die tijd rond, zoals de man die tijdens een stortbui op straat loopt met een regenjas over de arm. Hij komt schijnbaar niet op het idee hem aan te trekken. De zekerheid dat hij hem bij zich heeft en dat hij hem over zijn arm heeft, is hem genoeg. Hij wordt nat, hij voelt de regen op zijn lichaam, maar hij is niet bang van water. Per slot van rekening weet hij dat hem niets kan overkomen, hij heeft immers zijn regenjas bij zich.

Op een dag kom ik een van mijn nieuwe makkers tegen en dan ontwikkelt zich het volgende gesprek.

Hij zegt: 'Wij zien je nooit meer,' en hij geeft me hartelijk de hand. 'Waar zit je in vredesnaam? Je ziet er zo moe en overwerkt uit. Kun je nog slapen? Het zijn vervloekt slechte tijden.'

'Ja,' antwoord ik.

'En ik ben bang dat het nog erger wordt.'

'Dat is heel best mogelijk,' zeg ik.

'Laatst kwam ik K. tegen,' gaat hij verder. 'Hij vertelde me dat hij je gesproken had, even maar. Het gaat niet goed met hem.'

'K.? O ja, even maar, dat klopt. Hij kwam de tram binnen, maar ik moest er bij de volgende halte alweer uit.'

'Hij is zijn baan kwijt. Binnen korte of lange tijd worden wij allemaal ontslagen. Laten zij jou nog werken?'

'Tot nog toe wel,' zeg ik. 'Maar ik beschouw het zelf als een wonder.'

'Zie je wel,' valt hij me bij. 'Jij koestert ook geen illusies meer. Jij bent toch hier geboren?'

'Allicht ben ik hier geboren. Hoe dat zo?'

'Zomaar. Zie je, wij zijn hier geboren, we spreken dezelfde taal. Als je vandaag denkt: morgen zal ik mijn haar laten knippen, zeg je: "morgen zal ik mijn haar laten knippen" en dan laat je het ook knippen. Niets bijzonders. En toch heb je geen rechten meer, je wordt eruit gesmeten, behandeld als een vreemde. En waarom in vredesnaam? Weet jij het? Ik zou het weleens willen weten. Omdat je een ander moet zijn. Een ander? Wat is dat dan: een ander?'

Op zulke ogenblikken moet ik altijd denken aan de oude Grieken, die de Perzen 'barbaroi' noemden: de vreemden. Vroeger verloor ik me bij zo'n gelegenheid graag in diepzinnigheden, maar inmiddels vind ik het pijnlijk voor de Grieken en daarom zeg ik liever niets. Ik fluister daarom maar: 'Barbaren.'

'Ja,' gaat hij verder, 'precies. Vroeger waren het andere goden, andere krijgstooien, andere vrouwen, weet ik wat, en nu is het ander bloed, ander geld, andere bodemschatten, andere ideeën, een andere mentaliteit. Sprookjes zijn het, niets dan sprookjes, zeg ik je, vroeger al, in de prehistorie, en nu, nu de mensheid eindigt, ook nu nog sprookjes. Het sprookje regeert. Jij bent toch gymnastiekleraar?'

'Alleen in mijn vrije tijd, hoor.'

'Doet er niet toe. Heb je plannen voor de toekomst?'

'Nee, voor de toekomst heb ik geen plannen.'

'Misschien komen ze binnenkort bij je aan.'

'Omdat ik gymnastiekleraar ben?'

'Ja, verbaast je dat?'

'Wel een beetje.'

'Als zij ons overal buitensluiten, blijft ons niets anders over dan ons zelfstandig te maken, iets eigens te gaan opbouwen, eigen concerten, want ze zullen heus niet halt houden voor de kunst, eigen kantoren, eigen sportvelden, dansgelegenheden, kortom alles eigen.'

'En dan willen jullie mij...?'

'Ja,' zegt hij. 'Heb je er geen zin in?'

‘Zin? Ik geloof niet dat een mens dat nog kan vragen als het eenmaal zover is.’

‘Ben jij een pessimist?’ vraagt hij opeens.

‘Pessimist? Nee, daarvoor zie ik nog geen reden.’

‘Maar ook geen optimist.’

‘Dat zit niet in mijn aard,’ zeg ik.

De ander lacht. Hij beschouwt het blijkbaar als een grap.

Wij zijn een eindje opgelopen, zijn een straat overgestoken en lopen aan de rand van een park in de schaduw van dichte hoge bomen. Het is hier midden in de zomer donker en koel.

‘Mooi is het hier,’ zegt de ander. Hij blijft staan, trekt een zakdoek uit zijn zak en begint zijn voorhoofd, gezicht en hals af te vegen. Hij sluit zijn ogen, trekt zijn gezicht in talloze rimpels, kucht even en buigt het hoofd. Zoals zijn gezicht er nu uitziet, zo ken ik hem niet. Zo ziet hij eruit, denk ik, als hij alleen is en aan dingen denkt die hem ongerust maken, misschien de toekomst van zijn kinderen, het lot van zijn ouders, allemaal dingen die niets goeds beloven. Hij is een man en hij heeft zorgen, maar ik ken hem niet.

‘Je zou het dus wel willen doen,’ begint hij opnieuw.

‘Vind je dat zo belangrijk?’ vraag ik. ‘Een gymnastiekleraar? Ik dacht dat er wel andere zorgen waren. En dan het geld. Willen jullie daar geld voor uitgeven?’

‘Moet je horen, jij bent toch wel een beetje een rare. Je zaagt zelf de tak af waarop je zou kunnen zitten.’ Hij klinkt gekrenkt en begint mij de plannen haarfijn uit te leggen. ‘Wij gaan onze kleine werkelijkheid opbouwen precies zoals de grote werkelijkheid is, met alle beroepen enzovoort. Wat kunnen wij anders? Met ziekenhuizen, scholen, sportvelden, bioscopen, concerten, verzekeringsmaatschappijen, alles. Zie je dan niet waar het op uitloopt, als alles gaat zoals het zich laat aanzien? Van vandaag op morgen kan het al zover zijn. Wij moeten erop voorbereid zijn.’

Ik denk in stilte dat hij vanuit zijn standpunt gelijk heeft. Natuurlijk heeft iedereen meestal gelijk vanuit zijn eigen standpunt. Het is bovendien helemaal niet zo onverstandig.

'Je houdt te weinig contact met ons,' zegt hij licht verwijtend. 'Het is maar goed dat ik je toevallig tegenkwam. Ik had het allang tegen je willen zeggen. Je sluit jezelf buiten.'

'Helemaal niet!'

'K. had dezelfde indruk toen hij je laatst had gesproken.'

'O ja?'

'Je bent misschien te terughoudend of je hebt zo je eigen gedachten. Wij zouden je veel meer moeten zien. Wij moeten zij aan zij staan. Al het andere helpt niet.'

'Jij vindt dus...'

Hij praat verder. We staan allemaal aan dezelfde kant, of we willen of niet. Het is toch heel eenvoudig. Zij bedreigen ons, mij, hen, ons allemaal, die...

Ik hoorde alle woorden weer – de woorden van mijn vader. Maar ik laat hem doorpraten. 'Wij zitten nu eenmaal in hetzelfde schuitje, we vormen een gemeenschap.'

'Omdat ze ons vervolgen?' interrumpeer ik, een tikje ironisch.

'Is dat soms niets?' zegt hij snel, hij haalt diep adem en trekt even de schouders op, alsof hij tot zijn verbazing ontdekt dat hij mij het abc nog moet leren: 'Of wij nu op actieve of passieve wijze een gemeenschap vormen, daar gaat het niet om, dat leidt alleen maar tot geharrewar. Of wij een gemeenschap zijn omdat ze ons bijeen hebben gedreven of omdat wij het altijd zijn geweest – het laatste zou te prefereren zijn. Dan hadden wij een actieve, een bezielende idee. Maar genoeg. Het verandert niets aan de feiten: jouw noodlot is het mijne, zo goed als het mijne ook het jouwe is, dat van ons allemaal. Op het ogenblik hebben wij allemaal dezelfde betekenis voor elkaar. De toekomst is voor ons allen even...'

Hij stopt, klaarblijkelijk voelt hij aan mijn houding mijn kritiek. Ik zwijg.

'Is het soms niet zo?' vraagt hij met zijn hand onder zijn kin. Hij kijkt me hoopvol aan. We zijn onder de bomen in de schaduw blijven staan.

'Kom mee, we lopen nog even door,' zeg ik gelaten. 'Ja, ik kan het niet ontkennen. Maar ik wist alleen niet dat wij inderdaad zo veel betekenis voor elkaar hadden.'

Hij loopt zwijgend naast me. Hij is verbaasd, of beter gezegd, beledigd. Ik zie zijn gezicht, hetzelfde van zo-even, toen hij het zweet afveegde. Hij denkt heel lang na en dan zegt hij: 'Luister nu eens, jij vat dit veel te persoonlijk op.'

'Dat is zo, ik vat het inderdaad persoonlijk op. Kan ik het dan anders opvatten?'

We zijn nu in de buurt gekomen van een klein terrasje, een houten cafeetje, een paar tafeltjes met bonte kleedjes, wat ijzeren klapstoelen eromheen, moeders met kinderen die halfnaakt in het zand en op het grasveld spelen.

'Laten we iets drinken. Wat zal het zijn?' Even later heffen we ons glas. 'Op je gezondheid.' Hij begint weer te praten.

'Je vat het veel te persoonlijk op. Wij vormen een gemeenschap op leven en dood, vergeet dat niet. Zeker, er kunnen kleine persoonlijke verschillen blijven bestaan, maar dat zijn nuances. Op leven en dood, daarop concentreert zich bij wijze van spreken al het persoonlijke, dat tegelijk het gemene is, in de zin van Goethe: het algemene, het gemeenschappelijke. Begrijp je?' Hij neemt een slok en wacht.

'Wat heeft Goethe er ineens mee te maken?' vraag ik. Mijn vraag overvalt hem, hij glimlacht.

'Dat begrijp je niet? Ik bedoelde het alleen maar als verklaring van 'het gemene', dat is in deze betekenis een woord van Goethe, wij kennen het niet meer zo. Jij soms wel? Of heb je er iets tegen?'

'Nee, maar ik vecht liever zonder bondgenoten. Hun bijdragen moet je achteraf toch altijd betalen. Maar ik heb je wel begrepen. Goed. Op leven en dood. Je bedoelt dat wij een vijand gemeen hebben?'

'Precies,' zegt hij opgelucht en leunt achterover. 'Ik merk dat wij elkaar beginnen te begrijpen.' Het doet hem kennelijk genoegen. 'Ga door. En neem nog een slok.' Ik drink.

'Een gemeenschappelijke aanvaller,' herhaal ik, 'dat schept banden, een bepaalde kameraadschap, natuurlijk, dat zal niemand ontkennen. Hoewel, misschien drijft vooral eigenbelang ons naar elkaar toe.'

'Nu wordt hij helemaal rationalist,' zegt hij schertsend, en het doet hem genoegen dat wij over het kardinale punt heen zijn. 'En ik heb altijd aan je getwijfeld, dat neem je me hopelijk toch niet kwalijk...'

'Ik neem je helemaal niets kwalijk,' zeg ik kortaf. 'Ik wilde je alleen maar zeggen dat ik behalve met jullie – of liever met ons – ook nog een gemeenschap op dood en leven met iemand anders heb. En die is essentiëler dan de gemeenschap waarover jij het voortdurend hebt.'

'Is dat zo? Met wie dan in godsnaam?' roept hij uitdagend.

'Ken je die gemeenschap niet? Er bestaat een gemeenschap die wezenlijker is dan de gemeenschap van alle gelijkgezinden, groter dan die van degenen die tot één partij behoren...'

'Vooruit,' valt hij me in de rede, 'zeg het nu maar.'

'De gemeenschap van de tegenstanders,' zeg ik ten slotte, opgelucht. 'De gemeenschap van hen die onlosmakelijk op leven en dood met elkaar strijden, zoals hemel en aarde, zon en maan en de sterren in hun loop met elkaar verbonden zijn. Nee, die laatste voorbeelden moet ik terugnemen,' voeg ik er in een adem aan toe. 'Dat zijn dichterlijke versieringen, die zijn niet echt.'

'Waarom niet?' spreekt hij me glimlachend tegen. 'Maar ga gerust verder. Je bent net zo mooi aan de gang, lang niet slecht – poëtisch is het!'

'Maar die zijn niet echt,' herhaal ik. 'Er bestaat maar één gemeenschap van tegenstanders, die van de mensen. Die is eenmalig, uniek. Hoe het staat met de hemel en de aarde, het water, het vuur en alle andere kosmische onzin, weet ik niet.'

Er valt een stilte. We zitten samen aan een cafétafeltje op een terrasje onder de bomen, midden in de grote stad, we praten met elkaar en plotseling valt er een stilte in ons gesprek. Die moet al op de een of andere manier in het begin ongemerkt tussen onze woorden zijn geslopen. Of misschien wisten we alle twee dat die stilte op de achtergrond klaar lag. Wat we ook deden, we konden het niet ontlopen en ineens was het er. Het is niet het zwijgen tussen mensen die uitgepraat zijn en elkaar niets meer te zeggen hebben; ze wachten nog even, dan staan ze op en ieder gaat zijn eigen weg: tot ziens! Het is ook niet het zwijgen als iemand niets meer weet te zeggen. Nee, onze stilte is meer een korte adempauze waarin je als een violist midden in je spel je oor tegen je instrument legt en luistert of het nog zuiver is, voordat je aan de volgende passage begint.

'Met je vijand dus,' zegt hij bedachtzaam en leunt weer achterover. Hij verbetert zichzelf: 'Met onze vijand', en wacht. Dan gaat hij verder: 'Niemand zal ook zeggen dat je een verrader of overloper bent.'

'Dank je,' zeg ik. Ik drink mijn glas leeg en zie dat het zijne ook leeg is. 'Nog eentje?'

Ik bestel, wij drinken.

'Wil je me alsjeblieft eens uitleggen hoe je... op die gedachtegang bent gekomen?' gaat hij haastig verder, alsof hij zich bijna versproken had. Ik wist wat hij wilde zeggen. Hij had heel rustig gesproken, elk woord afwegend. Alleen die laatste woorden kwamen te haastig.

'Je hoeft me niet te sparen,' antwoord ik. 'Je wilde toch eigenlijk zeggen: "Hoe kom je op die onzin?" Nee, laat maar. Maar ik voel het wel zo, ik beleef het zo en ik laat me door niemand zeggen hoe ik het moet voelen en hoe ik het moet beleven. Mijn vijand heeft voor mijn leven precies evenveel betekenis als ik voor het zijne.'

'O ja?' valt hij me honend in de rede.

Zonder me te laten storen, ga ik verder: 'En dat is eindeloos veel meer dan ik voor jou zou kunnen betekenen of jij voor mij of voor wie van ons dan ook.'

Een heerlijke opwinding besluipt me bij de gedachte dat ik hem zou kunnen onthullen wat een zegen een vijand kan zijn. Maar hij kijkt me onverstoorbaar aan, alsof hij wil zeggen: beste jongen, of: verbeeld je toch niks. Daarom zeg ik heel nuchter en nadrukkelijk: 'Jullie zien hem alleen als de aanvaller, als degene die ons bedreigt. Dat is maar een kant. Jullie overschatten hem daardoor.'

'Ik vind,' gaat hij met dezelfde ietwat spottende trek om zijn mond verder, 'ik vind dat een mens hem moeilijk kan overschatten, het is de vraag of jij hem niet onderschat als je ook nu weer de andere kant wilt zien. Per slot van rekening is hij toch de aanvaller.'

'Niet alleen, niet alleen!' roep ik triomfantelijk.

'Bestrijd je dit?'

'Ja! Wij zijn het net zo goed voor hem.'

'Wij? Dat kan niet. Zijn wij...?'

Ik val hem in de rede: 'Wij *zijn*. Het feit dat wij er zijn, is voor hem al voldoende om zich aangevallen te voelen, het feit dat wij er zijn heeft hem er misschien in eerste instantie wel toe gebracht. Dezelfde angsten die jij en ik doormaken, die ieder van ons moet doormaken, moet hij ook alleen doormaken. Niet soortgelijke, nee, dezelfde: wie is hij en wie ben ik?'

'Hij is een gesel Gods,' zegt hij rustig en scherp. Het is alsof hij met woorden geselt.

'Wat?'

'Een gesel Gods,' herhaalt hij kalm. 'Vind je dat zo'n absurde gedachte?'

'Waarom?' is mijn wedervraag, 'waarom zeg je dat?' Mijn opwinding neemt toe, ik kan het nauwelijks meer verbergen.

'Zij zouden hem moeten doodslaan, heel gewoon doodslaan. Afgelopen.'

Ik kijk hem geschrokken aan.

'Waarom?' fluister ik. Het is niet de gedachte die me van de wijs brengt. Ik moet opeens denken aan die mannen die in dat hotel 's avonds het café binnenstormden waar ik zat te luisteren, als een onschuldige wandelaar, vermoeid van de reis. De moed, de vastbeslotenheid die uit zijn woorden spreekt, klinkt anders. Hij zou niet genoeg hebben aan de hal, het café, aan onschuldige tafels en stoelen. Hij zou de volle zaal binnengaan en de tegenstander opzoeken. Hij weet dat het om zijn leven gaat en daarom verkoopt hij zijn huid zo duur mogelijk.

Spottend vertrekt hij zijn mond en zegt: 'En dat zou dan gelijk het einde zijn van jouw gemeenschap met je tegenstander – een gepast einde, trouwens.'

Hij drinkt zijn glas leeg en zwijgt.

De kinderen spelen op het grasveld voor ons. Ze kibbelen en de moeders kijken vrolijk toe en alleen als het te erg wordt en een van de kinderen begint te huilen, grijpen ze in, troosten, geven standjes, zorgen ervoor dat het spel weer op gang komt en keren dan terug naar hun plaats. Zij vouwen de handen in de schoot, het is warm, hun gezicht gloeit door de warmte en het spel van hun kinderen.

Mijn overbuurman heeft weer zijn zakdoek tevoorschijn gehaald en dept zijn hals en gezicht, zijn gebaren zijn rustig en beslist.

'Zo is het altijd geweest,' zeg ik. 'Een mens slaat zijn tegenstander dood, omdat er schijnbaar geen plaats op aarde is voor twee die met elkaar in vijandschap leven. Een van hen moet het veld ruimen. Dan is de ander de overwinnaar en het leven gaat door. Totdat er een nieuwe tegenstander opstaat en dan wordt die de overwinnaar van de eerste. Al die na-ijver, het is ijdelheid en het najagen van wind. 's Ochtends gaat de zon in het oosten op en 's avonds zakt ze in het westen weg. Dan is het nacht. En de volgende ochtend komt ze weer in het oosten op. Op de bergen smelt de sneeuw, er vormen zich beken en die worden grote rivieren en die verliezen zich in zee. Maar weer valt er sneeuw in de bergen en alles blijft onveranderd. De schepping is voltooid en afgedaan, maar: de vijand is een gesel Gods en die moet je doodslaan.'

'Je zou ook kunnen wachten tot hij jou doodslaat. Maar dat komt per slot van rekening op hetzelfde neer,' antwoordt hij.

'Ach,' zucht ik. Ik weet niet meer wat ik moet zeggen.

'Wat wil je?' gaat hij verder. 'Je bent niet tevreden met de schepping en je breekt je het hoofd over de vijand. Je piekert. Dacht je heus dat hij zo over jou nadenkt? Hij handelt gewoon!'

'Hij zal niet durven,' ontsnapt me. 'Nee, hij zal het niet wagen.'

'Niet durven? Probeer het maar eens. Ga maar naar hem toe en stel jezelf voor, anders herkent hij je niet, en zeg dan tegen hem: "U bent mijn geliefde vijand, ach, welk een geliefde vijand bent u toch. Ik weet, dat u zich afvraagt of u me moet doodslaan of niet en eigenlijk zou ik u vóór moeten zijn en u doodslaan. Maar u bent mijn geliefde vijand." En dan geef je hem een klopje op zijn schouder, alles uit vriendschappelijk vijandschap en dan zeg je: "U bent weliswaar een smeerlap en alles wat u van me zegt, komt alleen voort uit uw gemeenheid en uw laagheid, maar in de grond van de zaak bent u mijn lieve vijand. Kom, geef me toch uw dochter tot vrouw, dat wij samen kinderen hebben. Dat wordt een geweldig nageslacht, allemaal vriendschappelijke vijandjes of vijandige vriendjes, net wat u wilt. Het wordt een nieuwe mens, misschien met drie benen, zulke mensen heeft de wereld nog nooit gezien." Probeer het maar eens. Ik ben heel nieuwsgierig wat hij je antwoordt. Misschien omhelst hij je, ja misschien ontvangt hij je in zijn paleis en zegt: "Kom, ik heb op niemand anders dan op u gewacht" en dan neemt hij je mee naar zijn staatsievertrekken en daar ligt op een met goud geborduurd kussen een prachtig scherp zwaard en hij zegt: "Dat heb ik voor u laten slijpen, mijn lieve vijand, maar vrees niet, tussen ons is niets gebeurd, alles is prima in orde. Ik schenk u dit zwaard. En zullen wij nu samen eens grondig opruiming gaan houden onder onze vrienden? Die zijn me al lang een doorn in het oog."'

'Je spot,' zeg ik. 'Je kiest de makkelijkste weg en daarom spot je. Waarom had je het in het begin over de gesel Gods? Of was dat zomaar een grapje?'

'Misschien is het inderdaad absurd,' antwoordt hij bedachtzaam en haalt even diep adem, 'absurd misschien om hem te beschouwen als een gesel die door God is gezonden. Maar het is nu eenmaal een bekend beeld, en ik gebruikte het onwillekeurig. Maar je hebt gelijk dat je er mijn aandacht op vestigt. Het is absurd. Ik maak hem daardoor alleen maar te belangrijk.'

'En als hij het nu toch eens zou zijn?'

Hij kijkt me plotseling onderzoekend aan en zegt met opvallend zachte stem en zo weloverwogen dat het lijkt of hij alleen maar op dit moment heeft gewacht om deze woorden te kunnen zeggen: 'Dan kunnen wij niet langer met elkaar spreken.'

'Zo, dat is dus het eind van alle wijsheid,' zeg ik. 'En waarom? Waarom zouden wij niet langer met elkaar kunnen spreken?'

'Twist jij maar met God,' zegt hij nukkig.

'Dat doen wij de hele tijd al. Je hebt het misschien nog niet gemerkt, maar het is de geschiedenis van Job.'

'Job?' vraagt hij, en er komt een andere uitdrukking op zijn gezicht. Hij heeft weer belangstelling. 'Hoe kom je daarbij?'

'Ik heb er aldoor al aan moeten denken,' antwoord ik. 'Het kwam gewoon bij me op.'

'Een ingewikkeld verhaal,' gaat hij verder, 'die geschiedenis van Job. Er zijn al veel te veel boeken over geschreven. Ronduit gezegd: ik heb het verhaal nooit begrepen, misschien heeft het me daarom altijd zo geboeid. Begrijp jij het wel?' En zonder mijn antwoord af te wachten, gaat hij verder: 'Job had een goed geweten en hij kwam in opstand. Ten slotte boog hij het hoofd en gaf hij toe dat hij in zijn opstandigheid dingen had gezegd die hij zelf niet begreep.'

'En hij begreep de gesel niet, maar hij had hem lief,' voeg ik eraan toe.

‘Dacht je dat heus?’ vraagt hij en in zijn stem klinkt verzet. ‘Wat mij betreft, ik denk nuchterder. Ik interpreteer niet. Als iemand mij slaat, sla ik terug.’

‘Maar als het nu werkelijk God is, zoals je je liet ontvallen, die de gesel hanteert?’

‘Ook de Egyptenaren zijn verdronken in de Rode Zee en Mozes heeft een danklied gezongen en Mirjam danste. Dat ben je blijkbaar vergeten.’

‘En wat was het antwoord van God?’

‘Daar weet ik niets van.’

‘Dat weet je dus niet,’ zeg ik. ‘Met toorn in zijn stem heeft Hij geantwoord: “Wat zingt gij Mij een lofzang, terwijl de schepping mijner handen ten onder gaat in de golven?”’

Stilte. Hij is verrast.

‘Dan had Hij ze niet moeten laten verdrinken,’ zegt hij. ‘Trouwens, ben jij soms bang voor zijn toorn, dat je geen lofzang durft aan te heffen?’

‘Nee,’ antwoord ik, ‘die toorn doet me niets, maar een danklied kan ik ook niet aanheffen.’ En opeens valt me iets in, maar ik vind het zo dom, zo nutteloos, dat ik aarzel het onder woorden te brengen. Toch ga ik snel en vastberaden verder: ‘Je vindt het misschien belachelijk wat ik nu ga zeggen. Beschouw het voor mijn part als de bekentenis van een krankzinnige. Maar ik heb het leven zo lief dat ik het zelfs in mijn tegenstander nog herken en van bewondering geen raad weet met mijzelf, als ik zie dat ook hij deel is van een schepping die hij misschien zal gaan vernietigen. Geloof me, hij weet er zelf geen raad mee.’

‘Jij hebt het leven dus lief,’ herhaalt hij peinzend en ironisch, ‘zelfs in je tegenstander. Tja, nu krijg ik het gevoel dat je het meer liefhebt in hem dan in jezelf.’

‘Waarom?’

‘Anders zou je het wel beter verdedigen.’

‘Verdedigen, wat betekent dat: verdedigen?’ antwoord ik bitter.

'Het betekent: ja zeggen op zijn aanval en hem er misschien zelfs toe aanzetten. Het betekent: de oorlogskreet overnemen en de vijandschap vereeuwigen.'

'Dat is mijn bedoeling niet.'

'Nee, natuurlijk niet,' zegt hij. 'Jij hebt namelijk bij voorbaat al besloten geen verzet te plegen. Met zo'n instelling kun je geen enkele strijd doorstaan. Dat weet je best, je maakt jezelf alleen maar wijs dat je het niet weet. Je wilt je vijand niet uitdagen. Je wilt iets heel anders.'

Ik voel me in het nauw gebracht, maar zo snel geef ik me niet gewonnen: 'Ik wil helemaal niets van hem,' zeg ik. 'Hoe kun je dat beweren, je weet het niet eens.'

'Je wilt hem behagen,' gaat hij onverstoorbaar verder. 'Jij weet niet zeker of je hem raakt als je op hem gaat schieten. En als je hem niet met je allereerste schot vloert, dan prikkel je alleen zijn agressiviteit en ben je verloren.'

'Ik wil hem niet behagen en ik wil hem ook niet met mijn eerste schot vloeren, ik wil dat soort dingen helemaal niet,' zeg ik en ik blijf even koppig. 'Daarover hadden we het ook niet. Is hij nu een gesel Gods of is hij het niet?'

Hij begint onrustig heen en weer te schuiven op zijn stoel. 'Nu weet ik het helemaal niet meer,' zegt hij ten slotte. 'Wie heeft dat eigenlijk gezegd van die gesel?'

'Jij bent ermee begonnen.'

'Ik? O ja, maar ik heb toch al toegegeven dat ik het per ongeluk zei? Ik geloof niet eens in de gesel. Maar stel, ik geloof er wel in, dan nog ben ik van mening dat wij niet weten welke betekenis de gesel is toegedacht en dat ons niets anders overblijft dan ons te gedragen zoals men zich nu eenmaal gedraagt tegenover een gesel, als je daarmee wordt geslagen. Je slaat terug, dat is toch zonneklaar...'

'Dan vraag ik jou,' antwoord ik, 'sla je alleen de gesel of wil je soms ook de geselaar op zijn gezicht slaan...?'

'Het is toch alleen maar beeldspraak,' valt hij me in de rede. 'Je vat het alweer te letterlijk en te persoonlijk op.'

'Maar het is zo'n goed beeld,' antwoord ik. 'Ik vraag me zo nu en dan in alle ernst af of wij niet meer eerbied, niet meer ontzag aan de dag moeten leggen tegenover de gesel. Mag je de herkomst ervan zo vergeten?'

'Meer eerbied, meer ontzag? Moeten wij misschien naar hem toe gaan en hem onszelf aanbieden?' zegt hij.

Ik zwijg.

'Je antwoordt niet,' begint hij weer, 'omdat je geen antwoord weet. Erken het nu maar. Waar blijft in jouw geval je zelfrespect, de meest simpele vorm van zelfrespect en drang tot zelfbehoud? Je vergeet de drang tot zelfbehoud. Je moet een ezel zijn om je te laten slaan zonder...'

Nu val ik hem in de rede. 'Ik erken dat ik me vergist heb. Ik dacht namelijk dat je het over God had.'

'Onmenselijk,' antwoordt hij. 'Je houding is onmenselijk en verderfelijk.'

'Ik weet het niet,' zeg ik kortaf.

Het gesprek stokt. Het is een verduiveld gesprek, een van de vele gesprekken die niet tot een afronding komen, en misschien was het niet eens de bedoeling het af te ronden. Wij kijken elkaar aan en zwijgen. Hij heeft zijn glas in de hand en laat het op tafel dansen. Hij heeft mijn twijfel ontdekt. Ik probeer niet die te verbergen. En ik zie zijn zekerheid, maar zie dat het niets anders is dan onzekerheid, ook al heeft hij daar nog geen flauw idee van.

Soortgelijke gedachten moeten ook hem door het hoofd zijn gegaan, want hij probeert ons gesprek nieuw leven in te blazen. Maar het blijft een hachelijke onderneming en hij probeert zich in mij te verplaatsen. Hij herhaalt mijn laatste woorden: 'Dus jij denkt dat je ook tegenover een gesel...'

Maar ik antwoord korzelig dat ik het niet weet.

Hij kijkt me ongelovig aan, met stijgend onbehagen. Hij voelt zich de meerdere, natuurlijk voelt hij zich mijn meerdere en hij doet zijn uiterste best mij niet te laten merken hoe ver hij zich boven mij verheven voelt. Maar juist daardoor merk ik het.

'Je wilt dus niet tegen hem vechten,' begint hij weer. 'Dat wil je aan anderen overlaten, aan ons. Ben je ooit soldaat geweest?'

'Nee,' antwoord ik en ik geneer me dat ik nooit soldaat ben geweest, al is dat een domme en volkomen idiote schaamte, alsof een mens pas zou kunnen meepraten als hij ergens onder de blote hemel heeft geslapen met een geweer in zijn arm alsof het een vrouw is, en de volgende ochtend word je wakker, als je tenminste wakker wordt, en je voelt dat je een ander bent geworden, een man of een halfgod, de hemel mag weten wat mannen zich gaan inbeelden als ze soldaat zijn geweest.

'Dan weet je dus ook niet, wat het is om op dood en leven te vechten,' gaat hij verder en hij brengt alles onder woorden wat mij op dat ogenblik vol minachting door het hoofd is gegaan. 'Op hetzelfde moment,' probeert hij me uit te leggen, 'waarop je ophoudt een gesel te beschouwen als wat het is, namelijk een gesel die slaat en pijn veroorzaakt, verliest die gesel zijn betekenis, is hij niet langer gesel. En daarom sla ik terug.'

'Daarom dus sla je terug,' herhaal ik. Ik begin te piekeren. En even later ga ik verder: 'Ik kan het niet helpen, maar ik zie alle twee de kanten en ik voel niet alleen maar het ene. Ik voel ze alle twee, de gesel en degene die hem volgens mij hanteert.'

'Dat betekent dus dat je de gesel ook liefhebt,' zegt hij nuchter, alsof hij de uitkomst van een optelsom geeft.

'Dat heb ik niet gezegd,' verdedig ik me. 'Dacht je soms dat ik niet geslagen word en dat ik geen pijn voel? Het doet ook pijn, als ik probeer Hem lief te hebben in zijn gesel. Waarom stuurt Hij hem mij? Misschien krijg ik eenmaal het inzicht of de genade of...'

'Als je voor die tijd niet bent doodgeranseld,' valt hij me in de rede.

Ik ga niet verder.

'Je geeft alweer geen antwoord,' zegt hij. 'Dat is nu de tweede keer.'

'Wat moet ik antwoorden? Het is mijn zaak niet. Mijn dood is niet mijn zaak.'

'En je leven dan?' antwoordt hij nijdig. 'Is dat soms ook niet jouw zaak? Ik noem zoiets de filosofie van het slachtoffer. Ga je gang maar. Je zult er niet ver mee komen. Je bent hinderlijk. Pas maar liever op dat jij niet zijn eerste slachtoffer wordt.'

Hij staat op. 'Afrekenen!' roept hij.

Voor de kelner komt, buigt hij zich naar me toe en zegt:

'Overigens, als je het mij vraagt – ik zeg het je in vertrouwen – dit blijft onder ons, daarop kun je rekenen. Jij bent bang, dat is alles.'

'En ik zeg je iets anders in vertrouwen,' antwoord ik en sta langzaam op. 'Ook dat blijft onder ons, daar kun jij op vertrouwen. De gesel slaat je en jij slaat terug. Dat is je goed recht en daarmee bemoei ik me niet. In de kern van de zaak wil je verder niets te maken hebben met de gesel. Die vind je veel te hinderlijk. Het zou een lolly moeten zijn waaraan je zo lekker kunt likken, voor mijn part een lolly Gods. Dan dank jij je schepper van ganser harte. Maar pas op dat je je maag niet bederft.'

In die tijd voerde ik meer van dit soort gesprekken.

Ik woonde in de grote stad en deed, zo goed en zo kwaad als het nog ging, mijn werk en ik zag hoe alle dingen zich toespitsten, onafwendbaar. De winter viel in, hij was dit jaar nogal bar. Hier en daar kwam het in de stad tot relletjes. Na de eerste maatregelen en besluiten die zoals alles wat de staat tot stand brengt tot wet werden verheven, kwam het tot ernstiger knokpartijen. De berichten uit andere delen van het land meldden precies hetzelfde. Een kind kon aanvoelen waar dit op uit moest lopen. Ik beken dat ik was bezeten door de gedachte dat het geen werkelijkheid zou worden. Hij zou niet durven. Nee, hij zou het niet wagen. Ja, zo nu en dan had ik het gevoel dat ook wat er nu gebeurde geen werkelijkheid was. Ik wilde me wel degelijk voorbereiden op een bloedige strijd, maar in mijn verbeelding was dat een oorlog tussen verre werelden, uitgevochten op vreemde planeten en op een Melkweg waarover tanks rolden. Alleen af en toe zou het wapengekletter uit de ruimte op aarde hoorbaar zijn en zou er een druppel bloed het zand rood kleuren. Nee, hij zou niet durven. Deze onzinnige hoop, die alleen geboren kon worden uit diepe wanhoop – en misschien uit dreigende angst – hield me in zijn klauwen en trok me mee in een wervelwind van tomeloze fantasieën. Hij zou tot het allerverste punt gaan, vanwaar geen terugkeer meer mogelijk was en waarop het laatste, het uiterste moet gebeuren. Als voor een worp zou hij zijn arm heffen, de spieren al gespannen, zeker van de overwinning en grijnzend over de nederlaag van zijn tegenstanders. Alles verraadt zijn vastbeslotenheid en zijn kracht. Kijk maar hoe verheven hij daar staat zodat iedereen hem kan zien. Nu gebeurt het, nu slingert hij, strekt hij zijn arm... diep ademen, nu, kijk, nu... nee. Hij sluit de ogen, zijn mond ontspant zich tot een glimlach en bijna onhoorbaar fluistert hij: 'Nee.'

Dit Nee houdt hij vast en alle nee's verenigt hij in dit ja-zeggende Nee, en er blijft slechts dit ene Nee, waarin het ja doorklinkt, het sterke, machtige ja, dat alle nee's uit het nee-zeggende nee verjaagt, voor altijd. En nee, nee, nee, blijf toch Nee, zeg ja tegen dit Nee en alles wat nee is wordt ja, het is goed zo en alles gaat weer open en is weer zonder grenzen, dit Nee geeft rust, rust, het is het scheppende Nee, het Nee van alle nee's, het is het begin en geen onderscheid meer. Zo stroomt het uit je naar buiten en jij hoeft het niet meer te vrezen, het ja noch het nee, want het is alles verenigd en onscheidbaar in dit ja-Nee. Hij laat zijn arm vastberaden zakken. Hij ontspant. Nee... hij schudt even het hoofd alsof hij een boze droom wil verjagen, alsof het vogels waren die zich in zijn hoofd genesteld hadden. – Nee!

Dat zou zijn grootste overwinning zijn, zijn grootste zelfoverwinning. In de kring om hem heen, de kring van allen die hem gelovig zijn gevolgd, heerst eerst nog zwijgen en teleurstelling. Jawel, men voelt zich bedrogen, men had een prachtig spektakelstuk verwacht, er kaartjes voor gekocht – duur betaald. Maar hun geld willen ze niet terug, wat moeten ze met het geld? Spektakel, spektakel! En slechts een of twee, die niet voor het spektakel waren gekomen, integendeel, voor hen was het ernst en zij hoorden niet tot zijn vrienden en volgelingen, zij waren tegenstanders en men had hen eigenlijk moeten doodslaan – alleen zij hoorden het diepe ja in zijn nee. Maar waren zij misschien toch ook alleen maar heimelijk gekomen om hém dood te slaan? De menigte herkent hen opeens en zie: die twee verheffen hun stem en juichen hem toe, om zijn grote Nee. Juichen zij hem toe? Ja, het is de jubel van de tegenstanders over een overwinning die een gemeenschappelijke zege is. En langzaam begint de menigte deze zege te begrijpen, en aangevuurd door die twee stemt de menigte in met het grote jubelkoor en allen doen mee, allen zonder onderscheid, vriend en vijand!

10

Van tijd tot tijd constateer ik met genoegen dat mijn geheugen de enige bron voor mijn aantekeningen is. Mijn geheugen werkt uitstekend, zelfs gebeurtenissen die mij onwezenlijk voorkomen heeft het als scherpe silhouetten vastgehouden. Omdat ik gelukkig geen enkele literaire ambitie heb, kan ik mijn herinneringen onversneden opschrijven, of ze nu interessant zijn of niet. Ik hoef mijn verhaal niet tot elke prijs boeiend en belangrijk te maken, zoals een romanschrijver moet doen omdat anders geen mens hem leest. Voor mij geldt slechts een ding: tijdverdrijf in de meest oorspronkelijke betekenis van het woord. Ik moet de tijd opdrijven omdat hij anders te langzaam gaat.

De naam van dat meisje ben ik vergeten, ondanks mijn goede geheugen. Men zegt dat zoiets niet toevallig is. Hoe dan ook, wij hebben elkaar na die eerste keer nog vaak gezien. We troffen elkaar 's avonds als het warenhuis sloot, beneden in de hal, en soms haalde ik haar af als ik eerder vrij was. We hadden nog geen vaste basis gevonden, onze vriendschap kon nog alle kanten op. Wel hield ik haar buiten mijn huidige leven, zodat geen van mijn vrienden er iets van zou weten. Zij was als een eilandje voor de kust, van de vaste wal zelfs niet met een verrekijker te ontdekken. Bij haar was ik ontspannen. De manier waarop zij een gesprek voerde, haar komisch-natuurlijke invallen en opmerkingen gaven mij de aangename illusie dat ik even verlost was van alle gedachten en stemmingen die anders mijn leven vulden. De vraag bleef alleen in hoeverre ik mijn fantasieën zou kunnen verwerkelijken en in hoeverre de werkelijkheid mijn fantasieën zou verstoren.

Haar broer had ik sinds dat eerste gemeenschappelijke etentje in de lunchroom niet meer gezien. Ik mocht hem niet. Hij had iets vreemds in zijn optreden, iets afwerends, alsof hij ook voor zichzelf heel wat te verbergen had. Hij was zo volkomen het tegendeel van zijn zuster, dat ik heel vaak twijfelde of ze eigenlijk wel broer en zuster waren.

Nadat wij op een avond samen hadden gegeten in het cafetaria waar ik een abonnement had, bracht ik haar thuis.

'Ik heb nog een berg werk liggen,' zei ze.

'Maakt je broer dan zo veel gaten in zijn sokken?' vroeg ik.

Zij lachte. 'Je mag me de jouwe ook wel brengen,' zei zij, 'als je geen ander adres hebt.'

'Dat heb ik: mijn moeder,' zei ik. 'Elke veertien dagen stuur ik haar een pak. Maar toch wel bedankt.'

Als we waren uitgepraat, pijnigde ik soms mijn hersens wat ik nu weer eens zou zeggen en dan vertelde ik maar een of ander verhaal dat me te binnen schoot, maar ik bleef altijd een beetje bang dat ik haar op een dag iets zou vertellen wat ik liever had verzwegen, omdat ik niet wist hoe zij zou reageren, en of er dan ineens geen eilandje voor de kust meer zou zijn. Maar zo leek het ook of ik alleen maar met haar bleef meelopen om mezelf te bedriegen, of dat ik op de vlucht was en mezelf verbeeldde dat ik haar liefhad, terwijl ik me in de grond van de zaak voor mijzelf schaamde.

Ik dacht aan de woorden van Wolf. Had hij toch gelijk? Ik ben een schoft, dacht ik. Ik loop met een jong meisje dat ik toevallig heb leren kennen en verbeeld me misschien dat ik haar liefheb. Maar wie weet wat zij denkt als zij daar naast mij loopt. Alles moet ingewikkeld zijn, dacht ik, niets is eenvoudig, en dat komt omdat wij, mijn vader en ik en Wolf en Leo, Harry en zo veel anderen, zijn zoals wij zijn.

Ik bekeek haar stiekem van opzij: zou ze mijn tegenstrijdige gedachten raden? Er kwamen sombere beelden bij me op, uit angst dat ik haar iets zou aandoen om haar zo een motief te geven zich terug te trekken voordat zij de ware reden zou horen en mij zou wegsturen. Wilde ik dat vóór zijn, dat zij de kans zou krijgen mij te raken en te beledigen? En me zo wreken voor alles wat mij als kind was aangedaan toen de andere kinderen mij uitsloten van hun spel? Ik leek wel een kind dat eerst met aandacht een toren bouwt en die daarna met evenveel plezier weer vernielt. Dan schaamde ik me, en daarna kwam toch weer dat tedere gevoel dat als een brug is naar een eiland, een brug waaraan ik bouwde en die ik niet wilde opgeven voordat alle pijlers hecht in de grond verankerd en de bogen gespannen waren, zodat de zwaarste lasten naar de andere oever konden worden gebracht.

Wij gingen een eind met de tram en liepen het laatste stuk naar haar adres. Het waren twee bescheiden kamers met keuken, nogal donker, maar gezellig en knus door de toewijding waarmee ze waren ingericht. De tussendeur stond open.

'Dit is mijn kamer,' zei zij, 'die hiernaast is van mijn broer. Hij is zo te zien al even thuis geweest.' Zij wees naar enkele kledingstukken op een stoel. In een donkerblauwe bakelieten asbak lagen peukjes.

'Maak het je makkelijk,' zei ze en wees op een stoel bij het raam. Zij ging naar de andere kamer om op te ruimen. 'Wij wonen hier nu al een jaar,' zei ze bij de deur. 'Hoe vind je het?' Toen was zij verdwenen.

Hoewel het overduidelijk een gemeubileerd verhuurde kamer was, had hij toch iets van haarzelf, een bont kleedje over de tafel, een paar reproducties aan de wand, een met de hand beschilderd bakje op de schoorsteen en een grote vaas bloemen op de grond voor het raam maakten de kamer huiselijk. Toen kwam ze terug. Zij had zich opgefrist, wat poeder en rouge, haar haar was opgekamd. Zij ging op de divan zitten die tegen de muur stond met het hoofdeinde naar het raam. Ze legde haar benen op het wollen kleed en wij rookten.

Wolf heeft geen gelijk, dacht ik, en langzaam verloor ik mijn geremdheid. Wat een nonsens haalt een mens zich toch in zijn hoofd als het om een meisje gaat. Ik heb nu alles wat een jongeman zich maar kan wensen: ik zit hier in een kamer alleen met een meisje, ze is aardig en ziet er leuk uit, ze heeft er haar gemak van genomen op de divan, het is mooi om te zien hoe zij daar ligt, ze heeft goede manieren, en wie weet wat er op dit moment in haar hoofd omgaat nu ze met me praat en me warm aankijkt met haar donkere ogen. De ogen zijn toch het belangrijkste bij een vrouw, en van deze jonge vrouw zijn ze het mooiste, dat wil zeggen de andere dingen zijn ook aardig en mooi, maar als de ogen niet mooi zijn, is al het andere toch veel minder.

Zij woont hier samen met haar broer, een wat sombere magere knaap die mij eigenlijk helemaal niet bevalt, misschien omdat zij zegt dat het haar broer is. Wij zullen maar eens zien wat voor een knaap het eigenlijk is. Op het ogenblik is hij er niet, en het feit dat hij ons alleen laat, is toch wel sympathiek. Als een mens zou weten dat hij nog maar drie dagen te leven had, zou de liefde een heel eenvoudige zaak kunnen zijn, dan zou je niet meer aan morgen en overmorgen hoeven denken. Maar als je wel aan de toekomst denkt en je zorgen maakt, dan is het altijd lastiger met het leven en ook met de liefde. Ook met de dood vergaat het je zo. Ik kan me indenken dat je zelfs je gemeenste vijand nog een beetje aardig zou kunnen vinden als je zeker wist dat hij nog maar drie dagen te leven had. Daarom kun je je ook zo moeilijk een voorstelling maken van het eeuwige leven, omdat die de liefde berooft van de eeuwigheid die alleen in die drie dagen werkelijk eeuwig is. Maar eigenlijk zou de liefde altijd iets eenvoudigs moeten zijn, ook als je weet dat het leven en de liefde na drie dagen gewoon doorgaan. Liefde zou heel eenvoudig moeten zijn, je mag je daarbij niet inspannen zoals bij je werk, als de eerzucht je opjaagt naar een doel, of als je wilt laten zien wat je allemaal kunt. Je zou naar de liefde toe moeten zweven alsof je op een wolk zit, zo luchtig en hoog. Zó eenvoudig zou de liefde moeten zijn. Ik was bereid me helemaal over te geven en af te wachten waarheen de wolk me zou brengen.

Het meisje was op de divan gaan liggen, de handen gevouwen achter haar hoofd, en ze keek naar boven alsof ze in een wei naar de hemel lag te kijken. Ze hield haar hoofd iets boven de divan zodat ze het wollen dekkleed niet aanraakte. Zo nu en dan keek ze met halfgesloten ogen voor zich uit naar de kamer van haar broer. Toen liet ze haar hoofd langzaam achterover op een kussen vallen. Het was stil in de twee kamers, alleen van de straat drong wat lawaai door naar boven als er een auto voorbijreed, en wij zaten alleen in de kamer, kijkend naar de kamer van haar broer.

'Je kent mijn broer toch?' vroeg ze.

'Ik heb hem één keer gezien,' antwoordde ik. 'Destijds, weet je niet meer, in een lunchroom, na dat geval met die twee vrouwen.'

'Dat is waar ook,' antwoordde ze. 'Ik heb nog vaak aan die scène gedacht, wat was het toch eigenlijk een komische situatie.'

'In een soortgelijk geval,' ging ze voort, 'een tijdje later, heb ik precies jouw tactiek gevolgd met hetzelfde resultaat. Het was een grandioos idee.'

Ik had niet het idee dat ze me wilde vleien. Terwijl ze het zei, glimlachte ze stilletjes, alsof zij de scène nog eens beleefde. Toen richtte ze zich plotseling op, keek me aan en zei: 'Jij vertelt eigenlijk nooit iets over jezelf.'

Ik schrok, omdat ik haar verwijt als een aanval voelde. Maar daar was ik snel overheen en ik vertelde gauw een verhaal, bracht haar aan het lachen en omzeilde zo – gelukkig – de gevaarlijke klip. Ik voelde me prettig bij haar en mijn fantasie begon te werken. Voordat zij de kans kreeg mijn gevoel van zekerheid te bedreigen met nieuwe hachelijke vragen, klonk er buiten bij de voordeur lawaai, er klonken diepe stemmen, stevige mannenstappen kwamen door de gang. Ze sprong op.

'Mijn broer!' zei ze, een beetje in de war.

'Had je hem niet verwacht?'

'Ja, maar hij is niet alleen.'

Tegelijk met haar broer kwamen drie mannen de kamer binnen, ongeveer even oud als hij, begin twintig, maar zij zagen er heel anders uit en gedroegen zich ook anders. Zonder het minste spoor van verlegenheid kwamen ze alle drie naar haar toe en begroetten haar hartelijk. Alleen haar broer vond het voldoende om uit de verte zijn hand op te steken voor een korte, nonchalante groet.

De een was een gedrongen, atletische figuur met een enorme bos haar om zijn wat grove, maar expressieve vierkante gezicht. Zijn hoekige motoriek probeerde hij te verbergen achter een overdreven mannelijk optreden. De ander was een hoofd groter, afgemeten, ijzig kalm, met spleetjes van ogen en een slinkse, koude blik, al deed hij heel vriendelijk toen hij haar begroette en haar een vertrouwelijk knipoogje gaf. De derde leek nog een kind, hoewel hij even lang was als de koude. Hij droeg een nauwe rijbroek en een kort grijs jasje met hooggesloten kraag, waardoor hij een indruk wekte van fanatieke bezieling en strenge toewijding en hij versterkte dit nog door elk gebaar. Het was me direct duidelijk dat zij zich hier thuis voelden. Ze leken, met inbegrip van de broer, bij elkaar te horen als mensen die bepaalde dingen gemeenschappelijk hebben beleefd. Ik was ontgoocheld. Eigenlijk wist ik vanaf het eerste ogenblik met wat voor lieden ik hier te maken had.

Wij begroetten elkaar, de broer zei ironisch: 'Ik hoop dat we niet storen.'

'Domoor,' antwoordde zijn zuster, 'het is jouw huis toch evengoed als het mijne.'

Ik verbaasde me dat ze zelfs maar reageerde op zo'n quasigrappige opmerking.

‘Wij noemen hen het broederlijke echtpaar,’ zei de eerste, de atleet, met een vertrouwelijk lachje waarin tegelijk waardering en spot lag.

De jongste grinnikte. Alleen broer en zuster lachten hartelijk en keken elkaar met een blik vol verstandhouding aan. Zij scheen gewend te zijn aan dit soort plagerijen.

‘Zo, ik zit,’ zei de koude, en hij stak doodgemoedereerd een sigaret op.

‘Wij zijn een beetje vroeg,’ zei de broer. ‘Er was vandaag niet veel te beleven.’

‘Heb je gegeten?’ vroeg zij.

‘Niet veel,’ antwoordde hij kortaf.

Ze ging naar de keuken om boterhammen klaar te maken. De kraan liep, het bestek rammelde, er gingen snelle stappen over de tegels.

‘En jullie, hebben jullie wel gegeten?’ riep ze uit de keuken.

‘Ja en nee,’ klonk het. ‘Je weet hoe de magen van mannen zijn.’

‘Jij boft toch maar,’ zei de koude tegen de broer. ‘Mijn zuster denkt er niet aan een poot voor me uit te steken. Ik moet alles zelf doen. En jouw hospita?’

‘Ik mag niet klagen,’ antwoordde de jongste, ‘zij verzorgt me prima. Als ik ’s avonds thuiskom, staat er altijd nog een vol bord voor me klaar in de keuken.’

‘Ze laat zich zeker ook goed betalen,’ merkte de broer op.

‘Ik geloof niet dat ze aan mij veel verdient,’ was het antwoord.

‘Dan beschouwt ze je dus als haar zoon, dat is nog erger. Ik ken dat. Het zijn de ergste hospita’s. In het begin is het heel plezierig, een mens laat zich nu eenmaal graag verwennen. Maar op een dag gaat het je te ver en dan heb je geen andere mogelijkheid meer dan ervantussen te gaan.’

‘Ik heb ook een tijdlang voor mezelf gezorgd,’ zei de atleet. ‘Maar zo’n ongeregelde levenswijze wreekt zich snel. Ik ben blij dat er nu weer iemand is die voor me zorgt.’

'Jullie wonen hier toch al twee jaar?' wendde de jongste zich tot de broer.

'Een jaar,' verbeterde de atleet. 'Zo is het toch?' De broer knikte.

'Ik heb het inwijdingsfeestje meegemaakt,' ging hij verder en keek naar mij om me in het gesprek te betrekken. Tot dan toe had ik me zonder bepaalde reden afzijdig gehouden.

'Was het een groot feest?' vroeg ik. Ik deed mijn best om me aan te passen aan hun toon.

'En of!' antwoordde hij. 'Het mooist van alles was dat we allemaal enorm veel dronken en dat niemand dronken werd.'

'Mijn hersenpan deed me drie dagen later nog pijn,' zei de koude.

Ik begreep dat mijn eerste indruk van een gesloten club juist was geweest; zij kenden elkaar al lang, alleen de jongste was er misschien later bij gekomen. 'Komen jullie allemaal uit...?' zei ik, en ik noemde de naam van de plaats die het meisje als haar geboorteplaats had genoemd.

'Nee,' antwoordde de jongste. 'Wij komen allemaal uit verschillende plaatsen, maar zoals dat gaat, je leert elkaar gauw genoeg kennen als je dezelfde interesses en ideeën hebt.'

De koude zat bij deze woorden voorover op zijn stoel, zijn armen op zijn knieën, hij floot tussen zijn tanden. Zo nu en dan keek hij op en dan onderzocht zijn blik me.

'Dat is maar gelukkig,' zei ik, 'anders zou een mens helemaal alleen staan.'

De koude knikte instemmend en begon weer te fluiten, hij stopte en keek me aan, ik kreeg de indruk dat hij iets minder sceptisch was. Hij vroeg: 'Ben jij ergens lid van?'

De vraag verraste me. Hij kwam zo plotseling dat ik er niet rustig over na kon denken, maar ik geloof dat mijn antwoord hetzelfde zou zijn geweest als ik wel had kunnen nadenken: 'Nog niet.'

Hij leek tevreden en knikte even ten teken dat hij dit redelijk vond, boog zich weer voorover en floot verder.

De broer praatte intussen met de jongste, zij hadden het over iemand met wie ze alle drie nauw contact onderhielden.

'Ik vind hem de laatste tijd merkwaardig slap,' zei de broer. 'Is dat jou ook opgevallen?'

'Hij heeft ruzie met de leiding,' antwoordde hij.

'Geen wonder,' zei de atleet. 'Ik heb hem altijd al een slappeling gevonden. Hij is mijn type niet, te veel scrupules, te weinig initiatief.'

'Maar hij heeft goed werk gedaan,' zei de jongste. 'Jullie mogen niet vergeten dat hij in het begin veel goed werk heeft gedaan.'

'Hij was een van de eersten,' zei de broer peinzend.

'Hij heeft een geweten,' zei de jongste opnieuw.

'Geweten? Daar heb je hem weer met zijn geweten,' ging de koude verder. 'Ik zou weleens willen weten wat je daarmee eigenlijk bedoelt. Larie, hij is bang.'

'Omdat hij een geweten heeft, is hij bang, dat is toch duidelijk genoeg,' zei de jongste iets driester.

'Nonsens,' zei de koude. 'Hij is bang, dat is alles. Wat jij geweten noemt, is niks anders dan achtergebleven puberteit.'

'Hij zou het geweten wel willen afschaffen,' zei de broer lachend tegen mij.

Het gesprek begon me te vervelen. Het was dat oudbakken geklets over angst, geweten en afschaffing van geweten waarmee je geen hond meer achter de kachel vandaan krijgt.

Hoewel het drietal het kennelijk oneens was, bleven zij toch een eenheid. Dit was het enige lichtpunt in de troosteloze leegheid van hun gesprek dat me nog enigszins boeide. Ik hoopte dat het meisje gauw zou terugkomen uit de keuken, per slot van rekening was ik voor haar gekomen. Als zij niet gauw kwam, ging ik weg. Ook de twee anderen lachten, alleen de koude bleef ernstig en zei schoolmeesterachtig: 'Afschaffen? Het geweten schaft zichzelf wel af. Op een goede dag merk je dat het er niet meer is.'

'En de angst?' vroeg de jongste.

'Ook foetsie!'

'Waar komt die angst eigenlijk vandaan?' vroeg de jongste als een nieuweling die de superioriteit van de anderen zonder meer aanvaardde.

'Die is alleen maar een sein, een waarschuwing dat er gevaar dreigt van buitenaf. De angst waarschuwt je en dwingt je je krachten goed te gebruiken om dat gevaar tegemoet te treden.'

Hierop antwoordde niemand meer iets. Er viel een stilte. Kennelijk was iedereen het eens met deze opvatting. Ze zaten op hun stoel en keken peinzend voor zich uit. Misschien hadden ze alleen maar honger.

Deze koude jongeman, dacht ik, heeft zo veel last van zijn geweten dat hij het zou willen afschaffen en daarom zegt hij nu dat het zichzelf afschaft. Deze verklaring heb ik al vaker gehoord. De kring waarin ik terecht was gekomen, had geen geheimen meer voor me. Gek genoeg bekeek ik de vier jonge mannen geheel op zichzelf en niet in samenhang met het meisje, dat met een blad vol brood, thee, jam en vruchten binnenkwam en met een voet de deur in het slot duwde.

De atleet sprong op en liep met uitgestrekte armen naar haar toe. 'Dankjewel,' zei ze. 'Maar pak liever een tafellaken.'

'Laat dat toch,' zei de broer. 'Dat is toch niet nodig.'

'Waarom niet?' zei ze. Zij bleef met het blad in de handen midden in de kamer staan.

'Ik vind het overdreven,' antwoordde hij.

'Maar het is zo ongezellig,' antwoordde zij rustig en vriendelijk.

Intussen was de atleet naar het buffet gelopen dat naast de deur tegen de muur stond en had, zonder om nadere inlichtingen te vragen, uit de bovenste la een gekleurd tafellaken gehaald. Hij hield het omhoog, het meisje knikte. Toen legde hij het over de tafel.

Dit schijnbaar onbenullige voorvalletje bewees me opnieuw dat hier in deze kring een innerlijke eenheid en vertrouwelijkheid heerste, zelfs bij tegenstrijdige meningen. Tegelijk was duidelijk dat ik er helemaal buiten stond. Ik accepteerde het en stond op toen zij alles van het blad op tafel zette. Zij zag me opstaan, keek over het blad heen in mijn richting en stopte.

'Je bent toch niet van plan weg te gaan?' zei zij verbaasd.

'Ja.'

Ik kon zo snel geen excuus bedenken en bovendien wilde ik aan de andere kant eigenlijk ook blijven om te zien hoe het verder ging. Of was het alleen een soort zelfkwelling die ik hiermee op de spits dreef? Maar ik moet bekennen dat ik ook wilde blijven omdat het meisje nu weer in de kamer terug was, zodat mijn houding een tweespalt begon te verraden die alle anderen opviel en waaraan de koude een eind maakte door te zeggen: 'Je hoeft niet uit beleefdheid de benen te nemen. Zo'n honger hebben wij nu ook weer niet, er blijft heus nog wel wat voor je over.'

'Anders denkt-ie dat je bang bent,' zei de jongste, 'want een geweten mag je er niet meer op nahouden, tenzij de resten van de puberteit je nog in hun klauwen hebben.'

'Ga toch zitten,' zei het meisje. Ze dekte de tafel.

Gelukkig zijn de wetten van de beleefdheid heel erg soepel, nog soepeler dan die van de moraal. Uit beleefdheid kun je de meest krasse tegenstrijdigheden uiten en zelfs kwetsen en leugens vertellen, als je er maar in slaagt de indruk te wekken dat je je laat leiden door de regels van de hoffelijkheid.

Ik ging weer zitten. De atleet knipoogde tegen me: 'Het wordt heus wel gezelliger.'

'Als de mannen hun honger gestild hebben,' zei het meisje, 'pas dan maar op, dan zul je wat beleven. Eten schijnt bevruchtend te werken op hun ideeën. Mannen kunnen zich tegelijk verdiepen in een boterham met kaas en in de problemen van aardse en hemelse noodzakelijkheden, het een schijnt het ander te kruiden. Zij denken dat het hun meeslepende gedachten zijn, maar het zijn de boterhammen met kaas.'

'Je hebt het maar weer netjes voor elkaar,' zei de koude, die begon te eten.

'Een mens kan toch niet alleen over eten praten,' zei de broer.

'Ik heb in de keuken gehoord waarover jullie het hadden,' zei zij zonder een spier te vertrekken.

'Er ontgaat haar niets,' zei de atleet, en tegen de jongste: 'Kan jouw hospita daar tegenop?'

'Best,' antwoordde hij met een volle mond. 'Best. Die kan tegen iedereen op. Zij zorgt voor me als een moeder.'

'Wanneer verhuis je?' vroeg de atleet.

'Als zij doodgaat,' antwoordde hij laconiek, en at verder. 'Als zij doodgaat.'

'Of als jij doodgaat.'

'Ook mogelijk,' zei hij met volle mond.

'Je moet niet over de dood praten onder het eten,' zei ze.

'Een mens moet helemaal niet over de dood spreken,' zei de atleet. 'Niet alleen niet als je eet, maar helemaal nooit. Mensen die over de dood praten, hebben een slechte spijsvertering. Ik vind je boterhammen met kaas nog altijd geweldig. Waar koop jij toch je kaas? In je warenhuis?'

'Ja,' zei ze. 'Daar koop ik hem.'

'Ik dacht dat jij dienst had vanavond,' zei de atleet tegen de broer.

Hij schudde het hoofd en at zwijgend verder.

Nu zwegen zij allemaal en aten. Hun zwijgen en de ijver waarmee zij zich overgaven aan het eten, was beklemmend. Ik kreeg het gevoel dat hun zwijgen werd veroorzaakt door mijn aanwezigheid. Ik voelde hoe de koude mij van tijd tot tijd heimelijk opnam, terwijl de anderen zich alleen concentreerden op het eten. Ook het meisje leek een beetje anders geworden: ze was tegen iedereen even vriendelijk en moedigde ons allemaal aan toe te tasten, maar zelf at ze heel weinig. Ik vroeg me af welke plaats zij in deze kring innam; ze werd door iedereen gerespecteerd, behalve door haar broer, die het vermakelijk leek te vinden een opvallende onverschilligheid tentoon te spreiden. Toch scheen dit haar niet te irriteren. Zij bleef kalm en onbevangen, en haar hele instelling, die zo volledig zijn stempel drukte op deze kamer, verdreef ten slotte ook mijn tegenzin en gaf me een soort onverschillige rust. Na het eten stond de broer op en ging uit zijn kamer een fles whisky en glazen halen. Hij zette ze naast de borden en haalde spuitwater. Ook het meisje stond op en begon af te ruimen.

'Wat doe je?' vroeg de broer.

'Moeten we de tafel niet eerst even afruimen?' vroeg ze. 'Het is anders zo ongezellig.'

De atleet hielp haar de borden op het blad te zetten en zij bracht het naar de keuken, hij deed de deur voor haar open. Hij was de aardigste van allemaal, gemoedelijk en behulpzaam. Zijn lach verzachtte het harde en brute van haar broer en de koude.

'Wil je whisky?' vroeg de broer aan mij.

'Drink jij niet?' vroeg ik zijn zuster, want hij bood het mij het eerst aan.

Zij lachte. 'Nee, dankjewel, vanavond niet.'

Hij schonk me in en vulde daarna de glazen van de anderen, op de rij af.

'Jij drinkt natuurlijk niet,' zei hij tegen de jongste, de fles recht houdend.

'Ik drink wel,' antwoordde hij vastberaden.

'Zo? Sinds wanneer?'

'Als ik dienst heb gehad, drink ik toch altijd?' antwoordde hij. 'Na een week is het wel weer over.'

'Heb je dienst gehad?' vroeg de broer.

'Afgelopen week.'

'Dan is het dus bijna weer over,' zei de koude. Hij draaide zich om op zijn stoel, zodat ze tegenover elkaar zaten. 'Waarom drink jij altijd na de dienst?'

'Ik weet het niet,' antwoordde hij. 'Maar het is nu eenmaal altijd zo. Als ik dienst heb gehad, moet ik een week lang drinken.'

'Dan heb je zeker nog niet vaak dienst gehad,' ging de koude verder.

'Nee,' antwoordde hij, 'dit was mijn derde keer.'

'Je derde keer? Gefeliciteerd,' zei hij. 'Ik wist helemaal niet dat jij al dienst had.' Hij klopte hem neerbuigend vriendelijk op de schouder. 'Vertel eens, hoe bevalt het?'

'Niks bijzonders,' antwoordde de jongste kort.

'Niks bijzonders?' herhaalde de broer. 'Had je dan wat bijzonders verwacht als je dienst mag doen?'

'Ze zijn allemaal precies eender,' zei de koude. 'Eerst kunnen ze gewoon niet wachten tot ze dienst mogen doen en dan is het niks bijzonders. Of had je soms verwacht,' ging hij verder, 'dat je meteen een belangrijke opdracht zou krijgen? Als je je ooit hebt verbeeld dat je zo'n gewichtig persoontje bent, zal de dienst je wel wijzer maken.'

De jongste kreeg een rood hoofd, maar beheerste zich. 'Ik heb niets anders verwacht dan dat het doodgewone dienst zou zijn, dat een mens moet leren gehoorzamen en de rebellie in zichzelf het zwijgen moet leren opleggen. Dat is dienst en ik verbeeld me dat ik dit na drie keer al heel aardig heb geleerd.'

'De rebellie in jezelf,' zei de broer. 'Kijk nou toch eens aan, drie keer dienst gehad en hij weet al precies wat de bedoeling is. Over twee jaar spreken wij elkaar nog wel eens, meneertje van de inwendige rebellie. Voorlopig ben je nog een groentje.'

De jongste zat als verstard op zijn stoel, hij perste de lippen nog steeds op elkaar, op zijn gezicht vochten woede en onderwerping om de voorrang. Misschien dacht hij dat deze aanvallen ook bij de dienst hoorden en dat hij ook dit moest leren.

De atleet kwam hem te hulp. 'Laat 'm toch,' zei hij bezwerend. 'Groentjes moeten er ook zijn. Wij zijn ook eens groentjes geweest.'

'Ik verbeeld me heus niet dat ik een geweldig persoon ben op wie iedereen heeft zitten wachten, en ik doe mijn dienst en alles wat me wordt verteld, en ik heb bij de derde keer al veel meer gedaan dan jullie je kunnen voorstellen.'

'Heb je soms zaaldienst gehad met daarna een knokpartij?' vroeg de broer, iets milder van toon.

'Ook zaaldienst, maar zonder knokpartij,' antwoordde hij. 'Maar ik bedoel iets heel anders, iets wat ik heb meegemaakt buiten dienst.' Hij hield plotseling op, zodat er een pauze ontstond waarin wij hem allemaal nieuwsgierig aankeken in de hoop dat hij uit eigen beweging verder zou gaan.

'Vertel op!' zei de koude ten slotte. 'Wat heb jij dan beleefd?'

'Niets,' zei de jongste en hij probeerde zo onverschillig mogelijk te kijken. Maar hij had duidelijk het gevoel een kleine overwinning te hebben behaald.

De atleet leunde verder achterover op zijn stoel en grinnikte vriendelijk. Ook hij leek plezier te hebben in hun aanvallen én in de verdediging van de jongste. Hij keek heel even naar hem alsof hij wilde zeggen: je hebt je kranig gehouden, maar blijf wel opletten.

Maar de twee anderen gingen door.

'Je hebt dus een geheime opdracht gehad,' zei de koude. 'Ik wist niet dat je al tijdens je derde dienst kon worden uitgekozen voor geheime opdrachten.'

'Ik wil liever niet meer vertellen,' zei de jongste. 'Ik heb al te veel gezegd.' Maar iedereen kon zien dat hij niets liever wilde dan vertellen.

'Jij met je geheimen!' zei de broer kwaad. 'Had dan verder je mond gehouden. Nu moet je doorgaan.'

'Als hij opdracht heeft om te zwijgen, moet hij zwijgen,' zei de koude. 'Dat eist de dienst.'

'Ik heb je toch al gezegd dat het geen dienst was,' ging de jongste verder. 'Het was iets wat ik volkomen vrijwillig heb gedaan.'

'Maar blijkbaar geheim,' zei de broer. 'Ik geloof er niks van dat ze jou al zulke karweitjes laten opknappen.'

De jongste aarzelde en keek hulp zoekend naar de atleet. 'Ik geloof dat je het gerust kunt vertellen,' zei de atleet vaderlijk, waarbij hij mij doordringend aankeek.

Plotseling begreep ik dat zijn weigering over zijn ervaring te vertellen samenhing met mijn aanwezigheid en niet zozeer voortkwam uit het feit dat hem bevolen was er niet over te praten. Klaarblijkelijk had hij te laat aan mij gedacht, zodat hij al te ver was gegaan om zich nog onopvallend terug te kunnen trekken. Hoewel ik mezelf op de achtergrond had gehouden, was ik ineens het middelpunt van hun kring geworden, van wie het zou afhangen of hij zijn verhaal vertelde. Ik verwachtte dat ze mij met vragen zouden bestormen en ik maakte me al vertrouwd met de gedachte kleur te bekennen, op te staan en weg te gaan. Ik voelde me al zekerder.

Maar mijn nieuwsgierigheid was er ook nog, en bovendien kreeg ik zin om de anderen voor de gek te houden en hun een gevoel van zekerheid te geven. Misschien had ik karakter getoond als ik was weggegaan, zoals destijds bij mijn vriend, maar spijt en zelfverwijten had me dat toen ook niet bespaard. Uiteindelijk lokte het spel me aan, hetzelfde spel als in de donkere kamer en bij die geschiedenis met de postzegels, nieuwsgierigheid en tegelijk een klein beetje bedriegerij. Het was het genot je ware zelf te voelen als je je aan de andere kant opstelt.

Ik besloot zo lang mogelijk te blijven en te luisteren. Ik keek naar het meisje, zij zat op de divan en leunde tegen de muur, een kussen achter haar hoofd. Ze zag mijn blik en beantwoordde die kalm en vriendelijk. Als zij het wist, dacht ik, zou ze mijn blik dan nog zo vriendelijk beantwoorden? Maar nog voordat ik de woorden had gesproken die men van mij verwachtte, was de koude me voor. Er klonk een merkwaardige beslistheid in zijn stem: 'Je kunt rustig verder vertellen, wij zijn immers helemaal onder elkaar.' Daarbij keek hij het meisje aan, dat langzaam instemmend knikte, en hij keek naar haar broer, die roerloos op zijn stoel zat en geen syllabe zei.

'Ik ben dol op verhalen,' zei ik om de spanning te breken. 'Ik hoop alleen maar dat jouw verhaal spannend is. Voor mijn part heb je een moord gepleegd.' Zij lachten allemaal, zelfs de broer vertrok zijn mond tot een grijns. Toen stond hij op en schonk de atleet en de koude voor de tweede maal in.

'Ik ook,' zei de jongste. Ik bedankte.

'Geen moord,' zei de jongste, 'maar het heeft wel wat met de dood te maken, wat ik heb beleefd, en met graven en grafstenen en een muur waarop glasscherven waren gemetseld zodat niemand eroverheen zou klimmen.'

Ineens werd de uitdrukking op het gezicht van de koude heel anders; de wreedheid, de gemeenheid achter zijn harde trekken kwam duidelijker naar voren. Hij draaide zich met een ruk om en zei, naar de atleet gewend, snel en verbeten: 'Dat wist ik niet. Ga je ermee akkoord dat hij dat vertelt?'

'Natuurlijk,' zei de ander. 'Ik ga akkoord.'

De koude aarzelde, draaide zich nog eens om en zei tegen de jongste: 'Je wilt toch niet beweren, dat je...'

'Jazeker,' viel deze hem in de rede. 'Dat is precies wat ik wil vertellen. Graven en grafstenen liggen niet in een winkel of op een dansvloer. Het was een echte begraafplaats.'

'Allemachtig,' zei de koude.

'Als je me niet gelooft, vraag het hem dan maar,' zei de jongste, op de atleet wijzend.

'Ben jij erbij geweest?'

'Nee, ik ben er niet bij geweest, maar ik wist ervan.' Hij lachte geruststellend.

'Hij heeft me d'r bij gehaald,' zei de jongste. 'Een van de deelnemers was uitgevallen of de angst had hem te pakken gekregen of zijn zuster had onverwacht een kind gekregen, in elk geval, ik ben erbij geweest,' voegde hij er jongensachtig aan toe.

'Misschien is het toch beter dat je dit verhaal niet vertelt,' zei de koude stellig.

'Niet vertellen? Zeg nou 's, eerst zit je te zeuren dat ik het moet doen en als het dan zover is, mag het ineens niet meer.' Zijn eerzucht was geprikkeld, hij was vastbesloten het verhaal te vertellen.

'Ik vind het toch beter als je het een andere keer vertelt,' hield de ander koppig vol.

'Laat hem toch vertellen,' zei ik zonder erbij na te denken. Er steeg een krankzinnige angst in mij op en ik moest iets zeggen, mijn mond moest woorden vormen om die angst de baas te worden.

'Waarom wil je hem ineens tegenhouden?' vroeg de broer.

'Omdat ik geloof dat dit een mannenverhaal is,' zei de koude.

'Aha,' zei de atleet. 'Daarom dus. Een mannenverhaal. Kom nou! Ik begrijp best dat er grapjes zijn die een mens niet in tegenwoordigheid van vrouwen vertelt. Maar vrouwen sterven ook, ze worden ook oud en lelijk, ze liggen ook in een doodskist als ze zijn gestorven en worden begraven. Wat zeg jij ervan?' Hij wendde zich tot de broer. 'Kan hij dat verhaal vertellen of niet?'

'Ik weet het niet,' antwoordde hij ongeïnteresseerd. 'Vraag het haar zelf.'

'Zeg jij dan maar of je dat verhaal wilt horen,' zei de jongste tegen het meisje. 'Beslis jij maar.'

Wat gaat ze zeggen, welke beslissing neemt ze, dacht ik bij mezelf, zal zij een eind maken aan deze afschuwelijke vertoning? Ik hoopte dat ze het zou doen en dat ze daarbij heel duidelijk zou laten blijken wat zij dacht van het verhaal dat hij wilde vertellen.

'Jullie hebben me nooit eerder gevraagd of ik een verhaal wilde horen,' zei ze. 'Waarom vragen jullie het nu ineens wel?'

'Wil je het horen?' vroeg de jongste. 'Ja of nee?'

'Ik kan ook hiernaast gaan zitten,' zei zij, 'als jullie niet willen dat ik het hoor.'

'Nee,' zei hij, 'dat willen wij geen van allen. Bovendien is dit jouw kamer.'

'Willen jullie soms hiernaast gaan zitten en zal ik hier blijven?' antwoordde zij zeldzaam beheerst.

'Nee, dat willen wij evenmin,' zei de atleet. 'Dat zou onbehoorlijk zijn nadat jij ons zo gastvrij hebt onthaald.'

'Dan blijft er dus niets anders over dan dat wij allemaal hier blijven. Beslissen jullie dan maar of je het verhaal wilt laten vertellen of niet.'

'Daar gaat het niet om,' zei de koude, een beetje geprikkeld. 'De vraag is of jij het wilt.'

'Ik heb jullie toch al gezegd: ik ken het verhaal niet, hoe kan ik dan van tevoren zeggen of ik het wil horen of niet?'

'Goed dan, dan vertelt hij zijn verhaal niet en vertellen wij iets anders, iets wat voor ons allemaal geschikt is. Dit verhaal kan dan wel tot later wachten.'

'Jammer,' zei de jongste. 'Ik had er nu net echt zin in.'

'Jullie moeten beslissen,' zei zij. 'Op mij hoef je niet te letten.'

'Wat mij betreft hoef je het ook niet te vertellen,' zei de atleet. 'Ik kan me precies voorstellen hoe het is gegaan.'

'En wat is jouw mening?' wendde de koude zich ineens tot mij.

Tijdens dit geharrewar, waarin iedereen met uitzondering van de koude en de jongste ongeveer het omgekeerde zei van wat hij dacht en voelde, had ik er zwijgend bij gezeten, het leek wel of ze mij vergeten waren. Het liet me trouwens koud of hij zijn verhaal vertelde of niet, ik wist dat het om een begraafplaats zou gaan waar wij onze doden begraven en die zij vernield hadden, zij allemaal die hier zaten, ook al had slechts een het metterdaad gedaan. De vraag die hij me stelde, kwam me heel goed uit. Wat viel er hier nog te verbergen? En met verbeten koppigheid zei ik, en ik verbaasde me over mijn eigen besluit: 'Ik zou je verhaal graag horen.'

De jongste haalde opgelucht adem.

'Goed,' zei de koude, die de zaak aan het rollen had gebracht. 'Vertel dan maar op.'

'Vertel dan maar op,' zei de aangesprokene verongelijkt, 'alsof je zomaar verder kunt vertellen als je al bent begonnen en ze je vervolgens hebben onderbroken. Ik ben geen kraan van de waterleiding die je maar opendraait en dat het verhaal dan vanzelf komt.'

'Je was nog niet eens begonnen,' zei de atleet. 'Vooruit, beheers je en begin. Het duurt me al veel te lang.'

'Maar ik was toch al zo mooi begonnen.'

'Je hebt alleen nog maar iets gezegd over graven en dood, en over een muur met glasscherven,' zei de koude. 'En wij hebben allemaal best begrepen waar je heen wilde.'

'Het is misschien beter, als je niet te veel in detail treedt. Wij hebben allemaal voldoende fantasie om het ons voor te stellen, en op die manier kunnen wij allemaal naar het verhaal luisteren zonder pijn in onze buik te krijgen.'

'Waarom zou je pijn in je buik krijgen?' antwoordde hij. 'Kreeg ik ook niet toen ik erbij was. Terwijl ik aan het begin niet eens wist waar het om ging. Er viel iemand af en toen vroegen ze mij of ik zin had eens te laten zien wat ik waard ben. "Goed," zei ik, "zeg maar wat ik moet doen." "Ga naar die en die," zeiden zij toen – ik wil maar liever geen namen noemen – dus: "Ga naar die en die, dan zul je wel horen waar het om gaat."'

'Met hoeveel waren jullie?' viel de koude hem in de rede.

'Met zijn vijven.'

'Verkeerd,' zei hij. 'Dat is te veel, dat vergroot het risico alleen maar.'

'Laat me nou vertellen. Goed, ik ga dus naar die en die toe en zeg...'

'Kende je hem?' vroeg de koude weer.

'Nee.'

'Had je een legitimatie?'

'Die had ik wel, maar niet bij me.'

De koude draaide zijn hoofd, zodat hij over zijn schouder met de atleet kon praten en zei halfluid, maar zo dat ik elk woord kon verstaan: 'Ongelofelijk, de ene fout na de andere. Had hij dan helemaal geen instructies voor hij begon? Het had toch een spion kunnen zijn. D'r deugt niks van!'

De atleet knikte alleen maar zwijgend en keek naar de jongste, die in de war raakte door de herhaalde interrupties.

‘Als jullie me telkens in de rede vallen, vertel ik niet verder,’ zei hij geërgerd.

‘Doe niet zo stom, wij moesten even iets bespreken, er zijn fouten gemaakt, grove fouten, stel je eens voor dat het mis was gegaan!’

‘Dat was dan niet mijn schuld,’ zei de jongste.

‘Je moet je verstand gebruiken. Wie wordt uitgekozen voor zo’n belangrijke opdracht moet zijn verstand gebruiken, dat is je eerste plicht. Vertel maar door.’

‘Nou, ik zeg dus tegen hem: “Ik kom in plaats van...” Ik heb al gezegd, dat ik liever geen namen noem... “die en die is afgevallen.” “Dat weet ik,” antwoordt hij, hij kijkt me onderzoekend aan, “ik heb van je gehoord, heb je een legitimatie?”’

‘Gelukkig,’ zei de koude opgelucht.

‘Nonsens,’ zei de jongste. ‘Klinkklare nonsens, alsof een legitimatie niet vals kan zijn.’

‘Daar heb je gelijk in,’ zei de koude en maakte een gebaar alsof hij wilde zeggen: dat is mogelijk, daar moet een mens rekening mee houden. ‘En wat deed hij toen je er geen bij je had?’

‘Hij deed iets heel verstandigs,’ zei de jongste. ‘Hij belde hém op,’ en hij wees naar de atleet.

‘Dat is inderdaad verstandig,’ zei de broer, schuivend op zijn stoel.

De jongste ging verder: ‘Even later kwam hij terug en zei dat alles oké was, “Dus vanavond om zeven uur op Station Zuid, tweede perron en onthou goed: je kent niemand, begrepen?”’

Station Zuid, dacht ik bij mezelf, waar zouden ze heen zijn gegaan voor hun miserabele karwei?

‘Ik sta klokslag zeven uur op Station Zuid, tweede perron. Er staan massa’s mensen. Ik ga ertussenin staan en zoals dat gaat, je kijkt eens om je heen en te midden van de vele wachtenden ontdek ik drie mannen die ik al eens eerder had gezien en die doen alsof zij elkaar niet kennen. Zij stonden niet bij elkaar, nee, zij stonden op verschillende plaatsen, anders denken jullie soms weer aan fouten, maar er werd geen fout gemaakt en die hele avond is er niet één fout gemaakt, zo veel verstand heb ik er ook wel van. Eerst wilde ik nog naar ze toe gaan, maar ik bedacht me. Wij gingen apart met de trein naar L.'

'Hadden jullie kaartjes?' vroeg de broer.

Wat een domme vraag, dacht ik, het lijkt wel een verhoor.

'Hij had ze ons al van tevoren gegeven,' zei de jongste. 'Wij gingen dus naar L. en we kenden elkaar geen van allen, op het station niet en ook onderweg niet. Ik merkte het aan de manier waarop zij naar me keken. De reis duurde ongeveer anderhalf uur, en toen wij in L. aankwamen, was het bijna helemaal donker. Nog altijd apart liepen wij de stad door, de leider voorop, want wij wisten nog steeds niet wat we hier moesten doen, maar iedereen vertrouwde op de leider. Wij liepen naar een buitenwijk waar het bos tot aan de eerste huizen komt. Wij sloegen een smal pad in, door het bos naar een uitkijktoren. Die buurt ken ik trouwens, want ik heb er anderhalf jaar gewoond als kind. Het was een koude, donkere avond, ik liep te bibberen in mijn regenjas, het is een ellendig gat, dat L., en als ik niet had willen bewijzen wat ik waard ben, was ik met nog geen tien treinen ooit naar dit gat teruggegaan. Als het regent, zijn de goten stinkende bruine beekjes, de straten zijn zo slecht dat je er nog met geen auto overheen kan. En ze durven het nog een stad te noemen ook. Maar de omgeving is mooi. Goed, na tien meter stonden we voor een ijzeren poort. Het was eigenlijk een houten poort, maar de houtwurm zat erin en daarom hadden ze hem met grote ijzeren platen beslagen. Wij wisten nog steeds niet waarom wij hierheen waren gestuurd en waarom wij in het donker door de stad naar de rand van het bos slopen. Maar toen wij voor die poort stonden, begon ons iets te dagen en begonnen we te begrijpen, dat ze ons hierheen hadden gestuurd om deze begraafplaats eens netjes onder handen te nemen.'

'Ze hebben jullie gestuurd?' vroeg de koude en keek nijdig op. 'Hoe weet je dat zij jullie gestuurd hadden?'

'Dat weet ik niet.'

'Je zei dat zij jullie hadden gestuurd.' De koude keek de kring rond en wij knikten allemaal; ja, dat had hij gezegd.

'Als ik dat gezegd heb...'

'Jullie zijn vrijwillig gegaan,' zei de koude beslist. 'Vertel dan alsjeblieft niet dat ze jullie hebben gestuurd als jullie vrijwillig zijn gegaan. Dat is niet correct.'

'Het ging dus om de begraafplaats,' ging de jongste door. 'Wij zagen hem in de duisternis voor ons liggen. Een begraafplaats is altijd een somber geval, zelfs overdag, maar zeker als je hem 's nachts voor je ziet liggen, dat wil zeggen: je ziet het niet, je ziet alleen maar grijs en donkergrijs, en in dat donkere zijn dan nóg donkerder plekken van grafstenen en hopen aarde die zo dicht bij elkaar liggen dat je denkt dat zwart de schaduw is van pikzwart. Die begraafplaats ligt onder aan de heuvel, aan de rand van het bos, dat kilometers en kilometers naar het oosten doorloopt, ik ken dat bos, ik heb er vroeger vaak gespeeld. De bomen staan aan drie kanten om de begraafplaats heen, ze steken over de lage muur heen en sommige takken hangen bijna tot op de klimop en het zand van de graven. Alleen bij de hoofdingang staan geen bomen. Van alle kanten kwam de stilte en het donker op ons af, van de begraafplaats, van het bos, van de nacht. We liepen langs de muur, op de tast, en telkens struikelden we over wortels en kuilen. Toen bleven we even doodstil staan, op een rij langs de muur en we keken naar de akker.'

'Naar de akker?' viel de koude hem in de rede. 'Naar "de dodenakker" soms? Dat klinkt me iets te verheven, ik dacht dat jullie erheen waren gegaan om die akker eens lekker om te spitten en jij vertelt me een romantisch verhaal van een bos, de nacht en allemaal van die nonsens. Hou je nu maar aan de feiten.'

'Val me toch niet telkens in de rede,' zei de jongste onbeheerst. 'Ik kan je verzekeren, we hadden allemaal, toen wij daar zo stonden, even het gevoel dat we zelf aan een graf stonden. Voor ieder van ons was het iets heel nieuws, wij waren nergens op voorbereid en we hadden allemaal al weleens iemand naar zijn laatste rustplaats gebracht.'

'En toch,' ging de koude koel en hatelijk verder, 'toch hadden jullie moeten weten waarom je daar stond en had je gevoel je moeten zeggen dat jullie daar waren omdat het nodig was en daarom...'

'Dat weet ik allemaal ook wel, spaar je de moeite,' zei de jongste kortaf. 'Ik vertel alleen maar hoe het daar is gegaan. Mijn buurman, een klein scharminkel, stootte me aan en fluisterde: "Heb jij dit geweten?" Ik schudde het hoofd en fluisterde "nee" want ik dacht, dat hij nee schudden in het donker misschien niet kon zien. "Ik ben een wees," fluisterde hij terug, "snap je?" – "Ik snap het, maar het moet nu eenmaal," zei ik.'

De jongste pauzeerde even en keek vragend naar de koude. Maar die vertrok geen spier, hij zat alleen maar klaar om op elk ogenblik te kunnen interrumperen. Toen de jongste zag dat de ander geen aanstalten maakte hem een pluimpje te geven voor zijn antwoord, ging hij verder: '"Ja, het moet," zei toen de weesjongen bangelijk, "en ik zal het ook doen." Ik had medelijden met hem, het klonk zo zielig, alsof ze hem hadden opgedragen een moord te plegen, en het was ook eigenlijk een soort moord die wij daar moesten plegen. Alleen waren het geen mensen meer, geen levende mensen die zich verzetten als je ze aanvalt, maar alleen wat ervan over is, de beenderen, de as. Wij waren daar om doden te vermoorden. En als jullie het mij vragen, ik heb het nu zelf meegemaakt en ik ben er trots op dat ik het mocht meemaken, maar ik zeg jullie dat het veel moeilijker is een dode te vermoorden dan een levende.'

'Waarom?' De broer vroeg dat opeens, nadat hij de hele tijd somber had zitten zwijgen. 'Waarom?'

'Heb jij weleens een mens gedood?' kwam ik tussenbeide, uiterlijk volkomen kalm, alsof ik het wel interessant vond om te weten of hij in zijn nog korte leven al een moord op zijn geweten had.

'Onzin,' zei de koude, 'hij kletst me veel te veel.'

'Ik wilde alleen maar zeggen wat er in ons omging toen we die graven vernielden. Daardoor begrijp ik nu beter wat een moord op een levend mens betekent en ik vind dat nu niet meer zo afschrikwekkend.'

'Hou toch op,' antwoordde de koude. 'Je maakt de zaak veel te ingewikkeld. Dat gebeurt nou eenmaal altijd als je beginners voor problemen zet waartegen ze innerlijk niet zijn opgewassen. Daarom vind ik deze actie fout. Heeft jullie leider er na afloop nog met jullie over gesproken?'

'Nee,' zei de jongste, 'die had een kapot oog.'

'Hoe kwam dat?'

'In het donker was hij tegen een afhangende tak aangelopen; het was maar een van de ongelukjes.'

'Hebben jullie er dan nog meer gehad?'

'Ja.'

'Vertel eerst maar door,' zei de koude. 'Jullie waren dus gekomen om graven om te woelen en stenen omver te gooien, dat was alles. Vergeet de hele rest maar alsof er niets is gebeurd.'

'Goed,' antwoordde hij. 'Daarvoor waren we gekomen. Maar we hebben ook nog wat anders gedaan.'

'Wat dan?'

'We hebben de doden vermoord. Die moeten onze komst opgemerkt hebben. Ze stonden op uit hun graven en ze hebben met ons gevochten. En ten slotte hebben wij ze vermoord.'

'Klets toch niet zo,' zei de koude luid, hij wendde zich tot de atleet. 'Zeg jij hem eens dat hij ophoudt.'

'Waarom?' antwoordde de aangesprokene. 'Als hij en de anderen het gevoel hadden dat de doden uit hun graven opstonden en vermoord moesten worden, dan heeft hij dat stellig zo beleefd en mag hij het ook vertellen.'

'Waanzin,' zei de koude.

'Ik kan me best voorstellen,' zei de atleet, 'dat het zo gegaan is. Een nachtelijke begraafplaats is ongetwijfeld niet de prettigste plek om je avonden en nachten door te brengen. Onder dergelijke omstandigheden kan een mens nog veel wonderlijker gedachten krijgen.'

'Je hebt gelijk,' ging de jongste verder, 'ik heb nog heel andere gedachten gehad. Voordat het zover was, moesten wij nog veel meer vermoorden.'

'Wat?' vroeg het meisje. Wij keken haar allemaal aan.

'In de eerste plaats de nacht, en verder de stilte en tot slot het bos. Die drie moesten wij eerst vermoorden, eerst alleen en toen samen. Ik zal het vertellen. We stonden dus bij de muur te fluisteren en toen begon iemand zachtjes te vloeken. Dat was – o nee, ik zou geen namen noemen – het was dus een forse vent, een sportman, die opeens begon te vloeken.

"Hou je bek," zei de leider. "Maak niet zo'n herrie, wat mankeert jou?"

"Mijn hand," zei hij, "pas op, die zwijnen hebben glas op de muur gemetseld. De hele muur zit vol glasscherven. Wij komen d'r nooit overheen."

"Laat dat maar aan mij over," zei de leider. "Bloedt het erg?"

"Mijn handpalm is helemaal open, heeft iemand soms verband bij zich?" Maar niemand had iets bij zich.

"Geef me je zakdoek," zei de leider. Toen verbond hij de hand. Het was griezelig stil en zo donker, je zag niets anders dan de duisternis. Er heerste duisternis onder de bomen, en de ruimte tussen de bomen was ook helemaal opgevuld met duisternis. En het was griezelig stil. Over de begraafplaats hing de stilte, uit het bos kwam de stilte op je af en de hele nacht is een en al stilte. En je had het gevoel dat alle stilte van alle drie was samengekomen en nu voor ons op de muur zat, de diepe stilte van de nacht en van het bos en van de begraafplaats, het leek net een zware vestingmuur die voor ons opprees, veel zwaarder en dikker dan de stenen muur waar wij voor stonden. Ik heb nooit geweten dat het zo stil kan zijn.

"Ik zou weleens willen weten hoe diep het eigenlijk achter die muur is," zei iemand. De leider verdween in het bos, we hoorden takken kraken, toen kwam hij terug met een lange tak die hij over de muur zwaaide om de hoogte aan de binnenkant te peilen.

"Anderhalve meter," zei hij. Hij probeerde het nog op een andere plek. "Net zo," zei hij.

"Blijf staan," zei hij. Hij zwaaide zich op de muur, steunend op de schouders van de vijfde man, van wie ik jullie nog niets heb verteld. Dat was eigenlijk meer een meisje dan een jongen, die vijfde, met vlasblond haar, een heel lichte huid en hij liep als een meisje. Toen ik hem zag, begreep ik niet waarom ze hem hadden gekozen.

"Gaat het?" vroeg ik toen hij op de muur stond.

Vanwege de glasscherven stond hij wijdbeens op de uiterste randen van de muur. Toen draaide hij zijn bovenlichaam een kwartslag om, zodat hij met zijn rug naar ons toe stond en keek in de richting van de sprong.

"Allemachtig, wat is dat donker," zei hij. "Ik spring!"

Hij wachtte even, zette zich af en sprong. Zijn val klonk als een doffe bons in het zand, de bladeren van de boom ritselden.

Toen sprongen wij een voor een, net zoals wij stonden, eerst boven op de muur en toen naar omlaag, naar de diepte en het donker. Het was alsof de diepte en de duisternis op ons afkwamen en ons een oplawaai gaven. Ik was de laatste die sprong, en omdat ik dus niemand had om op te steunen, nam ik een korte aanloop, sprong over de lage muur met het glas heen naar de donkere stemmen die me vanuit de diepte iets toefluisterden. De koude nacht streek langs mijn gezicht. Ik viel tegen iets warms dat onmiddellijk opzijging, een menselijk lichaam.

"Au, allemachtig," zei een stem. Ik probeerde hem vast te pakken, maar wij rolden alle twee op de grond. Het was de meisjesjongen. "Idioot," zei ik.

"Maak niet zo'n kabaal," zei de leider kwaad. "Sta alsjeblieft op."

"Hij is boven op mijn tenen gesprongen," bromde hij.

"Jank niet zo," zei de leider.

De anderen lachten zachtjes. "Het eerste lijk," hoorde ik iemand fluisteren. Het was de sportman.

Zo stonden wij dus met zijn allen op de begraafplaats en de voorstelling kon beginnen. Maar in het donker begint een mens niet zo een, twee, drie. Er zijn dingen die in het donker vanzelf gaan, je hoeft bij wijze van spreken niet te beginnen, het is donker en de dingen zijn vanzelf al begonnen, de duisternis laat ze beginnen. De duisternis helpt je, hij is je vriend, je bondgenoot. Maar wij stonden daar te wachten, op een kluitje, te wachten om te beginnen. De nacht maakte alles onzichtbaar, hij beschermde ons weliswaar, maar hij liet ons eenvoudig niet aan de slag gaan, hij was onze vijand, wij voelden dat de nacht onze vijand was.

"Vooruit," zei onze leider, "kom mee," en we probeerden hem in de duisternis te volgen. Maar als jullie nu denken dat we direct aan het werk gingen, vergis je je. Wij slopen gehoorzaam in de ganzenpas achter hem aan, hij probeerde kennelijk eerst de oprijlaan te vinden om zich een beetje te oriënteren. De begraafplaats was gelukkig niet zo groot. Toen sloeg hij een zijpad in, alsof hij op zoek was naar een bepaald graf om mee te beginnen. Vroeger moest ik vaak met mijn ouders mee, als die het graf van mijn zusje gingen bezoeken. Die liepen dan ook altijd eerst door de oprijlaan en sloegen dan een zijpad in, hoewel ons graf vlak bij de muur lag en wij er sneller regelrecht langs de muur heen hadden kunnen lopen. Maar dat was een veel grotere begraafplaats.

De weesjongen bleef in mijn buurt. "Eens in de drie weken moesten wij het graf van onze ouders bezoeken," fluisterde hij. "Dat wilde de directeur. Leven jouw ouders nog?" Kwam het omdat hij zo zacht praatte of trilde zijn stem van opwinding?

"Zij leven nog," zei ik en ik geneerde me een beetje.

"Is dit voor jou ook de eerste keer?" vroeg hij.

"Ja."

We zwegen weer alle twee, tot hij zei: "Het is zo donker."

"Ja."
"Het is geen grote begraafplaats."
"Nee," zei ik.
"Hij is mooi gelegen, vind je ook niet?"
"Hoe bedoel je?" vroeg ik.
"Ik bedoel dat hij mooi is gelegen voor een begraafplaats," legde hij uit, "zo aan de rand van het bos."
"Ik weet het niet," antwoordde ik kortaf.
"Grote begraafplaatsen zijn nooit zo mooi," ging hij verder.
"Midden in de stad, het is er zo onrustig en je verdwaalt er altijd. Een andere jongen uit het weeshuis..."
"Ssstt," deed ik, "wij moeten geen lawaai maken."
"Ja," zei hij en hij zweeg.
Wij strompelden verder, rechts en links van ons lagen van die kleine donkere heuveltjes, het leek net of de aarde op de plek waar de doden lagen een buikje had, en dat zij de beenderen weer in haar schoot had genomen. Wij liepen als een lijkstoet die 's nachts in het geheim een dode ging begraven.
"Loop naar de hel," zei iemand. Het was de sportman.
"Wat heb jij?" vroeg de leider, die naast hem liep.
"Ik hou het niet meer uit."
"Wat hou je niet meer uit?"
"Ik heb zo'n pijn in mijn buik," zei hij.
"Zo?"
"Ik moet zo nodig."
De leider lachte. "Ga dan toch, ga maar ergens zitten, zoek maar een mooi graf uit en poep daarop, maar mik alsjeblieft goed..."
"Het komt zo ineens," zei de sportman, die ineenkromp. "Ik kan het niet langer ophouden."
"Ga dan toch naar dat familiegraf daar en poep hem in zijn smoel."'
'Neem me niet kwalijk,' zei de jongste en keek naar het meisje. 'Neem me niet kwalijk, Lisa (ja, Lisa! Ze heette Lisa, eindelijk schiet de naam me nu te binnen, ik was hem zo lang vergeten, waarom

herinner ik me hem nu?), maar zo zei hij het heus: "Poep hem in z'n smoel." Er zijn van die situaties, dan doen zulke woorden een mens goed, ze geven je moed en je krijgt zin in actie als je door een paar simpele woorden alle grijze narigheid hebt weggeblazen. Dan pas voel je jezelf opeens in staat tot zelfs de meest eervolle daden.'

Het meisje lachte, Lisa heette ze, zij lachte en zei kalm: 'Vertel maar gerust verder.'

'De sportman sprong over een graf, over een tweede, precies zoals je een horde neemt en hij verdween. Wij hoorden hem behaaglijk zuchten. Toen kwam hij weer terug, hij was nog bezig zijn broek dicht te knopen.

"Nou kan het gebeuren," zei hij.

Wij drentelden nog steeds een beetje doelloos rond, hier en daar trapten wij eens op een graf langs het pad, wij rukten wat aan een hekje of aan een grafsteen, maar we deden het nog te slap, het was pas het begin, een eerste ronde, een voorspel voor wat ging komen.

"Vooruit, jongens," zei de leider, "we zullen toch eindelijk eens moeten beginnen."

"Ja," herhaalde de meisjesjongen. Ik hoorde dat hij een beetje stotterde. "We moeten nodig beginnen, als het maar niet zo donker was."

"Hadden we soms eerst een schijnwerper moeten opstellen?" vroeg de leider.

"Zo bedoel ik het niet," stotterde hij. "Ik bedoel dat wij allang waren begonnen als het niet zo donker was."

"Idioot," zei de sportman, "je stottert, joh, en bovendien is elk woord dat je uitbrengt nog nonsens ook."

"Laat hem met rust," zei de wees, "je moet hem geen verwijt maken vanwege zijn spraakgebrek."

"Bemoei jij je nou maar met je opoe," antwoordde de sportman geprikkeld. "Laat eerst maar eens zien dat je zelf een kerel bent, voordat je stotteraars die nonsens uitslaan in bescherming neemt. Begrepen?"

"Ik heb je begrepen," zei de wees. "Maar toch zal ik hem in bescherming blijven nemen tegen jou, en als je denkt dat ik hierheen ben gekomen om te laten zien wat voor een kerel ik ben, vergis je je deerlijk. Ik ben meegegaan zonder dat ze me van tevoren hebben verteld wat ik moest doen. Goed, ik ben er nu en ik zal doen wat me gezegd wordt, al is het een smerig zaakje dat we hier moeten opknappen, een smerig zaakje."

"Wat zeg je me nou?" vroeg de sportman dreigend. Wij konden zijn gezicht niet zien, het was alleen maar een zwart silhouet waaruit een sissende stem kwam, maar ik kon me best voorstellen hoe hij eruitzag, zijn ogen half toegeknepen, met strakke lippen, zijn hoofd tussen zijn schouders getrokken alsof hij zich spande voor een sprong.

"Een misselijk en smerig zaakje, dat wij moeten opknappen," herhaalde de ander uitdagend. "Ik zie er bovendien de noodzaak niet van in, en toch doe ik mee, want ik ben nu eenmaal hier. Maar het blijft een smerig zaakje."

"Je moet zachter praten," zei de leider, "anders horen ze ons." Dat was het enige wat hij zei op dat moment.

Eerst was ik verbaasd dat hij niet feller van leer trok. Totdat ik begreep hoe verstandig hij optrad. De sportman had buikpijn gekregen, de meisjesjongen was gaan stotteren en de weesjongen dacht vast aan zondags om de drie weken. Hij liet ze stuk voor stuk hun gang gaan; wat diep in hen verborgen was, moest eerst naar buiten komen en dat remde hij niet af, hij had ervaring met dit soort acties en daarom pakte hij het goed aan.

"Ik ben blij dat ik wees ben," zei die jongen dus, "dat mijn lieve ouders alle twee al lang dood zijn, ik zou hun nooit meer onder ogen durven komen als zij nog leefden."

Toen zei de stotteraar, de meisjesjongen, die hij zo-even nog in bescherming had genomen: "Ben jij soms bang?"

We waren allemaal verrast. De ander was kort tevoren nog voor hem in de bres gesprongen en nu viel hij hem aan en probeerde misschien zo een wit voetje te krijgen bij de anderen. Het was walgelijk en iedereen zweeg.

Ook de wees lette er niet op en zei: "Wat mij betreft kunnen jullie je gang gaan als je de levenden wilt vermoorden, hun huizen in brand wilt steken en hun kinderen uit het raam wilt gooien, ga je gang als je daar zin in hebt, maar laat de doden alsjeblieft met rust. Vechten tegen een levende vijand is eervol en het is ook eervol hem zo nodig te doden. Maar op het vermoorden van doden kan geen zegen rusten."'

Na de eerste interrupties hadden ze allemaal zwijgend naar zijn verhaal geluisterd, ze zaten achterover op hun stoel, ze rookten, keken in de lucht, keken zo nu en dan de verteller eens even aan en waren verder volkomen afwachtend. Van hun gezichten kon je niet aflezen welke invloed dit verhaal op hen had, ze waren dezelfden van daarstraks, en ik zat daar in hun midden, een vreemde zonder dat zij het wisten, en ik luisterde ook naar zijn verhaal en deed mijn best er zo onverschillig mogelijk uit te zien. Je bent een schoft, dacht ik bij mezelf, dat je niet opstaat en een eind maakt aan deze misselijke vertoning. Het deed me goed mezelf een schoft te noemen en tegelijk leed ik eronder. Zijn verhaal wekte alle haat en afschuw die in mij leefden, ik leed eronder en tegelijk deed het me goed, zoals het een vader gaat die met tranen in zijn ogen een kind slaat, dubbel genietend omdat hij kan slaan én omdat het slaan hem pijn doet. Toen viel de atleet de jongste in de rede.

'Heeft-ie dat gezegd?' Hij zat nog steeds kalm en breeduit op zijn stoel en leek te denken: hoor nou zo'n weesjongen eens! Hij wisselde een blik met de koude en hoewel zij zo verschillend waren, toonde die blik een heimelijke overeenkomst die ik eerst niet had gezien. Ik zag nu dat de vriendelijke atleet helemaal niet zo goedmoedig was.

'Verder,' zei de koude. 'Vertel maar rustig verder.'

De jongste vertelde verder.

'Goed. Toen begon die sportman weer: "Je snapt helemaal niet wat wij hier doen en waarom we hier zijn. Het gaat niet om de doden maar om de levenden. Stel je maar eens even voor hoe zij hier morgen komen en dan zien wat er gebeurd is. Misschien moet er morgen wel weer een begraven worden. Allemensen, ik zou hun gezicht weleens willen zien."

"Zachter praten," zei de leider, hij klopte hem aanmoedigend op de schouder. Wij zwegen allemaal, ook de wees. Weer voelden we de stilte van de begraafplaats en van de nacht, er stak een windje op en de bomen begonnen te bewegen, zodat de takken tegen de graven sloegen. Vanaf de plek waar wij stonden was geen stukje hemel te zien, niet onder de bomen en ook niet op de open plekken daartussen, er was alleen maar de nacht, zonder sterren.

"Dan zullen ze pas goed merken, dat het om hun leven gaat; zij zullen het tot in hun botten voelen dat het met ze gedaan is. Terwijl ze nog springlevend zijn, zullen ze alle doodsangst uitstaan die een mens bij zijn volle bewustzijn kan uitstaan. Hun leven wordt één verschrikkelijk sterven, veel erger dan het sterven zelf, en zij verliezen zelfs de laatste zekerheid dat de dood hun tenminste rust en vrede brengt."

"Dat kan wel waar zijn," antwoordde de wees, "maar toch..."

"Schei je nu eindelijk eens uit?" zei de leider.

"Ik moet nog één ding zeggen."

"Nee, nou is het genoeg geweest."

"Laat hem uitpraten," zei de stotteraar vlot en zonder hakkelen.

"Vooruit dan maar," zei de leider.

"Al praat je nog zo veel, het blijft gemeen en een stem binnen in me zegt dat het zo is. En als je gelooft dat er zoiets is als..."

"Interesseert me geen cent," zei de sportman.

"...als een hemel en..."

"Larie," zei de meisjesjongen, "geloof ik niet, aan een hemel geloof ik niet." Het klonk ongelofelijk komisch. Ik heb al heel wat stotteraars horen praten en ik heb altijd mijn best gedaan niet te lachen. Er zijn komieken die goedkope successen boeken door stotteraars na te doen. Dat heb ik altijd misselijk gevonden. Maar ik heb nog nooit een stotteraar horen stotteren: "Aan een hemel geloof ik niet." Het was ontzettend komisch en we begonnen allemaal zachtjes te lachen.

"Vooruit," zei de leider en sloeg in looppas een klein zijpad in. We volgden hem struikelend, vlak onder de bomen door, de takken sloegen ons in het gezicht. Toen schreeuwde hij opeens: "Kijk uit!" We doken in elkaar, maar het was al te laat. Het eind van een afhangende tak had zijn gezicht geraakt. Hij hield zijn hand op zijn rechteroog.

"Laat kijken," zei ik.

"Verder," brulde hij woedend en liep door, de hand op zijn oog. Wij hem achterna. We kwamen in de rechterhoek van de begraafplaats, daar lagen kleine heuveltjes, kindergraven. We liepen eropaf, sprongen erbovenop, rukten aan de kleine grafstenen, trokken de hekjes los en smeten die ergens weg over de donkere grond tot er ten slotte niets anders over was dan één grote zandvlakte waar wij op rondtrappelden.

We kregen zand in onze schoenen, maar dat deerde ons niet. Die kindergrafjes waren een goed begin, we kwamen in de juiste stemming en voelden dat wij goed werk deden, wij staken elkaar allemaal aan, iedereen deed zijn uiterste best, samen vormden wij een eenheid die eendrachtig zijn taak volbracht. Onze leider had nog altijd zijn hand op zijn oog, hij moest ontzaglijke pijn hebben. Heus, iedereen deed wat hij kon en het was alsof het geharrewar aan het begin alleen maar de basis had gelegd voor dit gezamenlijk optreden. We deden het goed, maar nog zonder echte bezieling. Als ik het vergelijk met wat er later gebeurde en hoe we dat deden, moet ik zeggen dat we nog een beetje lauw waren.

We klopten onze broek af en schudden het zand uit onze schoenen. En toen gingen we verder. In de buurt stonden een paar familiegraven, grote platen marmer en vierkante zuilen, omheind door een traliehek. Het waren oude hekken, half vergaan en verroest. Die boden niet veel weerstand, we rukten ze zo uit de grond en smeten ze op de graven ernaast. Toen wierpen we ons op de marmeren platen, maar eerst mikten we nog alle bloemen weg en keilden die in de richting van de muur, het waren voor een deel verse planten, een deel vertrapten we, en toen begonnen we aan de grafstenen, maar die waren te groot en te massief. We hadden schoppen of breekijzers moeten meenemen. De eerste die ertegenaan ging was de sportman, hij sprong ertegenop alsof het een stormbaan was. De stotteraar rukte van achteren, wij stonden aan de zijkant te trekken en te duwen. Maar ze gingen niet om, dat was een grote teleurstelling. Wij naar het volgende graf. Daar herhaalde alles zich. Eerst het hek, dan de bloemen, daarna de grafheuvel en tot slot de steen, maar helaas.

Na een tijdje leek het lichter te worden, in elk geval konden we elkaar beter onderscheiden. De leider bedekte nog steeds zijn oog met zijn hand. Niemand zei een woord. We kregen het langzamerhand warm en ondanks alles schoten we aardig op. Alleen die grafstenen dus, dat maakte ons op den duur echt kwaad. Dat dreef ons tot het uiterste. Zolang de stenen overeind bleven, hadden wij allemaal het gevoel dat de doden nog verzet boden, dat zij nog niet dood waren en grimmig neerkeken op de verwoestingen.

"Nog één keer!" vuurde de leider ons aan. Hij had zijn hand niet meer voor zijn oog en wij zagen dat het lid helemaal over het oog hing. Wij rammelden met alle kracht aan een reus van een steen waarin gouden letters en tekens waren gehakt. Tevergeefs.

"Dan de andere maar," zei de leider. Als opgejaagde dieren renden we langs het pad naar kleinere grafstenen. We zagen dat ze nog allemaal rechtop stonden, dreigend en uitdagend, alsof het armen of benen of het hoofd waren die de doden het graf uit staken, een teken dat zij nog altijd een macht vormden waarmee je rekening moest houden, dat zij de aarde nog steeds niet hadden verlaten, maar dat zij zich alleen in de grond hadden teruggetrokken om van daaruit hun wandaden te kunnen voortzetten. Wij liepen alsof we achterna werden gezeten. Het kwam zo uit dat we twee aan twee een graf te lijf gingen, de stotteraar en ik, de sportman en de wees, de leider alleen. Daar ging de eerste steen en nu leek het of de dode voorover was gevallen en daar nu lag, naakt, met zijn bleke buik op zijn eigen graf. Toen vielen wij op het graf zelf aan. Het maakt heus verschil of je over het graf van een volwassene of van een kind loopt. Op de jonge doden trappel je toch iets minder hard dan op de oudjes. Met de volgende steen ging het net zo. Toen de derde, wij smeten hem achter ons. Daar lag-ie, alsof hij aan het hoofdeinde uit zijn graf was gekropen en nu, hulpeloos in de koude septembernacht, op zijn rug lag, en nu was het alsof het donker en het bos hen niet langer beschermden, alsof wij de nacht zelf in het hart hadden geraakt en alsof die langzaam de begraafplaats afliep en alsof de bomen hoger naar de heuvel vluchtten, diep het bos in. Verder. Nóg een die we niet omver konden krijgen. Moest hij blijven staan en het lot van zijn broers en zusters aanzien? Vooruit dan maar, verder. Er waren heel wat graven die kennelijk op ons hadden gewacht en al bezig waren zichzelf te vernielen, tot wij het proces versnelden. Andere waren harder, die waren door de tijd versteend, maar we konden ons er niet te lang door laten ophouden. Wij vonden ook enkele verse graven waar nog geen steen op stond. In plaats daarvan waren ze bedolven onder de bloemen. Wij staken een bloem in ons knoopsgat en vertrapten de andere. Ik was voortdurend bang dat we in de buurt van een pas gedolven graf zouden komen en dat ik erin zou vallen. Maar ik gunde de doden dat plezier niet en keek in het donker dubbel goed uit. In korte tijd hadden we een heel behoorlijk aantal stenen omver getrokken en heel wat graven vertrapt, de begraafplaats was kaal en dood, een verlaten plek in de nacht. Wij hadden het warm gekregen, de doden lieten ons bloed sneller stromen. We konden tevreden zijn. Toen hielden we even pauze. We sloegen onze handen en onze broek af.

De meisjesjongen zei: "Denken jullie dat wij hiervoor worden gestraft?"

Eerst begreep ik het niet goed, deze vraag had ik van hem ook niet verwacht, want hij had flink meegeholpen en was extra hoog opgesprongen om met meer kracht op de graven te kunnen belanden. Ik zei: "Gestraft, waarvoor en door wie?"

"Ik bedoel: zouden wij er boete voor moeten doen?"

"Onzin, geloof je dat heus?" vroeg ik.

"Ik geloof het niet, maar ik moet er telkens aan denken."

"Ben je soms bang voor de hel?" vroeg ik.

"Ik geloof niet aan de hel," zei hij, "maar ik moet er telkens aan denken."

"Waar moet je steeds aan denken?" vroeg ik.

"Dat wat wij doen, verkeerd is," antwoordde hij fluisterend. Hij had de hele tijd niet gestotterd, maar toen hij begon te fluisteren, begon hij ook weer over zijn woorden te vallen. Hij haalde diep adem.

"Waarom is het verkeerd?" vroeg ik.

"Je kent toch het spreekwoord?"

"Welk?"

"Het spookt voortdurend door mijn hoofd."

"Welk?"

"Je kent het natuurlijk ook."

"Nou, wat is het dan?"

"Ik weet het niet meer precies, ik weet alleen zo ongeveer wat het betekent, het begint... Mijn moeder heeft het me nog geleerd: 'Wat gij niet...'"

"O ja," zei ik, "dat ken ik, dat heeft mijn moeder me ook honderden keren voorgehouden, het hangt me de keel uit."

"Je kent het dus ook."

"Natuurlijk," zei ik. "Het is zo oud als Methusalem."

"Waar komt het eigenlijk vandaan?"

"Ik weet het niet. Dat moet je bij spreekwoorden nooit vragen. Die ontstaan vanzelf."

“Als jij nu hier begraven lag en iemand zou op jouw graf…” ging hij verder.

“Als ik dood ben, kan het me niks meer schelen. Je ziet mannetjes in de maan.”

“Of je ouders of je zusje of iemand van wie je veel houdt?” Hoe hij wist dat er een zusje van mij was gestorven, snap ik nu nog niet, maar misschien zei hij het alleen maar bij wijze van voorbeeld. Het was wel een lastige vraag en ik dacht erover na terwijl hij zich omdraaide en tegen het opschrift van een grote grafsteen pieste. Toen hij klaar was, geneerde hij zich blijkbaar tegenover mij, de meisjesjongen. Ik zei: “Ik weet het niet, daarover heb ik nog niet nagedacht. Maar ik geloof wel dat ik het niet zo leuk zou vinden.”’

‘Maar waar komt het nou vandaan?’ vroeg Lisa plotseling. Zij vroeg het aan haar broer en liet de jongste geen kans verder te vertellen.

Ik schrok toen ik haar stem hoorde, want ik was haar aanwezigheid totaal vergeten. Haar broer trok verveeld zijn schouders op. ‘Weet ik niet,’ zei hij kortaf.

‘Van wie is het eigenlijk?’ zei de koude, hij draaide zich onverschillig naar de atleet toe. De korte onderbreking scheen hun welkom te zijn, zij rekten zich eens even uit, het meisje streek haar haar naar achteren, de atleet strekte zijn benen ver uit, sloeg de handen ineen en liet zijn hoofd op zijn borst vallen. Hij dacht na.

‘Ik weet het ook niet,’ zei hij even later. ‘Wie zou dat nou bedacht hebben?’

‘De een of andere anonieme lamzak.’

‘Een Griek?’

‘Nee, ik geloof van niet. Staat het niet in de Bijbel? In de bergrede of zoiets? Meestal staan dat soort dingen in de bergrede of weet ik veel.’

‘Gek,’ zei de jongste. ‘Iedereen kent het spreekwoord, iedereen heeft er de mond van vol, niemand leeft ernaar goddank, en niemand weet wie het bedacht heeft.’

'Goddank, zegt-ie,' zei de koude vrolijk en begon hard en snijdend te lachen. '"Goddank, niemand leeft ernaar," dat is de mooiste grap die je vanavond ten beste hebt gegeven, goddank!' Het klonk alsof hij vloekte.

'Het is een oud gezegde,' zei ik opeens, en ik probeerde mijn stem onverschillig te laten klinken. Ik voelde dat mijn benen begonnen te beven. Het zweet brak me uit.

'Zo,' zei Lisa, zij glimlachte vriendelijk tegen me.

'Ja, mijn vader zei het ook altijd,' ging ik verder, zonder te weten welke gevolgen deze bekentenis kon hebben.

'Hoe oud is je vader?' vroeg de atleet. De jongste begon te giechelen.

'Niet helemaal zo oud als het spreekwoord,' antwoordde ik.

Nu lachten de anderen ook, maar het was een andere lach dan eerst, er lag een zekere vertrouwelijkheid in, een ontspanning, een erkenning. Ik had de situatie voor mezelf dus nog kunnen redden.

'Wie heeft het dan gezegd? Vooruit, vertel op,' zei de jongste.

'Het was... ik weet het niet precies, ik geloof Hillel of zo iemand.'

'Wie was dat dan?' vroeg de koude en keek me verbaasd aan.

'O, een oude schrijver,' zei ik alleen maar. Verder niets. Als hij wilde, kon hij de naam vanavond opzoeken in een encyclopedie, als hij hem tegen die tijd niet vergeten was.

Oude, goede Hillel, jij, met je baard, die deze wereld hebt uitgelegd aan allen die op één been staan te twijfelen... Goeie, ouwe Hillel!

'Vertel verder,' zei de broer.

De jongste ging verder. 'Wij hadden met ons tweeën een aardig stukje werk geleverd en ook de anderen hadden hun werk niet half gedaan. We hoorden ze aan de andere kant heen en weer lopen, we hoorden hun voeten trappelen, we hoorden hen kreunen en proesten en voorthollen over de dorre bladeren. Zij waren ongeveer gelijk met ons klaar.

“Die stenen zijn zo zwaar,” zei de wees, toen wij elkaar op het middenpad tegenkwamen. Hij veegde het zweet van zijn voorhoofd. Zijn gezicht glansde in het donker, hij was moe en stond te hijgen.

“Heb je d’r veel omgekregen?” vroeg ik om hem een beetje op te vrolijken.

“Ik heb ze niet geteld,” antwoordde hij. Hij maakte niet bepaald een opgewekte indruk, het leek of hij niet erg tevreden was over zijn prestaties.

“Wat hebben jullie uitgespookt?” zei hij ineens, en hij wees naar de muur achter me. “Jullie hebben een hele rij laten staan.”

Ik draaide me om en ontdekte in het donker een rij ongeschonden graven, de heuveltjes lagen er nog zo bij als in het begin en de stenen stonden nog rechtop. Die waren we gewoon vergeten.

“Kom mee,” brulde hij en hij stormde het zijpad in. Hij ging tekeer als een bezetene, het hoogtepunt van de avond, ik zal het nooit vergeten. Hij sprong als een donkere kobold met grote sprongen van het ene graf naar het andere, ik zag zijn donkere lichaam voortdurend door de lucht gaan. Hij hield zijn armen wijd uitgespreid en bewoog ze alsof hij door de nacht heen moest roeien. Hij had een ongelofelijke veerkracht, zelfs de dikste laag zand van een grafheuvel kon hem niet weerstaan. Telkens weer veerde hij op en sprong naar het volgende graf. Daarbij stootte hij gorgelgeluiden uit, hij spuwde ze als het ware uit alsof ze uit zijn darmen kwamen. Ik ging hem achterna. Toen zag ik hoe hij rondtrappelde op het laatste heuveltje bij de muur, steeds sneller gingen zijn benen, zonder dat hij van zijn plaats kwam, hij raakte bezeten door een waanzinnige drift en hij liet zich languit op het graf vallen, zijn twee handen grepen de natte klamme aarde en begonnen te graven, zijn vingers vraten de aarde, steeds dieper, alsof hij met zijn blote handen de botten op wilde graven. Zijn hoofd lag op de aarde en het zand kwam in zijn mond. Hij spuwde, gorgelde en krabde in razend tempo verder. Toen hield hij plotseling op en bleef voor dood op het heuveltje liggen. Even later sprong hij op en belandde op het graf ernaast. Daar herhaalde hij hetzelfde; hij trappelde woedend in het rond, trok zijn knieën hoog op – hij werd blijkbaar moe – liet zich in zijn volle lengte op het graf vallen en greep met zijn handen in de aarde. Maar hij bleef langer liggen, alsof hij wilde uitrusten en nieuwe krachten wilde verzamelen voor het volgende.

"Zo is het wel goed," zei ik en hielp hem opstaan. Zijn handen zaten vol zwarte aarde, zijn gezicht was zwart, zijn jas was zwart, hij zat onder het zand.

"Dat heb je netjes gedaan," zei ik, maar hij zei niets en liet zich zwijgend door mij naar de anderen terugbrengen. Alleen de sportman ontbrak. Die stond een paar rijen verder en bestudeerde het opschrift van een omgehaalde steen. Hij moest zich heel diep bukken want in het donker kon hij niets ontcijferen, hij knielde naast de steen neer en zette zijn handen op het marmer.

"We moesten maar eens gaan," zei de leider vermoeid. Hij was tevreden, maar maakte toch een afgematte mismoedige indruk. Zijn oog zat nog dicht, maar het deed hem niet meer zo veel pijn. Hij was een goede leider en hij liet ons alles doen, maar ik had het idee dat hij zelf niet erg enthousiast was. Wij moesten alle energie uit onszelf opbrengen, hij vuurde ons niet aan en in het begin had hij ook nog die tegenslag gehad met zijn oog. Misschien hinderde het hem dat hij maar één oog kon gebruiken. Maar voor de rest was hij een goede leider.

Toen kwam de sportman naar ons toe. "Ik ga weg," zei hij. "Ik heb d'r genoeg van. Ik ga." Hij keerde zich op slag om en ging.

"Heb je soms weer pijn in je buik?" vroeg de meisjesjongen. Deze avond had hem zelfvertrouwen gegeven en hij begon de anderen te sarren. "Ga maar gerust schijten."

"Houd je bek," antwoordde hij. "Ik zou aan een stuk door kunnen kotsen."

"Nou, ga dan kotsen," zei de leider en klopte het zand van zijn jas.

"Ik kan niet eens zo veel eten als ik uit zou willen kotsen," zei hij. "Ik ga."

"Je blijft," zei de leider scherp. "Jij blijft."

Niemand fluisterde meer, we spraken gewoon, niet extra luid, maar ook niet extra zacht. Er was geen stilte meer en ook geen nacht, zelfs het bos had onze stemmen niet kunnen dempen.

"Doe niet zo stom," ging de leider verder. "Zoals je d'r nu uitziet, kun je niet aan de terugreis beginnen, idioot."

De sportman liep naar hem toe alsof hij wilde vechten. Zijn gezicht was een en al zand, aan zijn handen kleefde aarde. Langzaam kwam zijn rechterarm omhoog, zijn lichaam spande zich en hij keek de leider aan met een dreigende blik vol haat.

"Zeg vent," zei de stotteraar en kwam naar hem toe, "ben je nou helemaal."

De ander draaide zich met een ruk om. Zij stonden zo dicht bij elkaar dat ze, als ze dat gewild hadden, hun hoofd op elkaars schouder hadden kunnen leggen. De sportman was verrast en aarzelde, maar zijn armen hingen langs zijn lichaam, helemaal ontspannen, een teken dat hij voor de stotteraar niet bang was. Maar ook die was niet meer bang.

En toen begonnen zij elkaar op de smerigste manieren uit te schelden, het was volkomen zinloos en niemand had gedacht dat het zover zou komen, al leek het er zo nu en dan op dat ze ook nog handtastelijk zouden worden. Maar gelukkig is het niet zover gekomen, het bleef bij woedend gescheld en getier, de grofste vloeken, zo smerig dat ik ze hier niet kan herhalen, en ik ben toch heus geen heilig boontje,' zei de jongste tegen het meisje.

'Wij werden er allemaal onrustig van en het was maar goed dat dit aan het eind gebeurde; als het aan het begin was gebeurd, hadden wij niet zo eensgezind kunnen optreden. Heus, het was te gek wat zij elkaar allemaal in het gezicht slingerden, wij waren geen van allen preutse knaapjes, maar dit gevloek werd ons toch te bar. Het meest was ik nog verbaasd dat zij zo vijandig tegenover elkaar stonden, terwijl ik juist gedacht had dat deze avond ons hechter aaneen had gesmeed.

Toen zei de wees: "Ik moet mijn handen wassen." Ineens schrokken ze allemaal.

"Er moet hier toch wel ergens water zijn," zei de leider.

We gingen op zoek en vonden naast de ingang een hokje met een buitenkraan. We sloegen eerst nog even wat ruiten stuk, het glas kletterde op de stenen vloer binnenin. Toen gingen we ons wassen, de een na de ander. Omdat niemand zeep bij zich had, gebeurde het een beetje oppervlakkig, eerst probeerden we de handen schoon te krijgen, daarna het gezicht en de nek. We schudden het zand uit onze schoenen en veegden zwijgend onze broek schoon. Achter ons lag de begraafplaats, en daarachter het bos en het was nog altijd nacht. We dachten maar één ding: zo snel mogelijk hier weg. We klommen over de muur, ik zal jullie de bijzonderheden van die klimpartij besparen, maar het was veel moeilijker dan de sprong over de muur bij het binnenkomen en we kwamen er niet zonder schrammen en sneden af. Ik scheurde mijn broek. En toen slopen we ieder afzonderlijk door de stad en namen de eerste trein naar huis. De sporen van onze actie waren nog duidelijk te zien, de wees had nog altijd vuile handen, hij leek net een tuinman, en zijn jas was ook smerig. Maar omdat we niet in dezelfde wagon zaten, viel dat niet zo erg op. Al met al was het een mooie avond,' zei de jongste, 'en ik ben blij dat ik het er zo goed van afgebracht heb.'

'Mooi zo,' zei de koude, toen hij was uitgesproken, en hij knikte hem met een blik van verstandhouding toe.

'Nog een whisky?' zei de atleet. De jongste knikte, hij was moe en stil.

De broer stond op, pakte de fles en ging de rij nog eens langs. 'Ik niet,' zei de atleet.

Ik dronk en toen keek ik hen allemaal nog eens goed aan, want ik wist nu dat ik hen nooit meer zou zien, ik dronk met grote teugen en bij elke slok die ik nam, keek ik een van hen goed aan; de jongste, die kennelijk voldaan op zijn stoel zat nu hij zijn verhaal had gedaan en die na elke dienst een week lang moest drinken; de koude, die zo geprotesteerd had tegen het verhaal en die de ander zo vaak in de rede was gevallen; de atleet, die zo vriendelijk voor zich uitstaarde en die de grootste schoft van allemaal was, en ten slotte de broer en zuster die zo verschillend waren dat ik eraan twijfelde of zij wel familie waren. Ik dronk en dacht bij mezelf dat zij het allemaal tegelijk waren: goedmoedig en vriendelijk, onmenselijk en slecht. Als zij voelden dat het goed was om onmenselijk te zijn, dan waren ze het en als ze vriendelijk konden zijn dan waren ze dat ook. Maar nu was hun verteld dat het goed was om onmenselijk en hard te zijn, de onmenselijkheid was voorgesteld als een rechtvaardige en edele zaak, en dus waren ze onmenselijk. Zij waren als de wolven, ze deden 's nachts een overval op een begraafplaats en vernielden die. Maar al deden ze nog zo hun best wolven te lijken, beesten waren ze niet. Het ging niet alleen om wat ze deden en zeiden, maar ook om wat ze moesten verzwijgen. Het zou allemaal veel eenvoudiger zijn geweest als ze niets hadden hoeven verzwijgen; als ze alleen maar onmenselijk hadden kunnen zijn en niets anders dan onmenselijk, dan zou men sneller met hen hebben kunnen afrekenen en zou men zich het hoofd niet hebben hoeven breken over dingen waar toch niemand uitkomt.

We bleven nog een poosje om de kleine tafel zitten, ik wist dat het de laatste keer zou zijn en daarom had ik ook geen zin meer om nu nog op te stappen en weg te gaan. Je kunt op deze aarde veel verkeerde dingen doen, dacht ik, je kunt moorden, plunderen, bedriegen en je medemensen op alle mogelijke manieren het leven zuur maken, en je kunt nog meer dingen doen als je ze doet ter wille van een ander die je door je daden wilt laten zien hoeveel je van hem houdt. Maar als de liefde eist dat je 's nachts lijken gaat schenden en begraafplaatsen gaat vertrappen, dan is het toch wel heel kwalijk gesteld met die liefde. Wat ik hier vandaag heb gehoord, kan ik geen van mijn makkers vertellen, geen van hen zal begrijpen waarom ik niet onmiddellijk ben opgestaan en ben weggegaan; zij zullen mijn houding slap, laf en eerloos noemen en misschien hebben ze wel een beetje gelijk met hun verwijten. Maar niemand van hen kan begrijpen hoe bar het is gesteld met de liefde. Al denkt de jongste – en met hem de anderen – dat hij een echte kerel is die nergens voor terugdeinst en die heldendaden verricht, al denken de anderen dat het goed en noodzakelijk is deze heldendaden en in de toekomst misschien nog andere te verrichten, zij volbrengen die heldendaden bij wijze van spreken op één been en in de grond van de zaak weet iedereen hoe bar het is gesteld met de liefde.

Nu denk ik: het gaat niet om de graven die zij vernielden en de stenen die zij omhaalden. Je kunt als je dat wilt de dood ook op een andere manier gedenken. Het kan een ster zijn die vonkend omlaag valt, of de roep van een vogel of een spiegelglad meer. Zand en stenen zijn op zichzelf geen heilige dingen die je moet ontzien, tenzij het gaat om de angst die daaruit voortkomt. Misschien hebben zij toen ook werkelijk gedacht, die don quichots, dat zij de dood konden vertrappen als ze de uiterlijke kentekenen vertrapten, de dood, die in hen al zo groot is geworden dat zij hem 's nachts vol haat en angst naar buiten moeten trappen. Ook met hun haat is het bar gesteld, veel erger dan ze zelf weten. Want zelfs de haat kan niet bestaan zonder een druppel liefde, anders is het geen haat meer maar ijskoude verwoesting, stompzinnige ondergang, een dichte nevel over de aarde, alle wegen onzichtbaar, de schepping ongedaan gemaakt. Als zij konden, zouden ze hem ongedaan maken, de dood; met hun haat en hun heldendaden zouden ze hem uitroeien en daarbij zouden ze denken dat hun leven krachtiger zou opbloeien naarmate zij harder tegen de dood van leer trokken. Helaas, de dood moet je niet bestrijden met de haat, maar met het leven.

Zolang je haat en zolang het de graven en de stenen zijn die je verwoest, moet je weten dat dit een slechte haat is, want hij is gericht tegen de dood en niet tegen het leven. Deze haat is je vijand en voor hem moet je op je hoede zijn, want het is een gevaarlijke vijand. Daarom moet je haten ook leren. Vandaag is hij een zwakheid, morgen kan hij een kracht zijn, en altijd is hij een kracht die slechts tot leven komt in de verandering. En als je het leven ook maar een klein beetje liefhebt, zul je de haat in jezelf veranderen daar waar je je eigen vijand en tegenstander bent, en tegelijk ben ik ook jouw vijand, en daar moet jij de haat in mij veranderen. Ook al denk je het, het is niet zo dat je tegen mij vecht – omdat ik een andere mening heb, of een andere haarkleur, of omdat mijn neus een beetje anders in mijn gezicht staat dan de jouwe – je vecht alleen tegen jezelf, en hoe meer je dit voor jezelf verzwijgt en denkt dat het niet zo is en hoe minder je het kunt begrijpen en hoe meer je jezelf wat probeert wijs te maken, des te heftiger bestrijd je het in mij, met een haat die niet meer aan het leven is gewijd. Maar daar waar je met jezelf worstelt, daar, in deze diepste kern, zal ik jou vasthouden en door jou worden gegrepen, daar sta ik naast je. En, denk ik verder: zolang jij en ik deze haat, die voortkomt uit een goed en overstromend hart, gewijd aan het leven, niet hebben leren kennen en zolang wij dat druppeltje liefde erin niet ook redden, zijn wij op de aarde slechte tegenstanders en zolang zijn wij het niet waard elkaar te ontmoeten.

Maar toen was mijn haat nog een laffe, slappe en eerloze haat, er zat nog altijd te veel angst in voor zijn eigen ijskoude mogelijkheden, voor zijn eigen onmenselijkheid en zijn eigen verwoesting. En daarom zat ik daar ook nog steeds en kon ik meeluisteren naar hun heldenverhaal, omdat mijn eigen haat nog een slappe, laffe en eerloze haat was. Ik moest het goede haten toen nog leren.

De broer was weer nonchalant in zijn lage leunstoel gaan zitten, zijn benen hingen over de armleggers, het gesprek kabbelde verder zonder dat ik er aandacht aan schonk. Toen hoorde ik hoe het meisje zich naar hem toeboog en zachtjes vroeg: 'Ben jij er ook al eens geweest?'

'Jammer genoeg niet,' zei hij en pakte zijn glas.

Ik zag haar gezicht, waarin geen spier vertrok, vriendelijk en vol genegenheid. Ze lachte hem toe.

Kort daarna stond ik op en de anderen vertrokken tegelijk met mij. Zo licht moet de liefde zijn dat je er als op een wolk, heel luchtig en hoog, naar binnen zweeft. Helaas niet, Lisa.

En nu weet ik ook waarom ik je naam vergeten was.

11

Dit schrijf ik op de rand van een krant. Daarin staat een foto van zijn gezicht op de dag dat hij de eerste stap zette op de weg naar de macht, naar het toppunt van zijn roem.

Wat is zijn gezicht veranderd. Zo ziet een overwinnaar eruit. Ik heb de krant gevonden, verborgen onder ettelijke andere, op de zolder van een huis, in een andere stad, in een ander land, waar ik ben ondergedoken. Ik ben gevlucht uit het huis waarin ik ter wereld ben gekomen, weg van mijn ouders, ik heb alles achtergelaten. De laatste nachten sliep ik al niet meer thuis, maar nu eens hier dan weer daar, bij mensen die mij goed gezind waren en die mij wel voor één nacht onderdak wilden geven. Mijn ouders bleven thuis, hoewel ook zij waren gewaarschuwd. Moeder was ziekelijk en kon moeilijk afscheid nemen van het huis.

'Wat kan ons nu gebeuren?' zeiden zij. 'Wij zijn oud. Ga jij maar.'

Ik was gegaan en had hen in de steek gelaten. Toen ik hen in de steek liet, troostte ik me met de gedachte dat zij oud en ziekelijk waren. Wat kon hun gebeuren? Maar ik wist ook dat vader al vele weken geleden heimelijk zijn rugzak had gepakt om die mee te nemen als zij hem zouden komen halen. Maar ik liet hen in de steek!

Op een avond reed er in de schemering een auto voor, een personenauto met zes zitplaatsen. Dat hebben ze me later verteld. Twee gewapende mannen sprongen eruit en liepen naar boven. De chauffeur en een ander die naast hem zat – zij waren ook gewapend – wachtten beneden. Het was iets bijzonders, ja het was een voorrecht, bijna een vriendendienst dat ze met een personenauto kwamen. Gewoonlijk gebruikten ze vrachtwagens. Het duurde niet lang.

Ze namen de beide oudjes mee. Vader had zijn rugzak om. Moeder huilde. Ik zal hen nooit terugzien.

Ik kan dit gezicht niet meer zien.

12

Ik heb de krant weer eens opgezocht en hem nog een keer bekeken, het gezicht liet me toch niet los. Het is veranderd sinds ik me als kind voor het eerst over hem boog, toen op school een los blad op de grond viel en ik het gedienstig opraapte en een geheim ontdekte.

Zo ziet een overwinnaar eruit! Het ascetische vuur uit de tijd van zijn strijd is verdwenen. Dit is het gezicht van een man die op het punt staat plaats te nemen aan een royaal gedekte tafel om na vele jaren van ontbering eindelijk eens zijn honger te stillen. Ik haat hem. Is hij het nog? Mijn tegenstander zag er anders uit. Hadden zij hem misschien toch moeten doodslaan – heel gewoon doodslaan? In dit gezicht is alles beslist. Alles wat hij in vroeger jaren beloofd had te doen – en men wist toen eigenlijk niet of men het moest beschouwen als een hol dreigement of als naakte waarheid, want hij had nog niet gekozen – alles zal hij waarmaken. En hoe verschrikkelijk hééft hij het waargemaakt. Het is een waarheid geweest die je aan den lijve moet hebben ondervonden om te weten hoe waar het is.

Hij had al gekozen. Ik erken dat ik me vergist heb, want hij had allang gekozen. Ik heb het niet kunnen verhinderen. Misschien was dit het enig mogelijke voor hem, misschien heb ik mijn taak slecht vervuld.

In de tijd dat hij in de ene stad na de andere zijn ideeën verbreidde, de mensen eerst in het geheim en daarna steeds openlijker ophitste, waarbij hij hun een vijand, zijn eigen vijand, gaf als tegenhanger van henzelf, zodat zij zichzelf beter zouden leren kennen en hun levensdoel intensiever zouden nastreven – in die tijd had ik al kunnen inzien dat het een waan was.

Zag niemand dat het een waan was, had geen ander hem van zijn waan kunnen genezen? En heb ik zelf misschien ook gevangengezeten in een waan? In de waan dat hij een positief element was? Men moet hem doodslaan, heel gewoon doodslaan. Maar niemand heeft het gedaan, niemand! Niemand? Er is één mens, ja, dat staat vast, er is één mens op deze aarde, één onder miljoenen, die erin zal slagen hem ten val te brengen. Hijzelf zal voltooien wat niemand anders gelukt is en hij zal zichzelf vernietigen, doodslaan, doen verdwijnen. Maar voor het zover is...

Ze hebben mijn oudjes meegenomen. Het waren zijn beulsknechten, ze kwamen van hem en op zijn bevel zullen ze...

Ik zal hen niet meer terugzien. Moeder huilde en vader droeg een rugzak.

Nog voor jij hem omhing, vader, heb jij, om hem te kunnen dragen, met je eigen rugzak alle rugzakken ter wereld volgepakt met de restanten van een leven dat men als een last op de schouders neemt. Vroeger, vader, heb jij ook heel wat andere, vrolijke en lichte rugzakken gevuld voor de kinderen als zij tochten gingen maken waarvan men terugkomt. Voordat jij deze, de laatste, jouw laatste, voor deze ene reis moeizaam op je rug hebt gehesen, ben je gaan pakken en overpakken, met veel overleg en zorg om toch vooral niet te vergeten wat nodig is – het weinige wat nodig is voor deze laatste tocht – en om tegelijk te voorkomen dat hij te zwaar wordt, zodat je hem, als het nodig is, op de weg kan dragen als een niet te zware last, want je mag niet voelen dat je hem draagt. Ja vader, jij hebt hem tot in de kleinste holletjes, de draaghaken naar buiten gekeerd, volgestouwd en alles geschikt met passen en meten. Jij hebt je levensspulletjes in elkaar gepast met de vaardigheid van pakkende handen die het leven pakten alsof het de schouderriem was die je met een krachtige zwaai over je schouders kon slingeren – en toen bevestigde je het losse oog rechts in de haak en toen probeerde je nóg een keer of hij goed zat en of het gewicht verdeeld was zoals het verdeeld moet zijn – en toen ging je.

Het was een grote, oude, door vele regenvlagen verweerde rugzak die in zijn leven al vaak was ingepakt en uitgepakt, en hij stond boven in het zolderkamertje in een hoek bij het raam, de riemen stonden bol. Zo vol was hij gepakt toen ik hem vond, en ik tilde hem op en woog hem in mijn handen.

Er zijn veel rugzakken op deze aarde, grote, of juist heel kleine die net groot genoeg zijn voor een paar boterhammen en een beetje tabak en wat chocoladerepen. Die draag je aan korte riemen, ze hangen hoog op de rug, vlak onder de nek, je voelt ze bijna niet en uit de verte lijkt het of je een bochel draagt die een eindje omhoog is geschoven; zo'n rugzakje kun je afnemen en hem heen en weer laten zwaaien aan twee vingers, een luchtballon met brood, boter en suiker, bewogen door de wind. En er zijn wat grotere rugzakken voor langere tochten, als je een of twee nachten weg wilt blijven, met wat nachtgoed en een paar sokken en misschien een schoon hemd voor als je je 's avonds wilt mengen onder de mensen om een glas bier te drinken of een spelletje te kaarten; zo'n rugzak moet je al met een kleine zwaai over je schouders slingeren, maar nog altijd wegen ze weinig. Dan de grote rugzakken waarmee je lange tochten maakt door de bergen, omlaag en weer omhoog, dagenlang, waarmee je op vakantie gaat – en je neemt afscheid, dat je gezond mag blijven en weer heelhuids terug mag komen, bruin en opgefrist, en uit de rugzak is alles dan opgegeten, er zijn alleen nog een paar kruimels over, en het linnengoed is vuil en doorgezweet, je ziet direct dat deze rugzak lang gedragen is, en nu moe is van alles wat hij heeft beleefd. En dan staat hij weer thuis in een hoekje, je borstelt hem af en bewaart hem voor de volgende keer. Een haak die is losgeraakt naai je vast, een riem of een gesp wordt vernieuwd, alles voor de volgende keer. Hij blijft een kleine wereldbol zolang je hem vrolijk op je rug draagt, de mooie wereld in, hij is al een beetje oud en versleten maar je kunt hem nog altijd gebruiken.

Vaders rugzak was zo'n oude wereldbol die telkens nieuw leven kreeg ingeblazen voor weer een trektocht. Hij had geen steunriemen en was ontelbare malen gelapt en gestopt, en haken en riemen waren vernieuwd. De rugzak was zo oud als Methusalem en vader had alleen een nieuw koord gekocht, een sterk donkerbruin koord van gevlochten hennep om hem stevig dicht te kunnen trekken. Zo was hij weer reiswaardig en je had er nog ontelbare keren mee thuis kunnen komen.

Als je hem maar op de juiste wijze weet te pakken! Daar komt het op aan en het is een hels karwei een rugzak te pakken, goed en stevig pakken, en niet alles er zomaar ingooien als in een aardappelzak en dan met de handen er een beetje in grabbelen als in een grabbelton tot je het grootste pakje hebt gevonden. Het gaat om de rug, je voelt het onmiddellijk op je rug als er iets niet in orde is met de lading en je ziet het ook aan de vorm: hij zakt helemaal uit, net als in een pan soep zijn de zware stukken naar beneden gezakt en dan schommelt en hobbelt het als de borsten van een vrouw die geen bh draagt. Je draagt hem en je begint te zweten, de riemen snijden in de schouders en je kreunt als Atlas. Daar zit wat hards op je rug, het boort en prikt en drukt, bij elke stap dringt het dieper in je rug door, tot op je ribben. Eerst probeer je het met de handen een beetje weg te drukken, wat opzij en naar voren. Je slaat je handen onder de rugzak in elkaar en tilt de onderkant een beetje van je lichaam af, en dan laat je hem weer op je rug vallen, loopt nog een kwartier en bijt je tanden op elkaar, misschien gaat het straks wel beter, het zou toch een schandaal zijn. Maar er zit maar één ding op: je moet hem overpakken.

Vader had hem dus gepakt, de hemel mocht weten wanneer hij het al had gedaan, moeder kwam bijna nooit op zolder, anders had ze hem wel betrapt.

'U hebt de rugzak gepakt,' zei ik tegen hem, en ik deed alsof het de gewoonste zaak van de wereld was.

'Ja,' antwoordde hij, en hij keek me even aan.

'Hm.' Ik keek hem ook aan, en ik wist niet precies wat ik nu verder moest zeggen.

'Ja, ik heb hem gepakt,' herhaalde hij, alleen om het zwijgen te verbreken. 'Een mens kan nooit weten,' voegde hij eraan toe.

Het was een zaak van groot belang, dat voelden wij alle twee, ook al deed hij alsof hij het uit tijdverdrijf had gedaan, omdat hij op een dag niets beters te doen had en toen maar eens de rugzak had gepakt. Zo deed hij altijd.

'U had er voor mij ook wel een mogen inpakken,' zei ik. 'U kunt het veel beter dan ik.'

'Jij hebt er geen nodig,' zei hij berustend. 'Jij moet een koffer hebben.'

Een koffer? Een koffer heb je nodig als je op reis gaat, per auto of met de trein, en dan leg je de koffer in het bagagerek, keurig, en je hebt je kaartje en je weet waar je heen gaat, want je hebt je reisdoel zelf uitgekozen. En in de koffer zitten pakken en overhemden, keurig gladgestreken, zodat er geen valse vouwen in komen.

'Wat hebt u eigenlijk allemaal meegenomen?' vroeg ik. Het was geen nieuwsgierigheid en ik was ook niet bezorgd dat hij iets zou hebben vergeten. Ik wist even goed als hij wat er op het spel stond, ik wilde alleen maar weten wat een mens zoal meeneemt.

'Wat ik heb meegenomen? Nou ja, de dingen die twee mensen nodig hebben van wie er een nog ziek is bovendien. Zeep bijvoorbeeld,' zei hij.

Zeep was dus het eerste wat hij had meegenomen, alsof er op de hele wereld niets belangrijkers was dan zeep om mee te nemen op zo'n reis, en alsof God op de eerste scheppingsdag meteen ook de zeep had geschapen. Het zou dus eigenlijk moeten luiden: 'In den beginne schiep God de hemel en de aarde en de zeep, opdat men die zou kunnen meenemen in een rugzak.' Vooruit dan maar: zeep, natuurlijk had hij gelijk, een mens moet zich kunnen wassen, een mens moet schoon zijn, ook al trek je met je rugzak ver weg. Inderdaad, als een mens smerig is, moet hij zich extra kunnen wassen. Als je dat niet meer doet, is alles verloren, dan komen de ziektes en dan kun je niet meer zeggen: 'Nu ga ik me eerst eens even stevig wassen.' Vooruit dan maar, dat was dus de zeep...

'Zeep,' herhaalde ik.

'En twee badhanddoeken,' zei hij.

Natuurlijk, handdoeken horen bij zeep en bij wassen en afdrogen. Het prettigste van het wassen is het afdrogen: als je huid dampt, moet je de handdoek kunnen nemen en kunnen wrijven, zingend wrijven, over je rug, je hals en daarbij moet je zachtjes meewiegen met je heupen, tot je huid gaat gloeien en de dode cellen eraf rollen en je huid gaat glanzen als bij een pasgeboren kind – dan krijg je een heerlijk gevoel, je bent warm en schoon en dat trekt door je hele lichaam.

'Eau de cologne,' ging hij verder, 'voor moeder.'

Ik begreep het. Ze is tegenwoordig vaak duizelig, dan begint alles voor haar ogen te draaien en dan wordt ze bleek en zakt ze in elkaar en dan zijn een paar druppels eau de cologne op de slapen – en dan zachtjes daarop blazen – heel verkwikkend. En een paar druppels op haar zakdoek en dan diep ademen...

'Ja,' zei ik, 'en verder?'

'Warme dingen, ondergoed, sokken, broeken, wollen hemden, het belangrijkste tegen de kou, warme mutsen en handschoenen – speciaal handschoenen,' zei hij, 'en een beetje crème tegen gesprongen handen. Ze heeft tegenwoordig zo vaak gesprongen handen, het bloed circuleert niet meer zo goed. Maar in de eerste plaats warme dingen, dat is het belangrijkste.'

Ja, warme dingen, wol tegen de kou, dat is eigenlijk het hele leven. Als je het maar warm hebt, warm! Als je je maar behaaglijk kunt nestelen in je eigen warmte, al is het dan buiten nog zo koud, al is het winter, en al is er misschien geen kachel, of wel een kachel maar geen vuur, geen vuur in de winter. Niets is erger dan de kou, zonder liefde is het koud, de dood is koud.

En misschien is er ook geen eten.

'Hebt u ook nog wat eten meegenomen?' vroeg ik benauwd.

'Natuurlijk,' zei hij, 'niet te veel; repen, bonbons, suikerklontjes. Een mens kan nu eenmaal niet een hele kruidenierswinkel meenemen. Een paar bouillonblokjes en wat Nescafé, twee kleine blikjes. Het loont eigenlijk niet die dingen mee te slepen, maar je weet hoe vrouwen zijn, alleen al de gedachte dat zij eens zelf iets kunnen klaarmaken, een kop bouillon of een kop koffie, dat brengt ze al tot rust.'

'U hebt gelijk,' zei ik.

'Ik moet het dragen,' antwoordde hij en keek fronsend naar de rugzak die op de grond stond te wachten alsof ieder moment het sein tot de aftocht kon worden geblazen.

'Tabak voor uzelf?' vroeg ik om het weer goed te maken.

'Ik ben ervan af,' zei hij. 'De laatste tijd rook ik helemaal niet meer.'

'Ik zou toch maar wat meenemen,' antwoordde ik. 'Met tabak kunt u altijd wel iets doen, u kunt het ruilen voor andere dingen.'

'Je hebt gelijk,' zei hij peinzend.

'Kan het er nog bij?'

'Zeg, wat denk je nu, je zou eens moeten zien wat er allemaal nog bij kan,' zei hij trots.

'Misschien een beetje jenever of cognac, een klein flesje?'

'Zit er al in.'

'En slaappoeders en aspirine?'

'Heb ik natuurlijk ook al, een klein apotheekje met verband en pleisters. Dat spreekt toch vanzelf, daar praat ik niet eens over.'

'Lucifers?'

Hij knikte. 'Die ook.'

Daar praatte hij dus niet eens over. Er waren nog enkele dingen bij waar hij niet over praatte: een paar foto's en een buisje met een paar extra sterke slaaptabletten.

Waarvoor? Om in slaap te vallen? En weer wakker te worden? Niet vragen, je vraagt te veel, daarover praat ik niet meer.

'Zou u ook niet een boek meenemen?' vroeg ik ineens. Ik waagde het niet hem aan te kijken. Ik vond het zelf ook een onmogelijke vraag en ik geneerde me voor mijn bekrompen idee dat een mens een boek hoort mee te nemen.

Hij wachtte. Hij zag mijn verlegenheid. Toen zei hij heel rustig: 'Een boek? Jij vindt dus dat ik een boek moet meenemen. Daar heb ik nog wel plaats voor in de buitenzak. Maar welk boek, kun jij me er een aanraden?'

Onder het spreken trok er een klein spotlachje over zijn gezicht.

Met die vraag had hij in de roos geschoten, midden in de roos. Er was geen ontsnappen mogelijk, ik moest kleur bekennen. Als schooljongen had ik een keer meegedaan aan een prijsvraag met het thema: 'Kun je een boek aanbevelen?' In mijn antwoord had ik in hoogdravende woorden vijf boeken opgesomd die ik zou meenemen als... Ik had een prijs gewonnen en voor dertig gulden aan boeken mogen uitzoeken. Nu vroeg vader me welk boek ik hem kon aanraden om mee te nemen.

'Ik weet het niet,' zei ik snel. 'Het is niet zo belangrijk.'

'Ik zal een recept overschrijven,' zei hij, 'hoe je boomschors moet klaarmaken. Het schijnt een Chinees recept te zijn en onder bepaalde omstandigheden wordt het in China als een delicatesse beschouwd,' ging hij onbewogen verder.

De kronkelende aderen op zijn slapen waren opgezet en hij ging verder: 'En dan een speciaal mes om de schors los te snijden van de boom.'

Hij denkt alleen aan honger, dacht ik, hij is bang dat ze honger zullen hebben en ineens overviel ook mij de angst dat zij honger zouden moeten lijden. En ik begreep dat de trots waarmee hij me verteld had wat hij allemaal in de rugzak had gestouwd, alleen maar diende om zijn angst te verbergen, de angst voor wat komen zou.

Tijdens ons gesprek had hij me maar een enkele keer aangekeken, bijna voortdurend was het geweest alsof hij naar een lege verte staarde, en hij haalde zijn schouders op alsof hij wilde zeggen: eigenlijk is het allemaal onzin en wie weet of wij die rugzak ooit zullen uitpakken en er iets uit zullen gebruiken, maar laten we het spel met de rugzak rustig meespelen. Inderdaad, als hij dat niet deed, dan ontnam hij zichzelf het laatste sprankje hoop en dan kon hij die sterke slaaptabletten maar beter nu ineens innemen.

We zwegen, en toen zei ik in mijn verlegenheid dat ik het verstandig van hem vond zich voor te bereiden en te pakken, want halsoverkop kun je een rugzak nooit goed inpakken.

'Is hij niet te zwaar?' zei ik en ik tilde hem op.

Hij lachte. 'Ik heb wekenlang nagedacht over wat ik het best kon meenemen en stapje voor stapje heb ik de spullen meegenomen naar boven om moeder niets te laten merken.'

'U bent er dus al wekenlang mee bezig?'

Hij knikte.

'En u gelooft niet dat zij het gemerkt heeft?'

'Nee, ik geloof van niet.'

'Misschien zou het haar geruststellen als zij wist dat u alles hebt voorbereid voor het geval dat...'

Nu speelden wij weer hetzelfde spel als in het begin, dat alles alleen maar gedaan werd voor het geval dat, voor als het nodig zou zijn. Maar het zou niet nodig zijn, en als het toch nodig zou blijken, dan zou je toch niets hebben aan alle voorbereidingen, want dan zou het heel anders gaan.

'Het is beter zo,' zei hij en liep voor mij uit de trap af.

Een paar dagen later vroeg moeder mij: 'Ben je boven geweest, op zolder?'

'Ja,' antwoordde ik aarzelend.

Ze zei verder geen woord, maar legde een hand tegen haar hals.

'Eerst ben ik geschrokken,' zei ze. 'Hij doet het allemaal zo geheimzinnig en hij praat er helemaal niet over. Ik weet dat hij me wil sparen,' voegde ze eraan toe, toen ze merkte dat ik haar de zaak wilde uitleggen.

'Ik kan toch ook nog een rugzak dragen,' ging zij verder. 'Zo zwak ben ik niet. Geen grote, maar een kleine, zoals kinderen dragen. Ik zou zo graag een paar dingen meenemen die een mens van pas kunnen komen.'

'Wat?'

'Zakdoeken,' zei ze. 'Ik ben bang dat hij te weinig zakdoeken heeft ingepakt. Zeep en zakdoeken, een mens moet zich toch kunnen wassen. Een man vindt het niet zo erg om er vuil bij te lopen.'

'Ik geloof dat hij alles heeft ingepakt,' antwoordde ik.

'Maar ik zou het toch liever zelf meenemen,' zei zij klaaglijk. 'En zalf voor winterhanden. De laatste jaren heeft hij altijd winterhanden, zijn bloedcirculatie is niet meer zo goed, hij is niet meer een van de allerjongsten. En hij heeft de dekens vergeten. Ik zou graag mijn dekens willen meenemen, die kan ik best dragen.'

'Bent u de wollen dekens niet vergeten?' vroeg ik hem later. 'Vergeten,' zei hij glimlachend. 'Dacht je nu heus dat ik de wollen dekens zou vergeten? Eén greep en ik heb ze, opgerold en wel, buiten op de rugzak. Ik heb nieuwe riemen gekocht.'

'En als u ze er nu alvast eens op vastmaakte?'

'Dan merkt zij het, en voorlopig hebben we ze hier nog veel te hard nodig.'

'Misschien zou u toch meer met haar moeten bespreken, vader,' zei ik weifelend. 'Ze vermoedt of weet misschien meer dan u denkt.'

'Misschien,' zei hij. Hij draaide zich om en schopte met de neus van zijn schoen tegen de gepakte rugzak alsof het een voetbal was.

'Jouw koffer heb ik ook gepakt,' zei hij.

Ik schrok. 'Mijn koffer,' zei ik. 'Zou u niet liever...'

'Over een paar dagen zullen wij hem wegsturen,' ging hij door alsof ik niets gezegd had, 'naar A. Daar kun je hem dan op doorreis ophalen.'

'Het is goed,' zei ik.

Het was niet goed. Ik had ze niet moeten laten gaan, maar ik kon niet verhinderen dat ze gingen, dat ze voorbereidingen troffen. Het was goed dat ze zich voorbereidden, maar het was niet goed dat ik ze liet gaan. Dit is een dilemma waar ik niet uit kom. Wat had ik moeten doen? Ik had hem moeten doodslaan, heel gewoon doodslaan. Maar ook dat kon ik niet. Ik haat hem. Mijn haat bestaat geheel uit het vurige verlangen hem dood te kunnen slaan. Tegelijk haat ik hem omdat ik hem niet heb kunnen doodslaan. Dat verlangen verteert me met zijn vuur en tegelijk laat het mij mijn onmacht zien, het is de echo van mijn nederlaag. Zo zwak ben ik, zo machteloos. Ik haat mezelf, mijn onmacht doet me rillen. Ik ben bang voor hem, ik voel de angst, zijn naam is al voldoende om mij te laten rillen. Ik heb niet geweten dat het de angst was die me blind maakte en verlamde. En toch...

Mijn God, in het stervensuur van hem die u als vijand tegenover mij hebt geplaatst, vraag ik u uit een ootmoedig hart: waarom hebt u rugzakken geschapen waarmee u oude mensen op reis laat gaan door uw mooie wereld naar hun afschuwelijke einde? Waarom hebt u hen laten gaan en waarom hebt u toegelaten dat wij hen lieten gaan? U hebt mij een tegenstander geschapen, en ik begrijp zijn noodlot intenser sinds hij het mijne werd, beter dan ik ooit had kunnen vermoeden, maar waarom? Moet ik hem doden om niet door hem te worden gedood? Maar ik weet immers niet of hij niet toch een gesel in uw hand is. Waarom? Ach, met de haat en met de wraak en ach, ook met de liefde is hier niets te beginnen. Merkt u dan niet dat u uzelf hebt gemaakt tot tegenstander van al degenen die u hun rugzak hebt laten pakken, en van allen die twijfelen? Merkt u niet dat wij niets anders meer kunnen doen dan ook u dood te slaan, heel gewoon dood te slaan zoals die ander, de tegenstander, om niet door hem te worden doodgeslagen, merkt u dat dan niet?

13

Op een dag belde Wolf me op.

De dingen waren gelopen zoals ik had gevreesd en toch had proberen te ontkennen. De eerste kleine plagerijen waaruit als vanzelf de grotere ontstonden, hier en daar botsingen, de eerste verboden en verordeningen tegen ons gericht. Nog bleef de hoop, een waanzinnige hoop, dat hij de laatste beslissende stap niet zou durven zetten.

'Hallo,' zei hij, 'jij bent toch fotograaf?'

'Nee,' antwoordde ik.

'Heb je me dat niet zelf verteld?'

'Mijn vader is het,' zei ik.

'O,' antwoordde hij en zweeg. Na enkele ogenblikken ging hij verder: 'Maar je weet er toch zeker wel wat van?'

'Een beetje wel, ja.'

'Heb je een toestel?'

'Ja.'

'Wil je me een plezier doen?'

Wat heeft zijn verzoek nu te maken met het feit dat mijn vader fotograaf is? dacht ik. Hoe zou ik hem kunnen helpen?

'Kom morgen met je toestel bij me, ik zal je alles wel uitleggen.

Ik verwacht je om drie uur,' en hij gaf me een adres dat ik niet kende.

De volgende dag ging ik naar het opgegeven adres, een pand met een aantal huurwoningen midden in de stad.

'Heb je je toestel bij je?' vroeg hij me onmiddellijk na de begroeting.

'Hier,' zei ik, op mijn zak kloppend.

'Laat het daar zitten,' zei hij. 'Het is beter dat niemand ziet dat je een fototoestel bij je hebt.'

'Waarom?' vroeg ik verbaasd.

'Je moet een paar plaatjes voor ons maken,' zei hij.

'Wat voor plaatjes?'

'Dat zul je wel zien.'

'Maar ik zou toch graag weten,' zei ik, 'wat voor soort opnamen het zijn.'

'Het is beter dat je dat nog niet weet,' antwoordde hij.

Hij was opgewonden, hij had koortskleurtjes op zijn wangen en telkens trok hij met zijn gezicht. Hij had een van zijn felgekleurde hemden aan, dat, net als zijn pak, een en al kreukel was, alsof hij dagenlang niet uit de kleren was geweest. Ik voelde me onzeker. Een of ander geheimzinnig zaakje, dacht ik, vermoedelijk niets goeds. Waarom doet hij zo geheimzinnig?

'Ik wilde alleen maar weten waar het om gaat,' zei ik. 'Misschien kan ik het helemaal niet, ik ben geen fotograaf.'

'Groepsfoto,' zei hij kortaf.

'Dat is moeilijk,' zei ik. 'Een behoorlijke groepsfoto is een verduveld lastig karwei.'

We namen de bus en reden naar de rand van de stad, naar zijn huis. Daar stapten we uit, liepen door de straat en door de voortuin.

'Nee, niet hier,' zei hij, toen ik naar de voordeur liep; hij wees naar een houten schuur achter op het terrein van de buren. Die stond al een hele tijd leeg, vroeger was er een meubelmakerijtje in geweest. Het had een groot overdekt terras en van de omliggende huizen uit kon je het bijna niet zien. Toen we dichterbij kwamen, hoorde ik stemmen, gelach en voetstappen. Er waren kennelijk al mensen aanwezig.

'Verwachten ze ons?' vroeg ik.

Wolf knikte. 'Kom maar mee.' We staken het grasveld over, sloegen de hoek om en zagen toen meteen het terras, waarop vroeger planken en half afgemaakte producten van de meubelmakerij hadden gelegen. Het was er een vrolijk gedoe, hoewel er zo te zien ook allerlei gewonden lagen. Het geheel leek wel een eerstehulppost waar zojuist de slachtoffers van een ongeluk waren binnengebracht. Er waren een stuk of acht mensen, zes van hen waren verbonden. Vooraan op het terras, naast de houten paal die het dak steunde, zat iemand met een dik verband om zijn hoofd, dat doorliep tot onder zijn kin, zodat het was alsof hij een witte baard had. Hij rookte een sigaret en scheen tegelijk diep in gesprek verwikkeld met iemand wiens rechterarm in het verband zat. Een beetje meer naar achteren lag iemand op een brancard, twee anderen legden een dik verband om zijn borst en buik. Op de achtergrond zaten twee gewonden op een bank; ze vertelden elkaar, de benen ver naar voren gestrekt, grapjes waarover ze zo nu en dan hartelijk moesten lachen. Ook de man op de brancard lachte mee, waarbij zijn verbonden buik vrolijk op en neer ging.

'Buik strak houden,' riep de ander, die het verband aanlegde, en sloeg met de vlakke hand op het gaas.

'Au,' riep de gewonde.

'Ach joh, je kan d'r niks van voelen,' antwoordde de ander. 'D'r zit al tien meter verband om je buik.'

Een van de twee die op de achtergrond zaten, had zo'n dik verband om zijn voet dat het een reusachtige witte aardappel leek. De ander had verbonden schouders. Toen we dichterbij kwamen, hoorde ik het gesprek van het tweetal op de voorgrond.

'Geef me een sigaret,' zei de een en hij nam zijn arm uit de draagdoek.

'Daar komt Wolf,' zei de ander, terwijl hij zijn sigaretten tevoorschijn haalde.

De eerste strekte en boog zijn arm en zwaaide ermee door de lucht.

'Zeg,' zei hij tegen ons, 'als ik mijn arm lang in dit verband houd, wordt hij nog echt stijf.' Hij lachte. Toen pakte hij met zijn rechterhand een sigaret, stak een lucifer aan en begon te roken.

'Zo,' zei hij en stak zijn arm weer in het verband. Hij gebruikte verder alleen zijn linkerhand.

Op de achtergrond stond de jongen met het grote voetverband op en hinkte op zijn ene been naar ons toe.

'Hallo, Wolf,' zei hij. Hij zette zich met zijn gezonde been stevig af en sprong met korte snelle sprongen door de lucht, bij de laatste sprong draaide hij zich een halve slag om en hij kwam op zijn verbonden voet terecht. Hij viel om, stond op en strompelde terug naar zijn plaats.

'Mijn voet,' jammerde hij en danste voor ons heen en weer. Twee andere helpers gingen naar hem toe, hij legde zijn armen om hun schouders zodat hij tussen hen in hing, op slechts één been. De helpers voelden de last en spanden hun spieren om hem te kunnen dragen. Het had echt kunnen zijn.

'Hou het zo,' zei Wolf, 'we kunnen meteen beginnen.'

'Moet ik dit fotograferen?' vroeg ik onthutst. Ik trok mijn toestel uit mijn zak. Wolf keek de kring rond, zijn gezicht stond ernstig.

'Schiet een beetje op, alsjeblieft,' zei hij.

'Vriendelijk kijken,' zei de man met het kapotte been.

'Niet bewegen,' zei een van de helpers.

Ik stelde in. Dus dit zijn die plaatjes, zei ik in mezelf, daarom heeft hij me meegenomen, en alleen omdat vader fotograaf was. Hij had geen betere kunnen vinden. Vader zou er iets bijzonders van hebben gemaakt, iets wat ze in hun zitkamer hadden kunnen ophangen. Wat ik maak, is maar een heel gewone foto.

'Staan blijven,' zei ik.

Ik had het allang begrepen. Het geheel was een komedie, een komedie in mineur. Morgen zou het echt zijn, en een tragedie. Ik zal de foto's maken, dacht ik bij mezelf. En de mensen die tot nog toe niet geloofd hebben wat ze ons aandoen, hun ogen zullen dankzij deze foto's opengaan.

Als kind heb ik postzegels vervalst en iedereen kon zien dat ze vals waren, alleen Fabian zag het niet, maar ze waren toch vals.

Ook deze foto's zijn vals, maar of ze vals zijn of niet en of je het kunt zien of niet, in de grond van de zaak zijn ze wél echt, ook al zijn ze geënsceneerd, het was een goed idee van Wolf. Want als iemand de echte slachtoffers wil fotograferen, lukt het niet, juist omdat ze te echt zijn. Maar of het goed is wat ik doe? Ik klikte.

De eenbenige haalde zijn armen van de schouders van de anderen en begon weer rond te hinken.

'Hou eens op,' zei een van de helpers.

'Ik vind het zo leuk,' antwoordde hij en hinkte verder.

'Het is niet meer nodig,' zei de helper. 'Je moet geen grapjes maken over dit soort dingen.'

'Zeg, ben je...' zei de eenbenige en wees op zijn voorhoofd.

'Nu jullie,' zei Wolf en hij wenkte het tweetal dat op de voorgrond zat.

Ze kwamen naar ons toe. Ik fotografeerde ze.

Een van de twee helpers kwam aanlopen en gaf Wolf een fles. 'Dat zijn jullie vergeten,' zei hij.

'Wat is dat?' zei Wolf.

'Wil je soms proeven?' vroeg de helper, die de fles ontkurkte.

Hij goot een scheutje rode vloeistof in Wolfs hand, Wolf slurpte het voorzichtig op. 'Bramensap,' zei hij voldaan. 'Hm, lekker.' De helper nam de fles, tilde hem hoog op en sprenkelde de inhoud over het hoofdverband, zodat het leek of het bloed erdoorheen kwam. Ik maakte nog een plaatje met het besprenkelde verband.

'Ik ook,' zei de eenbenige en stak zijn klompvoet naar voren.

'Wij gaan verder,' riep Wolf.

De dragers met de brancard kwamen met plechtige schreden op ons af. De jongen lag er roerloos op. Zijn gezicht was ernstig en bleek en ik zag dat hij leed. Ik wist waarom hij er zo ernstig uitzag en waarom hij leed. Even tevoren had hij nog zo gelachen dat zijn zwaar verbonden buik ervan schudde. Een van de helpers had hem een klap op zijn buik gegeven, maar door het dikke verband had hij er niets van gevoeld. Nu lag hij er ernstig en bleek bij en verbeeldde hij zich dat hij een buikschot had en hij dacht aan de dood. Vandaag speel ik dat ik een buikschot heb en word ik gefotografeerd, moet hij gedacht hebben. Morgen lig ik misschien echt met een buikschot en dan zal ik me herinneren dat ik gisteren gefotografeerd ben toen ik het speelde. Misschien is het verkeerd dat ik het speel, maar morgen zal het niet meer verkeerd zijn.

'Zullen wij hem dragen?' vroeg een van de helpers. Hij greep de handvatten steviger beet, waardoor de riem van zijn schouders gleed.

'Wij kunnen hem ook op de grond zetten,' zei de ander.

'Dan ligt hij te laag,' zei Wolf, 'of dacht je van niet?'

'Ik kan hem ook van bovenaf nemen,' zei ik, 'maar ik weet niet of het dan een goede foto wordt.'

'Waarom niet?' vroeg Wolf.

'Hij ligt te plat.'

'Het wordt een mooie plaat,' zei een van de helpers. Ik keek hem aan. 'Ik voel dat het de mooiste plaat wordt,' zei hij.

'Zo, voel je dat?'

'Het is net echt,' zei de ander.

'En wordt het daarom een goede plaat?'

'Ja, daarom wordt het een goede plaat.'

'Draag hem,' zei Wolf. Hij keerde zich om naar mij. 'En jij fotografeert hem terwijl zij hem dragen. Het is voldoende als ze kunnen zien dat twee mannen een derde wegdragen op een brancard.'

De man op de brancard vouwde zijn armen onder zijn hoofd en keek mij van opzij aan. 'Zo goed?' zei hij.

'Ja.'
'Zien ze mijn gezicht?'
'Dat weet ik niet,' antwoordde ik. 'Dat hangt van de afdruk af. Maar als je wilt...'
'Ik wil liever niet dat ze mijn gezicht zien.'
De anderen kwamen er ook bij en stelden zich om de brancard op. De eenbenige had zijn verband verwijderd en stond gezond en opgewekt aan het voeteneinde van de brancard. Hij keek naar de man die erop lag. De ander had zijn draagdoek afgenomen en stond recht van lijf en leden naast Wolf. Zo nu en dan trok zijn arm even en dan bewoog hij hem vanuit de elleboog, hij boog en strekte hem afwisselend, zoals een kind telkens probeert of het speelgoed dat het net heeft gekregen het nog doet. Alleen de jongen met het roodgevlekte hoofdverband liep nog rond. Hij voelde zich klaarblijkelijk heel gelukkig in zijn vermomming. Alle anderen stonden heel ernstig om de brancard. Even eerder hadden ze met veel plezier een drama opgevoerd, en nu lag er een ernstige, bezorgde uitdrukking op hun gezicht, ook al waren ze weer gewoon gezond. De droevige vermomming had hun lachlust geprikkeld, terwijl ze er zonder masker ernstig en bezorgd uitzagen.
'Ben je bang dat ze je gezicht zullen herkennen?' vroeg de eenbenige.
'Nee,' antwoordde de man op de brancard.
'Dan ben je misschien bijgelovig,' zei een van de dragers.
Hij schudde zijn hoofd en zei rustig: 'Nee, ik ben ook niet bijgelovig, maar ik wil mezelf liever niet gefotografeerd zien op een brancard met een buikschot dat ik niet heb.'
Allen zwegen en keken hem aan of zij staarden naar de grond. Zelfs Wolf vond zijn opmerking blijkbaar niet prettig. Na een poosje zei hij: 'Ik kan me best voorstellen waarom je jezelf niet wilt zien.' Toen zweeg hij weer.
'Kom nou,' zei de man met het hoofdverband. 'Niet zo zwartgallig, het is toch alleen maar een filmopname met allerlei hocus pocus.'

'Toch,' zei de eenarmige, 'toch is dit iets heel anders dan een filmopname.'

'Moeten we hem dragen?' vroeg een van de dragers.

'Ja, het is wat anders dan een filmopname,' zei de man op de brancard.

'Kan niemand ons hier zien?' vroeg de eenarmige plotseling.

'Nee,' zei Wolf rustig. 'Hier ziet niemand ons. Maar we moeten opschieten.'

'Ik vind het helemaal niet erg dat we ons zo laten fotograferen,' ging de ander verder, en hij richtte zijn bovenlichaam op zodat het verband om zijn buik verschoof.

'Je moet blijven liggen,' zei een van de dragers.

Hij ging ijlings weer liggen.

'Ik vind het alleen maar erg dat het al zó ver is gekomen,' ging hij verder, 'met iedereen, en met ons, dat we ons hier zo moeten laten fotograferen.'

'Hou op,' zei de jongen met de roodgevlekte tulband. Van zijn gezicht waren alleen de ogen, de neus en de mond te zien. Op zijn neusrug parelde het zweet, zijn ogen brandden alsof hij koorts had. Misschien had hij het te warm onder het verband.

Iedereen zweeg, en ik had het liefst mijn camera in mijn zak gestopt en was naar huis gegaan.

'Kom,' zei de jongen op de brancard, 'geen geklets verder. Het kan me niet schelen of ze mijn gezicht kunnen herkennen of niet. Schiet op!'

'Wil je de foto nemen?' vroeg Wolf.

Ik haalde mijn schouders op en zei dat het me niet kon schelen.

'Weg jullie, jongens,' zei een van de dragers. De anderen liepen langzaam weg van de brancard en kwamen achter mij staan. Terwijl de dragers de brancard steviger vastpakten en de jongen zijn handen onder zijn hoofd wegnam en zijn armen naast zijn lichaam legde, stonden de anderen te kijken alsof zij getuigen waren van een executie. Maar eerst zetten de dragers de brancard nog een keer neer, trokken ze de schouderriemen recht en toen namen ze de brancard weer op.

'Ben je zover?' vroeg Wolf.'

'Ja.'

Ik deed nog een stap naar achteren, hield de camera voor mijn linkeroog en drukte af. De jongen lag stil; met gesloten ogen en gestrekte armen liet hij de opname over zich heen komen. Om zijn mond lag een pijnlijke trek, hij had een oud, door leed gegroefd gezicht. Zijn verbonden lichaam ging tijdens het ademhalen op en neer. Ik wist dat het allemaal maar komedie was, nee, het was geen komedie, het was ernst, maar je kon vergeten dat het ernst was en toch overviel me een grote treurigheid.

'Zo,' zeiden de dragers en zetten de brancard neer. De jongen stond op en begon onmiddellijk het verband keurig netjes op te rollen. Hij wikkelde het rustig met grote cirkelbewegingen af, achter zijn rug nam hij het in de andere hand, rolde het af met een energieke draai van zijn lichaam en maakte er, met zijn handen naar voren gestrekt, een bal van. Iedereen keek hoe hij het deed.

'Wanneer heb je de foto's ontwikkeld?' vroeg Wolf.

'Ik heb nog drie plaatjes op mijn film,' zei ik.

'Dan kun je ons allemaal nog een keer nemen,' zei Wolf.

Hij riep ze bij elkaar. Ze hadden zich intussen allemaal verkleed en vormden een halve cirkel, de armen om elkaar heen. Met de armen over de schouders of onder de oksels van hun buurman stonden ze vlak tegen elkaar aan. Zo fotografeerde ik ze. Bij de laatste foto nam de jongen van de brancard de camera van me over, ik ging op zijn plaats staan. Naast me stond Wolf en aan de andere kant de eenarmige. Ik legde mijn armen om hen heen.

Iedereen vertrok naar huis. Twee dagen later gaf ik Wolf de negatieven en de afdrukken.

'Dankjewel,' zei hij. Hij bekeek de foto's zwijgend.

'Was het jouw idee, Wolf?' vroeg ik.

'Ja.' Hij lachte hulpeloos en ik had spijt van mijn vraag. Ik vrees het ergste, had hij eens tegen me gezegd. En toen het erger werd, kwam hij op het idee van de foto's. Kennelijk herinnerde hij zich ons gesprek en kon hij niet anders doen dan hulpeloos lachen.

'Geloof je werkelijk dat je er nog iets mee kunt bereiken?' vroeg ik.

Hij aarzelde met zijn antwoord, en ik kon zien dat hij zelf twijfelde. 'Misschien,' antwoordde hij. 'In elk geval is het een poging om algemene bekendheid te geven aan dingen die gebeuren.'

Hij wilde de foto's naar kranten sturen die ons goed gezind waren, en op die manier proberen de aandacht te vestigen op wat er gebeurde, zolang dit nog mogelijk was.

'Geloof je er werkelijk in?' vroeg ik nog eens. Hij zweeg.

Wat betekenen foto's? dacht ik, of ze nu echt of vals zijn. Om de mensen te doen geloven, zijn heel andere dingen nodig dan foto's.

14

Hoelang nog, hoelang nog?

Van tijd tot tijd krijg ik bezoek van een goede kennis. Al uit de verte kun je zien dat hij vol hoop is. Met grote passen komt hij op me af en strekt hij zijn handen uit. Er spreekt vreugde uit zijn gezicht, uit zijn hele houding.

'Goed nieuws,' roept hij, 'goed nieuws!'

Hij heeft haast, hij wil niet eens zijn jas uittrekken. Hij moet verder, naar de volgende, om ook die te laten delen in het goede nieuws. 'Het duurt niet lang meer,' roept hij opgewonden. 'Geloof me, laat de moed niet zakken. Hij is verslagen, wie had dat ooit gedacht! Nou krijgt-ie op zijn huid. Nog een paar weken, wie zal het zeggen. Maar niet lang meer, dat staat vast, en dan gaan wij feestvieren.'

Hij staat voor me en hijgt ervan. Het vele rondhollen vermoeit hem en de vreugde over het goede nieuws heeft hem helemaal te pakken. Al maandenlang loopt hij van huis tot huis, al bijna twee jaar, en telkens verkondigt hij zijn vertrouwen op een spoedig einde. Ook hij wacht op zijn dood. Maar het is een ander wachten. Hem houdt het staande en hem helpt het over elke tegenslag heen. Eens zal zijn vertrouwen beloond worden. En dan zal hij feestvieren.

Maar ook dit feestvieren zal anders zijn. Hij kijkt me aan en gaat na welke invloed zijn mededeling op me heeft. Wij kennen elkaar al lang, sinds ik in deze stad ben ondergedoken. Hij kent mijn geschiedenis en ik ken de zijne.

'Je gelooft me niet,' zegt hij ten slotte en zwijgt bedrukt. Hij is teleurgesteld dat zijn enthousiasme geen echo vindt. En aangezien ik geen antwoord geef, begint hij opnieuw.

'Jij behoort dus ook tot de pessimisten,' zegt hij triest. 'Misschien geloof jij ook dat hij onoverwinnelijk of zelfs onsterfelijk is.'

'Dat geloof ik niet,' antwoord ik kortaf.

'Ben je er dan niet net als ik van overtuigd dat zijn eind nabij is?'

'Daarvan ben ik overtuigd,' zei ik.

Hij kijkt me peinzend aan. Maar mijn antwoord bevalt hem, hij voelt zich opgelucht.

'Wees dan toch blij,' zegt hij, zijn twee handen op mijn schouders. 'Wees dan toch blij. Of ben je soms bijgelovig?'

Hij onderbreekt zichzelf vol schrik, er is hem iets te binnen geschoten. Even zwijgt hij, dan gaat hij veel bedaarder verder: 'Er zijn heel wat mensen die het eenvoudig niet kunnen begrijpen dat het eind in zicht is, dat het is afgelopen met hem en met alles, met alles, zeg ik, zij durven zich eenvoudig niet vertrouwd te maken met deze gedachte. Zij zijn bang dat ze op die manier de gebeurtenissen zouden kunnen beïnvloeden en het eind zouden kunnen verschuiven en op die manier zichzelf zouden straffen. Omdat ze heimelijk al te vaak geloofd hebben dat het einde er was. Misschien ben jij ook zo iemand.'

Nee, zo ben ik niet.

'Je hebt te veel doorgemaakt,' zegt hij. 'Ik weet er alles van. Je kunt eenvoudig niet meer blij zijn, ook al wil je het. Ik vergat dat jij een van zijn eerste slachtoffers bent, op jullie heeft hij bij wijze van spreken geoefend voor de volgenden, voor ons, maar jij hoorde tot de eersten. In mijn enthousiasme was ik dat vergeten, sorry.'

'Laat toch,' zeg ik van mijn stuk gebracht. Ik kan geen woord uitbrengen.

Maar hij is nog niet uitgesproken. Zijn gedachten hebben hem nog stevig in zijn macht. Hij gaat verder: 'En jullie kunnen nu net het minste tegen hem doen. Jullie hebben de wereld een waarschuwend voorbeeld gegeven, dat was belangrijk, heel belangrijk, ik onderschat de betekenis daarvan beslist niet. Maar wat kunnen jullie persoonlijk tegen hem doen, in jullie omstandigheden?'

'Je hebt gelijk,' antwoord ik. Ik heb mezelf weer enigszins onder controle. 'Je hebt inderdaad gelijk. Ik heb niet veel gedaan. Ik heb bijvoorbeeld geen bommen geworpen.'

'Dat heb ik ook niet gedaan,' stelt hij me glimlachend op mijn gemak. 'Je zult er de kans niet voor hebben gekregen. Ik loop ook alleen maar rond om de mensen het nieuws te vertellen en hun moed in te spreken. Dat is mijn taak. Het is niet veel. Iedereen moet op zijn eigen plek doen wat hem is opgelegd. Jij hebt stellig ook je taak.'

Met die afgezaagde dooddoener probeert hij me te troosten. Misschien voelt hij het ook werkelijk zo.

'Ik zou willen dat ik meer had gedaan,' antwoord ik verbitterd.

'Dat zegt iedereen,' antwoordt hij en hij knikt me bemoedigend toe. 'Dat zegt iedereen, zeker. Maar nu is het gauw zover en ik verheug me op zijn dood. Het is misschien niet erg nobel, maar het is de waarheid. En dan gaan wij feestvieren,' zegt hij, en hij steekt zijn twee vingers in de hoogte ten teken dat het hem ernst is. 'En jij ook,' voegt hij eraan toe.

Dan vertrekt hij. Ik blijf achter.

Wat rest me nog om op te schrijven? Hij zal vallen, men zal feestvieren om zijn dood, en iedereen zal zeggen dat hij het van het begin af heeft geweten.

Het enige wat mij overblijft, is te vertellen hoe het ging toen ik hem vele jaren geleden een keer van aangezicht tot aangezicht zag.

Ik stond in een straat te midden van vele vreemde mensen, ik leunde tegen een muur en wachtte op hem. En toen hij eraan kwam, liep ik naar de rand van het trottoir om hem beter te kunnen zien en ik keek hem strak aan. Hij stond in zijn auto en reed langzaam door de straat. Hij reed zo langzaam dat je naast zijn wagen had kunnen meelopen.

Tweemaal heb ik hem gezien, van nabij. Wat een kans voor een man van de daad. Daar stond hij en hier stond ik. De tweede keer was in de opera. Voor de ouverture, de lichten in de zaal waren al uit en alles werd stil, de dirigent stond al voor het orkest en iedereen wachtte tot hij het teken zou geven. En toen kwam er beweging in de zaal. De mensen op het zijbalkon stonden op en keken naar de ereloge, langzaam volgden de zaal en de andere rangen. Ik zat beneden en stond ook op, zonder te weten waarom. Ik keek om en bleef roerloos staan, terwijl de anderen de groet brachten. Het orkest speelde het lied. Zijn lied. Voor mij was het plezier er al af. Toch bleef ik.

In de pauze ging ik naar de foyer boven, ik zag hem nonchalant leunen tegen de deur van zijn loge, omgeven door zijn trawanten en een opgewonden schare nieuwsgierige bewonderaars die van alle kanten opdrongen, en hij maakte met deze en gene een praatje. Hij lachte en was blijkbaar in een goede bui. Precies als alle anderen dronk hij koffie. De opera – het was *Tristan* – had hem ongetwijfeld in een goede stemming gebracht, hij stond er heel gezellig koffie te drinken, en in een grote halve cirkel om hem heen – op gepaste afstand – stonden de mensen, en ik stond achter de achterste rij, de gedachten tuimelden door mijn hoofd en ik keek hem strak aan. Hij was in rok, zijn haar glad geborsteld, zijn borstelige wenkbrauwen, de gezonde kleur van zijn wangen en trouwens heel zijn ontspannen houding, precies als destijds, toen...

Maar van de ontmoeting in de opera wil ik niet vertellen, wél over die eerste keer toen hij in zijn auto langs me reed. Ik ben die dag nooit vergeten, lang heb ik gehoopt dat ik hem vergeten kon.

Maar het is me niet gelukt, hoe ik me ook heb ingespannen hem uit mijn geheugen te bannen, hem als onbenullig en waardeloos te beschouwen. Aan die ontmoeting heb ik alles te danken. Het was in september, ik kwam uit de universiteit en slenterde op weg naar huis over de boulevard. Het was tegen een uur of twaalf, ik had net tentamen gedaan, een onderdeel van het afsluitend examen van mijn studie. Mijn gedachten waren er niet bij, in de kern van de zaak was dit tentamen één dwaasheid in de rij van dwaasheden waarmee ik me nu al wekenlang moest bezighouden, alsof het werkelijk belangrijk was. De gebeurtenissen hadden alles achterhaald, ook mijn studie. Wat in het begin nog zin had gehad, was nu zinloos en waardeloos geworden. Ik slenterde langs de boulevard. Mijn stemming paste precies bij die van het jaargetijde. Wat nog niet rijp was, zou met de eerste herfststormen op de grond vallen en vergaan in de goot. Niemand zou zich bukken om het te oogsten. Zo nu en dan brak de zon door en dan dacht je even dat het weer zomer was, dan brak een dom gevoel van vrolijkheid door en uit de cafés klonk muziek. Misschien was er toch nog iets van een belofte en was nog niet alles verloren.

Er waren heel wat mensen op de been, van alle kanten kwamen auto's en motoren en daar tussendoor reden ook rijtuigen. Tussen de beide rijbanen liep een allee met oude linden. Het was niets bijzonders dat het op dit uur van de dag hier zo druk was, de kantoren en scholen sloten om deze tijd, ik had hier vaak gelopen en het was altijd eender geweest. En toch had ik ditmaal de indruk dat er iets ongewoons op til was. De schijnbaar ongeordende drukte van de grote stad leek te zijn gericht op een bepaald doel. Ik sloeg een brede zijstraat in waar de mensen tot op de rand van de rijbaan stonden, ze werden energiek bewaakt door politieagenten met wapenstok. Je kon hier alleen voetje voor voetje vooruit, overal botste je tegen de mensen, ze vormden eilandjes in de grote stroom, golfbrekers, en ze waren niet van plan zich door de opkomende vloed te laten wegspoelen. De stroom stokte en vertakte zich in vele kleine stroompjes, tot hij tegen de muur van een huis of rondom een lantaarnpaal tot stilstand kwam.

Door die hinderlijke massa was mijn stemming omgeslagen en ik wilde al teruggaan en door een zijstraatje ontsnappen, toen ik uit een gesprek tussen twee vrouwen hoorde wat ik nu voor geweldigs zou missen als ik wegliep.

'Ik sta hier al vanaf elf uur te wachten,' zei de een. 'Maar ik ben nog helemaal niet moe.'

'Vanaf elf uur?' vroeg de ander. 'Dat zou ik niet kunnen, ik heb zo gauw dikke voeten.'

'Ik heb hem al twee keer gezien,' ging de eerste verder. 'Vandaag wordt de derde keer.'

'Ik heb hem nog nooit gezien,' antwoordde de tweede. 'Komt hij echt hierlangs?'

'Dacht je heus dat ik hier zou staan als ik dat niet zeker wist? De auto's zijn al voorgereden.'

'Ik zou hem dolgraag ook eens zien,' zei de een weer. 'Heeft er iets van in de krant gestaan?'

'Nee,' antwoordde de een. 'Maar het was vanmorgen op de radio.'

''s Ochtends vroeg luister ik nooit naar de radio, want dan is iedereen bij ons in de buurt aan het stofzuigen. Wanneer komt hij?'

'Om twee uur.'

'Zo lang kan ik niet wachten,' zei de ander bedroefd. 'Ik moet namelijk eerst... en dan moet ik nog naar mijn dochter in het ziekenhuis.'

'Om twee uur moet hij bij de S.-fabrieken zijn,' zei een oudere man naast hen. 'Om daar te komen, moet hij de hele stad door, dus dat duurt zo'n drie kwartier. Over een halfuur kunt u hem zien, dan is hij wel hier.'

'Over een halfuur?' herhaalde de vrouw opgelucht. 'Zolang kan ik wel blijven.'

Ik hoorde dit gesprek en wist vanaf het eerste woord over wie zij het hadden. Het wond me zo op dat ik bang was dat ze het aan mij konden zien en zouden ontdekken wie ik was. Mijn geheimste wens zou in vervulling gaan, ik sloot mijn ogen, nu zou mijn wens in vervulling gaan, hoewel ik er allang niet meer op had gerekend, en ik sloot de ogen omdat ik niet wilde zien hoe hij in vervulling ging. Als toeval bestaat, dan was dit hier een grimmig toeval: ik stond namelijk ongemerkt in de straat waar zijn paleis stond. Boven op het dak wapperde zijn standaard. Hij was president geworden en had zijn intrek genomen in het paleis waar de presidenten van ons land altijd woonden. Over een halfuur zou hij zijn paleis verlaten en in triomf naar de S.-fabrieken rijden. In triomf, dat sprak vanzelf. Overal langs de weg stonden mensen om hem toe te juichen en ik stond te midden van die jubel en kon ermee instemmen of zwijgen, dat deed er niet toe, hij zou alleen de jubel horen en niet mijn zwijgen.

Motoren met zijspan, bemand door agenten met vastberaden gezichten en de stormriem om de kin, reden door de straat en joegen de wachtenden van de rijbaan af terug de trottoirs op. De golf van mensen kwam pas tot stilstand tegen de huizen. Na een poosje drong alles weer naar voren en de motoren kwamen terug. Dit spelletje herhaalde zich vele malen, het hield de spanning erin en maakte die zelfs groter en groter, totdat alleen zijn verschijning de ontspanning teweeg kon brengen. Ik stond ingeklemd tussen de mensen en vocht met mezelf: weggaan of blijven? Wilde ik soms getuige zijn van de triomftocht van mijn vijand? Had hij mij zozeer in zijn macht dat hij zelfs dit laatste restje trots in me had gebroken?

Ik dacht weer aan de vele verhalen en anekdotes die men vertelde over de magische kracht van zijn ogen en zijn persoonlijkheid. Mijn nieuwsgierigheid was gewekt. Ik zag de mensen om me heen, helemaal opgewonden door het idee dat zij hem in levenden lijve zouden zien. Ook ik was opgewonden, maar heel anders. Eens had mijn moeder me teruggebracht naar de kinderen die mij hadden buitengesloten van hun spel. Nu stond ik hier en speelde mee in een spel dat van het begin af aan verloren was. Ga toch weg, sprak ik mezelf moed in, wat verwacht je hier, wat zoek je? Je eigen hoon? Is die nog niet groot genoeg? En als ze ontdekken wie je bent? Wil je dat dan aan de hele wereld bekendmaken? Waarom stond ik hier nog, waarom ging ik niet weg? Ik kon wel tegen mezelf zeggen dat ik hier bleef staan als neutrale waarnemer om studie te maken van hem en zijn vrienden, van hun onderlinge verhouding, maar ik kon mezelf niet langer wijsmaken dat de hele zaak me in wezen niet aanging en dat het alleen maar een sport was hier te blijven kijken. Al deze uitvluchten, die ik vroeger zo meesterlijk wist te gebruiken, waren me ontvallen.

Maar waarom ging ik dan niet?

Ineens drong het tot me door. Ik stond hier om eindelijk met eigen ogen te zien dat hij werkelijk bestond. Ondanks de foto's in de kranten, ondanks de journaals en ondanks de stem die ik had gehoord, had de legende rondom zijn verschijning mij het idee gegeven dat hij niet echt bestond. Van een mens die de fantasie en de gemoederen van de mensen zó gevangenhoudt, kan het werkelijke bestaan niet tippen aan de kracht van zijn legendarische bestaan. Alleen in de hemelsblauwe sferen van de verbeelding kan hij wonen, niet hier op aarde.

Al die tijd had hij alleen maar geleefd in mijn fantasie. Mijn angst, genegenheid en haat golden de persoon in mijn verbeelding. Wat er zich tussen ons afspeelde, gebeurde in de speeltuin waar de fantasie regeert, maar waar het daarom niet minder serieus toegaat. De afgelopen jaren had ik elke kans vermeden om me te overtuigen van zijn lijfelijk bestaan. Wilde ik dit nu veranderen? Dat zou het spel hebben bedorven en alleen de wrede werkelijkheid hebben overgelaten.

De wrede werkelijkheid die je niet hebt leren verdragen: wij zijn er niet op voorbereid, of die ons nu goed of kwaad brengt. Wij kleden haar in gewaden die wij weven naar onze eigen maten, wij behangen en ontsieren haar met onze kleuren en weten tegelijk dat het anders is. Wij willen haar niet ontmoeten, nogmaals: wij zijn er niet op voorbereid. Elk gevoel vreest zijn eigen demasqué.

Op deze ochtend was ik nietsvermoedend een straat in gewandeld en onverhoeds zag ik mezelf voor een beslissing geplaatst die ik vele jaren had vermeden. Ik zou mijn vijand van aangezicht tot aangezicht zien, en mijn eerste gedachte was: doorlopen, deze ontmoeting vermijden!

Langzaam reed een zwarte gesloten auto door de straat en iedereen rekte zich uit om te zien wie erin zat.

Besluiteloos bleef ik op mijn plaats staan en bekeek ik de gezichten van de mensen om me heen. Zij waren gekomen om hem toe te juichen en hem zijn triomf te schenken. Voor hen bestond hij werkelijk, zij koesterden niet de geringste twijfel aan zijn bestaan, dat kon je op al die gezichten zien. Ik bekeek hen en naarmate ik langer keek, ontdekte ik dat ook dit bedrog was. Het was spel en bedrog tegelijk, zoals dat ook bij mij het geval was. Alles wat op hun gezichten te lezen stond, hun trots en hun zelfoverschatting, hun overgave aan wat komen ging, het had allemaal niets te maken met de gebeurtenis waarvoor zij waren gekomen en waarop zij hier nu stonden te wachten. Wat komen ging, liep al voor hem uit, het maakte hem en het kleedde hem zoals zij het wensten. Zij waren de scheppers van wat komen ging, hun verwarde verlangen kleurde hun wangen en ze genoten bij voorbaat van de vervulling van hun eigen droom. Zij waren gekomen voor zichzelf, niet voor de ander. Zij wilden zich warmen aan een vuur dat ze in zichzelf hadden ontstoken. Ook zij speelden het spel der verbeelding en zij wisten niet dat het maar een spel was.

Zij hadden nog veel minder geleerd de wrede werkelijkheid te verdragen. Zij waren er nog veel minder op voorbereid die te aanvaarden. Het lijfelijk bestaan van de man wie hun toejuichingen golden en zijn bereidheid dit bedrieglijk spel mee te spelen, maakten dat zij niet beseften dat het bedrog was. Dit is de situatie van verleiden en verleid worden die geen verleider zich laat ontgaan.

Met elke minuut die ons dichter bracht bij het ogenblik van zijn uitrijden, werden de mensen onrustiger. Zij stonden lange tijd tegen elkaar aangedrukt en begonnen minder van elkaar te verdragen. Zelfs de agenten werden aangegrepen door deze onrust.

'Hé zeg, dring niet zo,' zei een van hen en duwde een jonge vrouw hardhandig naar achteren.

'Raak me niet aan,' schreeuwde zij terug. 'Ik zal tegen hem zeggen dat je me hebt geslagen.'

'Tegen wie wil je dat zeggen?' vroeg de agent gemoedelijk.

De vrouw zei: 'Tegen wie? Nou, tegen J. natuurlijk,' en zij noemde B. eenvoudig bij zijn voornaam.

'J.?' herhaalde de agent. 'Wat zeg je me nou, is hij soms je broer?'

De omstanders begonnen te lachen. 'Nee,' antwoordde zij uitdagend.

'Zo, ben je dan soms met hem getrouwd?'

Nu begon de vrouw ook te lachen.

'Nee, ik ben ook niet met hem getrouwd,' zei zij.

'Ik dacht dat-ie misschien je neef was, omdat je hem zomaar bij zijn voornaam noemt,' zei de agent, die een eind wilde maken aan het gesprek.

'Helaas is hij geen familie van me,' zei de vrouw bedaard. 'Dan zou ik hier niet hoeven staan tot ik een ons weeg.'

'Als je moe bent, ga dan daar zitten,' zei de man, wijzend op de vensterbanken van de oude hoge huizen. Jongens en meisjes waren tegen de gevels opgeklommen en zaten nu op de vensterbanken van de eerste verdieping, zij lieten hun benen bungelen. Weer anderen zaten als ruiters op de gietijzeren lantaarns die als armen uit de stenen muren kwamen en hielden zich vast aan hun voorman, die zijn kin liet rusten op de metalen spitse kap en zijn armen om de lantaarn heen had geslagen.

Ik was, om me als het ware gedekt te houden, achteraan op het trottoir blijven staan tegen de muur van een huis. Ik had gehoord hoe die ene vrouw hem bij zijn voornaam noemde en wat de agent had geantwoord. De vertrouwelijke toon in hun woorden had – hoewel zij ruzie maakten – mijn gevoel versterkt dat ik er niet bij hoorde en buitengesloten was. Ik treurde en alles van vroeger schoot me weer te binnen.

Ik treurde over de straat, over de huizen, over de mensen die stonden te wachten. En ik wist dat ik hier stond en treurde en dat ik mijn vijand zou zien, die door de anderen vertrouwelijk bij de voornaam werd genoemd en dat zij vrolijk waren en ik niet. Toegegeven, het was dan wel een waan die hen vrolijk maakte en die maakte dat zij hem bij zijn voornaam noemden, het was dan wel bedrog en illusie, maar zij stonden hier toch maar en verheugden zich erop dat zij hem zouden zien en toejuichen, ook al was het dan allemaal spel en bedrog. Mijn waan viel in duigen en ik voelde hoe vanachter het gevallen masker een ander gezicht verscheen. De eerste bezorgd dreigende woorden van mijn vader, de hatelijkheden van de kinderen, de wandeling met mijn vriend en later de jaren toen ik in het geheim met hem worstelde, mijn wankelmoedigheid, alles, alles zag ik in mijn treurende stemming opnieuw voor me en tegelijk had ik het gevoel het te verliezen. De angst die hij mij had bezorgd en de wanhoop waarin hij me had gestort, alles hoorde bij mij, destijds al, toen ik aan moeders hand over de markt liep en zij mij terugbracht naar de kinderen die mij hadden buitengesloten. En later al die ontreddering, al die dwaalwegen waarop hij mij verscheen als een demon, toen ik mijn leven helaas – helaas! – verbond aan het zijne, ook dat hoorde bij mij en ik zat gevangen in al deze ontreddering, deze doolhof. En nog later, toen ik, geheel gevangen in mijn waan, gewend was geraakt aan zulke ontmoetingen en ervan had leren houden, en zelfs de man die als een dreiging voor mij oprees zo transformeerde dat het leek of hij iemand was die het heil bracht. En nu: het weten en de treurnis dat niets meer hielp. Straks zou hij uit zijn paleis komen en door de straat rijden en ik zou tegen de muur leunen en alles, alles ging ten onder en het was onafwendbaar. Heel even het gevoel van spijt dat het zover was gekomen.

Ik hoefde hem niet meer te zien om ervan overtuigd te worden dat hij in werkelijkheid leefde. Ik had rustig weg kunnen gaan. Tegelijk voelde ik de vormloze hebzucht van mijn omgeving, waarvan hij gebruikmaakte en die hem tot daden verleidde in een rampzalig spel en tegenspel.

Drie hoge politiefunctionarissen kwamen langzaam op hun motoren door de straat, zij gaven korte bevelen aan de agenten. Er werden commando's geroepen en in de verte werden motoren gestart, een lange sirene. Plotseling was alles in beweging en toen de eerste auto door de poort reed, drongen de mensen op van het trottoir naar de rijweg. De agenten gaven elkaar de hand en zetten zich schrap tegen de opdringende menigte. Kinderen glipten onder hun armen door en begonnen te dansen en te springen midden op de rijbaan. Enkele agenten sprongen uit de rij om de kinderen op te vangen. Hierdoor werd het cordon verbroken en de mensen drongen door de opening en zwermden uit over de rijbaan.

Ook ik had de muur losgelaten en was dichterbij gekomen. Ik stond in de achterste rij. Er streek iets koels langs me heen. Ik keek op mijn horloge, het was halftwee. Ik stond klaar.

Eerst kwamen er twee auto's vol met zwaarbewapende soldaten, zij reden vlak langs de trottoirs, de mensen weken langzaam achteruit. Ik werd weer tegen de muur gedrukt en daar bleef ik staan, ook toen de anderen weer naar voren drongen.

Hij zat in de derde auto, zoals gewoonlijk naast de chauffeur. Hij had een lichte regenjas aan en was blootshoofds. Hij zag er gezond uit met rode wangen, alsof hij net uit bad kwam, een wolk van gezondheid. Hij kwam overeind en stond nu in de auto, achter hem vijf zwaarbewapende mannen die met argwanende blikken de menigte inkeken. Hij stond rechtop, zijn handen hield hij krampachtig voor zijn buik, zo nu en dan stak hij de rechterarm even op voor een abrupte groet. Hij was in een goede stemming en keek lachend over de menigte heen waarvan hij de aanwezigheid slechts voelde en die hij misschien als één golf van geluid hoorde. Zijn groet en zijn blik waren bedoeld voor iets wat tussen hemel en aarde zweefde, niet voor deze mensen hier. Zijn ogen waren groot en glanzend, zoals bij toneelspelers die ze indruppelen om ook tot aan de achterste rijen nog hun uitwerking te kunnen hebben. Hij was een vriendelijke meneer zoals hij daar stond en door iedereen kon worden gezien, terwijl hij zelf niemand zag en alleen maar minzaam achter de voorruit van de auto stond en voelde dat iedereen was gekomen om hem te zien. Zo nu en dan lachte hij even strak, alsof hij verrast was, alsof hij dit geruis in zijn oren niet had verwacht. Er was zo helemaal niets bijzonders aan hem, hij had op de hoek van een straat in deze auto kunnen stappen, een mens als u en ik, om een potje bier mee te drinken en samen een kaartje te leggen.

Waarom zou men hem niet mogen? Juist dit maakte hem zo aantrekkelijk en men juichte hem toe, iedereen op zijn manier, en hij scheen er echt van te genieten. Om mij heen was er niemand die hem niet toejuichte. Alleen ik stond er zwijgend bij en zag hem naderbij komen.

In mij welde een grote opwinding op. Ik begon te beven. Waarom ben ik zo opgewonden? vroeg ik mezelf af, en ik probeerde mijn zelfbeheersing terug te vinden, maar mijn opwinding werd alleen maar groter. Daar is hij, schoot het door me heen, kijk hem goed aan, dat is hem heus, ja, hij is het werkelijk. Ik herkende hem van de talloze foto's. Maar het was toch een ander die daar rechtop in zijn auto langzaam dichterbij kwam. Drong het wel echt tot me door? Ik kende hem alleen van afbeeldingen, ik had alleen zijn stem gehoord. Was hij dit werkelijk? Ik was bang dat hij daar in de verte langs zou rijden en dat mijn ogen niet scherp genoeg zouden zijn om hem te zien en nog eens te zien en te weten dat ik het was die hem eindelijk, eindelijk zag. Langzaam maakte ik me los van de muur en deed ik enkele stappen over het verlaten trottoir. Daar stond hij en hier stond ik.

De kinderen, die nog steeds met hun als het ware behekste moeders voor zijn stapvoets rijdende auto uit dansten, konden hem blijkbaar meer boeien. Zijn houding veranderde. Hij boog zich wat naar voren en riep – weer hoorde ik zijn stem – half naar de chauffeur en half naar de omstanders gekeerd als wilde hij hen waarschuwen: 'Voorzichtig, voorzichtig toch, denk om de kinderen!' Zijn handen gingen nerveus heen en weer.

Nu pas valt het volle licht op de betekenis van die uitroep, die toen zo simpel en zo vol bezorgdheid leek, nu pas valt het volle licht erop, nu hij diezelfde kinderen onbarmhartig offert in zijn strijd, de kinderen die destijds niet mochten worden overreden.

Zijn blik zwenkte daarbij over de route, ik zag de dwaallichtjes in zijn ogen en hoopte dat hij nog iets meer opzij zou kijken, naar waar ik stond, waar ik als in een droom zijn ware gedaante zag. Ik hoopte, precies zoals het hem aanstarende volk dat alles deed om zijn aandacht op henzelf te vestigen, ook ik hoopte dat hij míj zou aankijken. Slechts één ogenblik zou zijn oog vast in het mijne moeten rusten. Misschien zou ik dan kunnen doordringen tot de kern van de verschijning die zich nu alweer aan mij onttrok op het moment dat ik hem zag. Hij was niet degene die ik jarenlang had bedoeld. Of was hij het toch, en was er in mij een ander die hem niet kon herkennen in levenden lijve? Het beeld van een heel gewone man in de beste jaren van zijn leven bracht me in de war.

Destijds had ik zijn stem gehoord en meende ik een geheim te hebben ontraadseld. Maar het was een andere stem geweest en die liet zich niet met de rest voegen in het tafereel van een triomftocht met de kleuren van een goedmoedig minzaam fatsoen.

Op dit moment zag ik pas de zwaarbewapende mannen achter in zijn wagen. Zij zagen er met hun strakke gezichten veel minder minzaam uit. Zij zaten daar, naar links en rechts leunend, klaar voor de sprong, zij tuurden naar de menigte. Zij zagen iedereen. Ze hoorden zo volkomen bij het beeld dat men hen bijna over het hoofd zag vanwege de hoofdpersoon achter de voorruit. Het uitgelaten gejuich op straat scheen hen niet te raken. Zij zaten met gespannen lichamen en toen de mensen dicht om de auto heen dromden, kwamen ze een beetje van hun zitplaats omhoog, plantten hun voeten steviger op de grond en keken nog strakker om zich heen.

Niemand schonk hun eigenlijk veel aandacht. Zij waren de bijfiguren, men nam hen op de koop toe, zo was men eraan gewend geraakt dat ze bij het tafereel hoorden.

Klaarblijkelijk was ook ik in het begin zo verrast door zijn aanblik dat de gedachte niet bij me opkwam alle figuren in de auto als een eenheid te zien zonder hoofd- of bijfiguren. De hele stoet was zo snel voorbij, de indrukken overweldigden me, ik was opgewonden en de woorden die hij zo haastig had gesproken – 'De kinderen, de kinderen!' – hadden mij bijna van mijn stuk gebracht. Ik had geen wapen bij me en ik had trouwens helemaal niet de bedoeling hem iets aan te doen. Wat mij betreft had hij de gewapende mannen achter in zijn auto thuis kunnen laten. Toen zag ik hoe gespannen ze waren, hoe ze de handen op de rand van de auto legden en zich naar buiten bogen, terwijl ze ieder individu in de menigte scherp opnamen. De gedachte schoot me door het hoofd: nu komen ze, ze hebben je ontdekt, nu springen ze uit de wagen en dan grijpen ze je. Ik beet mijn tanden op elkaar. Tegelijk zag ik dat hij nog steeds minzaam en vaderlijk voorin stond en schijnbaar niet wist wie hij achter in zijn wagen bij zich had.

Plotseling was alles voor mij veranderd. Mijn waan viel in duigen. Ik begreep dat ik mezelf had misleid en dat ik hem hielp zichzelf te misleiden én mij. Als ik hem te vriend hield, hoefde ik de mannen achter in zijn auto niet te zien en dan kon ik hem ertoe brengen ze ook niet te zien als hij ze bij zich had. Maar zij waren altijd om hem heen. Zij waren een deel van hem. En als ik hem te vriend hield en hem ertoe bracht ze niet te zien, dan hoefde ik ook niet te zien wie hij achter in zijn wagen meenam. Het was een dubbel bedrog.

Ik heb ervoor moeten boeten. Ik heb zwaar moeten boeten voor mijn kinderlijke dwaasheid. Als een kind ben ik hem tegemoet gegaan, een en al angst dat men mijn gedachten zou kunnen raden – ik wilde ze mijzelf niet bekennen. Ik heb hem gedood, in mijn gedachten heb ik hem neergeschoten. Niemand heeft het geweten. Misschien alleen een van de zwaarbewapende mannen achter in zijn wagen. Nog voordat hij zich kon omdraaien en het bevel kon geven, heb ik hem neergeschoten. Het duurde een tel. Maar hij viel, ik heb duidelijk gezien dat hij viel. Hij viel achterover in de armen van de zwaarbewapende mannen en ik kon het niet geloven en toen ik scherper keek, stond hij rechtop met glanzende ogen en keek hij naar iets wat tussen hemel en aarde zweefde. Ik keek beklemd toe. Ik dacht niet: nu schiet ik, en ik haat hem, ik schiet hem dood. In mijzelf heb ik hem doodgeschoten. Alleen deze ene gedachte beheerste me nog terwijl ik daar stond in de volle werkelijkheid en probeerde te begrijpen dat hij het was die hier voorbijreed, de gedachte: wat een kans voor een man van de daad. Wat een kans!

Toen was alles weer voorbij. Verderop in de straat zwol het gejuich aan, het steeg op langs de grijze huizen tot aan de daken en ebde weer weg, verderop hoorde je het weer aanzwellen en wegsterven. Daarna was het niet meer dan een echo in de verte en ten slotte klonk het gejuich alleen nog even na in je oren, als een herinnering.

Ik leunde weer tegen de muur en de mensen trokken langs me heen. Ik zag hun gezichten en hoorde hun gesprekken, en alles was weer zo onwerkelijk in zijn werkelijkheid.

'Ik heb hem voor het eerst van heel dichtbij gezien,' zei een vrouw en ze liep blij verder.

Ik zag hem voor me, hij danste als een fakkel voor mijn ogen. Ik probeerde hem met mijn blik vast te houden, maar het lukte me niet meer. Toen schoot het door me heen dat op het ogenblik waarop hij zijn blik over de menigte liet zweven, onze blikken elkaar een fractie van een seconde hadden geraakt.

Ik stelde me precies voor hoe alles was gegaan, hij daar en ik hier.

Maar helaas. Het oude bedrieglijke spel van de fantasie was ten einde. Ik had hem in levenden lijve van nabij gezien en hij was me nader gekomen, zijn bestaan had aan bewijskracht gewonnen, ikzelf was er nu diep van overtuigd. De vaderlijke minzame man en op de achtergrond de zwaarbewapende mannen! En dan de martelende gedachte: wat een kans voor een man van de daad. Wat een kans! De mensen om mij heen waren opgewekt, zij gaven elkaar de arm, lachten en gingen, een mooi bedrog rijker, naar huis.

Ik was terneergeslagen en moe. Het liefst was ik gaan liggen slapen op een bank in het park dichtbij. Ik zag alleen nog de zwaarbewapende mannen met hun dreigende gezichten, hun gespannen lichaam, klaar voor de sprong. Zijn gedaante verdween als in een nevel, alleen die mannen bleven. Hij nam hen overal mee naartoe en zij voerden zijn bevelen uit. Hij kon hun die geven per telefoon of per grammofoonplaat. Zij voerden ze uit. Jaren geleden had ik zijn stem op de radio gehoord.

En zo zag ik, ook later, zelfs in zijn meest onmenselijke daden nog een rest van die ondoordringbare nevel waarin hij stond en vanwaaruit hij zijn bevelen gaf en zijn daden liet verrichten. Met welk doel?

Was het misschien dit, dat hij nog verschrikkelijker in de greep van een hogere macht gevangen was dan wij in de zijne?

15

IJsbloemen op de ruiten, ijzige wind om het huis. 's Nachts stond de maansikkel scherp tegen de hemel getekend, alsof de vrieskou hem uit het firmament had losgewrikt. Buiten jagen onzichtbare vliegtuigen onder de bevroren sterren. Het doffe lawaai van hun motoren is de taal die de dood in de nacht spreekt tot de nacht. Wie weet op wie de dood het vannacht heeft gemunt. Ik lig met al mijn kleren aan op bed, luister naar het lawaai in de nacht en laat mijn gedachten gaan. Als kleine vliegtuigjes zoemen ze mijn hoofd in en uit, in de verte stijgen ze op, bijna hoorbaar, ze komen dichterbij en nu zijn ze boven en rondom mij. Het ebt weer weg, ik blijf luisteren en alleen de zachte zekerheid blijft dat zij eens bij me zijn geweest.

Vele jaren geleden heeft iemand me een verhaal verteld, een dierenverhaal, en hoewel ik niet eens van dierenverhalen houd, heeft het mij destijds zeer getroffen. Maar ik deed alsof het me in de kern van de zaak niets aanging, alsof het een verhaal was van een andere planeet. Je kon het onthouden of vergeten, en ik was het vergeten. Lange tijd was het geheel uit mijn gedachten. Plotseling dook het weer op. Er was sprake van elanden en van wolven en van allerlei dat zich afspeelt tussen elanden en wolven.

Destijds had ik het verhaal niet helemaal begrepen, alles was toen anders en verward, ik was jong en dacht dat zo'n simpel verhaal net goed genoeg was voor de wekelijkse bijlage van een plaatselijk dagblad. Ik herinner me nog dat de elanden stierven omdat zij de wolven misten. Ze waren overgebracht naar een ander land en daar waren geen wolven. Aangezien elanden echter de angst voor de wolven nodig hebben om in leven te blijven, stierven ze uit. Ik vind het leuk me dit kleine verhaal weer te herinneren en ook degene die het me destijds verteld heeft, de hemel mag weten wat hem bewoog dat verhaal voor mij op te dissen. Ik heb hem er niet voor bedankt en ben kort daarna weggegaan na een afscheid zonder woorden.

Misschien ben ik zelf een eland geweest, destijds en in de jaren die erop volgden. Ach, had ik maar een wolf kunnen zijn! Maar ik verzette me uit alle macht en verborg mijzelf diep in mijn angsten. Misschien gebeurde het omdat ik de druppel liefde niet wilde verliezen, misschien omdat ik als kind al had ervaren wat er in een donkere kamer kan gebeuren. Het duurt lang, voor je geleerd hebt je leed te dragen als een rugzak.

Het verhaal van de elanden is uit, zij stierven. Maar hoe verging het de wolven? Wie vertelt het slot van hún verhaal?

Deze en dergelijke gedachten bestormen me, onophoudelijk komen ze aanvliegen en vliegen ze weer weg en ik lig wakker op mijn bed en hoor hoe de vliegtuigen door de ijzige nacht jagen. Het is koud in mijn kamer en plotseling spring ik op en loop ik naar de kleine potkachel, die leeggebrand in de hoek staat.

Ik leg mijn hand op het koud geworden deksel en voel hoe het was toen het vuur hem van binnenuit nog verwarmde. Vroeger zag ik mijn vader nog weleens hier in de kamer, en dan keek hij naar het vuur voordat het helemaal uitgebrand was. Hij was oud en droeg een emmer met hout en turf, dan schudde hij het rooster en wakkerde de gloed onder de as weer aan. Hij wachtte tot het hout brandde en liep dan met slepende passen de kamer weer uit.

Ik heb hem laten gaan, hij droeg een rugzak op zijn rug toen hij ging. Moeder huilde.

Ik loop op en neer door mijn kamer, blijf staan en sla mezelf met gekruiste armen op borst en rug om het weer warm te krijgen. Dat voelt goed en ik loop terug en ga weer op mijn bed liggen. En wacht. Zo vergaat de tijd. In mijn hoofd begint het oude spel van warrelende gedachten weer, ik zie mensen, dieren, een auto met een man naast de chauffeur, kinderen, ik hoor gesprekken, uitroepen en plotseling is mijn vader de kamer weer binnengekomen. Ik weet dat het allemaal bedrog en verbeelding is, een spel van wensen die niet verwezenlijkt worden, maar ik geef me er graag aan over, ik verzet me niet langer. Over enkele uren is het dag en dan beloof ik de dingen van het leven beter te scheiden van die van de dood. Vader is oud, hij lijkt me ouder dan de laatste keer toen ik hem zag. Hij praat tegen me, of zijn het mijn eigen gedachten die in hem opklinken, maar ik hoor zijn stem en hij zegt:

Herinner je je mijn woorden?

Ja, vader, antwoord ik.

Hij komt naar mijn bed toe, en ik sta op en ga hem tegemoet.

Nu is het zover, zegt hij, ben je niet bang?

Ik ben bang, antwoord ik beklemd, maar zolang ik niet wist dat ik bang was, had hij me meer in zijn macht dan nu.

Heb je gehoord wat ze overal van hem vertellen? Hoe hij tekeergaat in stad en land?

Ik weet het!

Hij is een wild roofdier. Ook jou zal hij aanvallen, zoals hij ons heeft aangevallen. Ben je het vergeten?

Ik vergat het soms, als ik ook mijn angst wilde vergeten.

Hij heeft ons leven vergiftigd met angst en vrees. Hoe anders, hoeveel beter had het kunnen zijn als hij er niet was geweest.

U vergist zich, vader, zeg ik langzaam en kijk naar de grond, u vergist zich. De elanden zijn weggetrokken en zijn gestorven. Niemand begreep waarom. Maar nu woedt de dood onder de wolven.

Hij zwijgt en loopt met slepende passen naar de kachel in de hoek. Het is hier koud, zegt hij, heb je geen hout? Wie heeft je gezegd dat de dood onder de wolven woedt?

Ik heb mijn vijand herkend, vader, antwoord ik. Ik heb veel aan hem te danken. In hem heb ik mijn angst herkend. De bitterheid van de vijandschap schonk mij de zoetheid van het inzicht.

En wat gaat er nu gebeuren?

Ook de wolven zijn sterfelijk. Zij zijn in de ban van iemand wiens macht groter en vreselijker is dan de macht van de wolven over de elanden.

Ik kan het niet meer geloven. Waarom is dit niet eerder gebeurd? Was er dan voor ons geen genade?

Ook de vijand heeft deel aan de genade, ik kan dit niet vergeten. Al heeft dit me te lang gehinderd om zijn ondergang te kunnen wensen.

Ik begrijp het niet meer, zegt hij droevig. Zie je de ouderdom van je vader niet, moet ik je vertellen van mijn angsten?

Ik ken ze, vergeef me, ik ken ze. Ik heb zelf genoeg geleden. De tijd voor de wolven wordt ook bepaald door de elanden. Maar nu ben ik in een feestelijke stemming en binnenkort gaan we feestvieren.

Feestelijke stemming? Feestvieren? Ik hoor zijn wanhopige lach en hij verdwijnt in de donkere achtergrond van de kamer. Je lastert, zegt hij bitter, ik ben niet gekomen om te horen hoe je lastert.

Ik bereid me voor op zijn dood, vader. Nog even en dan sterft hij.

Op zijn dood? Mijn zoon, kom aan mijn hart, ontvang mijn zegen. Vertel me over zijn dood, over het eind van alle lijden. Heb jij ook niet verlangd naar het einde? Eindelijk worden wij gewroken. Maar vertel dan toch over zijn dood!

Hij blijft in de donkere achtergrond en ik sluit mijn ogen om hem nog één keer duidelijk te zien.

Ik ben bang dat ik dat niet kan. Het is zo anders dan haat en wraak het gehoopt hadden.

Zijn stem:

Zijn dood alleen is al voldoende. Vertel!

Hij zal vallen, vader, zoals alles valt wat afgestorven is. Als een dode tak, kaal en verdroogd, die door een bergbeek wordt meegesleurd naar de afgrond. Of als een steen uit de ruimte, koud en hard in zijn val door de blinde nacht, geen lichtend spoor van vonken voordat hij diep in de bodem van de steppe inslaat, een steppe door geen mens of dier ooit betreden – zo zal zijn dood zijn, kaal en onvruchtbaar als de steenslag waarin hij onherkenbaar ligt, een brok van een uitgedoofde planeet, en er is niets meer te vertellen.

16

Langer kan ik niet wachten – de dood, ik kan niet nog langer wachten op zijn dood. Eens zal het nieuws komen, misschien morgen, misschien zelfs vandaag? Ja, misschien morgen, maar ik kan ook niet meer wachten tot morgen.

Ik heb het bericht gekregen, het lang verwachte. Er werd geen plaats en geen tijd genoemd. Men zegt dat hij al weken geleden, van iedereen verlaten, aan zijn eind is gekomen, ergens. Hij stierf de enige dood die hij kon sterven, door zijn eigen hand – niet de dood van het sprookje. Zijn graf is onbekend. Ik sluit deze aantekeningen. Hijzelf heeft ze gesloten. Met één klap, van vandaag op morgen, heeft zijn noodlot zich voltrokken. Voor mijn gevoel is het eeuwen geleden dat het gebeurde.

Ik voel me somber worden. Ik ga zitten en ik denk aan deze en gene die mij na stond en die mij lief was, ik denk met één allesomvattende gedachte aan allen die ik door hem verloren heb. Pijn en verdriet, mijn leven is leeg geworden. Bijna had ik geschreven dat het door zijn dood nog leger is geworden, maar nee, inwendig luister ik al ingespannen of ik in mij al de stem van de vreugde hoor klinken omdat hij nu eindelijk dood is. Ze hadden hem dood moeten slaan!

Hij heeft zichzelf doodgeslagen.

Ik wist vanaf het begin dat ik hem zou verliezen, ja, ik heb nooit de minste twijfel gekend dat hij niet mij, maar dat ik hem zou verliezen. Hij was uiteindelijk niet in staat zonder mij verder te leven. Mijn bestaan verontrustte hem, en die onrust garandeerde hem lange tijd zijn bestaan. Zolang hij mij kon bestrijden, had hij vaste grond onder de voeten. Toen hem alles lukte en hij overwinnaar werd, was hij die vaste grond meteen weer kwijt. De dwaas, hij heeft in mij gevochten tegen wat hij in zichzelf nooit onder ogen durfde te zien. Hij had mij immers nodig in zijn razernij om zich achter mij voor zichzelf te verbergen. Hij heeft zichzelf nooit gekend. Ik heb in hem liefgehad wat ik in mijzelf niet kon vernietigen. Ik wilde dit verlies voorkomen, ik dacht dat het in mijn macht lag hem tegen te houden en hem tot iets blijvends om te vormen. Ook ben ik veel vergeten en heb ik meer verliezen moeten incasseren die ik over het hoofd had gezien en die nu pijnlijk zijn. Ik was een dwaas, tot ik merkte dat het om mijn leven ging.

Maar ook toen heb ik hem niet geheel verlaten. Ik wist dat hij het was die onze vijandschap zou verraden en verlaten. En als jullie het per se willen weten, ja, ik ben een beetje blij dat hij dood is. En tegelijk doet het me verdriet dat ik hem nu kwijt ben. Waarom?

Een stuk van mijn leven heeft hij in zijn dood meegenomen, onherroepelijk. En een greintje van zijn dood heeft zich in mij verontrustend uitgezaaid.

‘Ik kom uw aantekeningen terugbrengen.’

De advocaat zat op zijn kantoor achter zijn afgeladen bureau, een dichte walm sigarenrook hing in de kamer.

Hij stond op en zei: ‘Mijn aantekeningen? Dacht u heus…? Ze zijn niet van mij, hoor.’ Hij lachte. ‘Ze zijn echt.’

Ik gaf hem de map.

‘Een sigaar?’

‘Nee, dank u.’

Wij gingen zitten.

‘En?’ begon hij opnieuw. ‘Ik ben heel benieuwd.’ Hij begon me op een vreemde manier aan te sporen. ‘Wat vond u ervan? Vertel!’

‘Wat wilt u horen?’

‘Niet iets speciaals. Is het u bevallen? Kom, zegt u dan toch eens iets.’

Ik lachte. ‘U kunt van mij geen literaire kritiek verwachten,’ zei ik. ‘Een esthetisch oordeel is de grootste mystificatie waartoe men zich kan laten verleiden. Bovendien staat op deze bladzijden heel duidelijk dat zij niet als literair product bedoeld waren. Het zou niet fair zijn daarmee geen rekening te houden.’

‘Een diplomatiek antwoord,’ antwoordde hij. ‘Ik heb het hele pakket van de schrijver ontvangen met de verzekering dat het geen enkel woord bevat dat mij in gevaar zou kunnen brengen als ik het bewaarde.'

'Geloofde u hem?'

'In het begin wel, maar toen had ik het nog niet gelezen. Later heb ik het even ingekeken.'

'En?'

'Toen heb ik het begraven. U ziet wel aan hct papier dat het vochtig is geweest. Wij leven in een waterland.'

'Hoe kan iemand zo naïef zijn,' zei ik. 'Ook al heeft hij zich nog zo veel moeite getroost uit zijn aantekeningen de sporen te verwijderen waaruit je concrete conclusies zou kunnen trekken, dan vind ik het toch nogal duidelijk wie de schrijver was en waar hij vandaan kwam.'

'Ik ook,' antwoordde hij lachend.

'Hijzelf vond dat blijkbaar niet. Waarschijnlijk heeft alleen de camouflage hem geïnteresseerd.'

'Hij heeft het onder druk geschreven, als onderduiker, vergeet u dat niet,' zei hij fel. 'Vandaar de vage aanduidingen van plaats en tijd. Maar vindt u dit zo belangrijk?'

Ik keek hem aan.

Het was een grote, breedgeschouderde man. Tijdens de hongerwinter was hij kilo's en kilo's afgevallen en hij zag er nog steeds niet zo uit als vroeger. Het was nog niet de man zoals men zich die voorstelt bij een weldoorvoede, brede Hollander met het typerende gezicht van de intellectueel.

Ik wist dat hij in de oorlog een belangrijke rol had gespeeld in het verzet en dat hij uitzonderlijk handig en volhardend met de bezettingsautoriteiten was omgesprongen, waardoor hij hun meer schade had berokkend dan menige bomaanslag. Ook nu nog leek hij in staat me met deze aantekeningen te misleiden. Kennelijk zag hij mijn twijfels. Hij had er plezier in mij voorlopig in het onzekere te laten.

'Een gedenkwaardig verhaal is het in elk geval,' zei ik. 'Een eland die treurt om de wolf die hem moet opvreten. Menselijk gesproken een dubieuze houding, al begrijp ik het wel.'

'U vergeet,' antwoordde hij vol vuur, 'dat er duizenden zijn geweest die zich zo hebben laten opjagen tot in de dood toe. Ik heb gezien hoe ze met hun razzia's het zuiden van onze stad hebben leeggehaald.' Hij zweeg en keek de rook van zijn sigaar na. Mij was hij vrijwel vergeten.

'Die trams,' zei hij half in zichzelf. 'Die trams reden de hele nacht door, niemand sliep, en dan het gesnerp en geknars van de wielen door de rails in elke bocht. Vreselijk.'

Zwijgen.

'Waarom is hij zijn aantekeningen na de oorlog niet komen afhalen?' ging ik verder. De advocaat haalde zijn schouders op. Hij rookte zijn sigaar.

'Dat begrijp ik niet,' ging ik verder.

'Nog wel meer mensen hebben hun spulletjes nooit meer afgehaald.'

'Dat is wat anders.'

'U denkt dus dat hij nog leeft?'

'Dat schrijft hij zelf, hij heeft over de dood van zijn tegenstander geschreven.'

Hij dacht even na, keek me toen aan en beet op zijn onderlip. 'Hij is dood,' zei hij.

'Dood?'

'Ja, gesneuveld.'

'Maar hij heeft het toch beschreven!'

'Fantasie,' zei hij kortaf.

'Wanneer is hij gesneuveld?' vroeg ik.

'Voor het einde.'

'Voor het einde?'

'Ja.'

Ik dacht erover na dat hij gesneuveld was en zweeg.

'Hij is dood,' zei hij. 'Ik kan het u gerust vertellen. Hij was een van onze helden. Hij was geen geboren Hollander, hij is als vluchteling naar ons land gekomen. Later, kort voor de oorlog, liet hij ook zijn ouders komen. Ik heb hem destijds geholpen met een verzoek aan onze regering. Ze woonden in een houten huisje, ergens buiten. Hij had de leiding over een falsificatiegroep, ze vervalsten belangrijke papieren, persoonsbewijzen, documenten. Bovendien maakt hij microfilms. Bijna niemand wist dat.'

'U wel?'

'Nee.'

'Hoe is hij gesneuveld?'

'Heel eenvoudig, heel weinig heroïek, door een liefdesgeschiedenis, hij had een meisje dat blijkbaar een en ander wist.'

'Heeft zij hem verraden?'

'Dat is nooit bewezen' zei hij rustig. 'Waarschijnlijk heeft zij erover gepraat met een vriendin. Ik geloof dat zij echt van hem hield. De vriendin had vreemde connecties, zonder dat men direct kan zeggen dat zij hem heeft verraden.'

'Een ingewikkelde zaak,' antwoordde ik.

'Hij was onvoorzichtig,' zei hij. 'Dat lijkt me de oplossing van het probleem, onvoorzichtig als het om vrouwen ging.'

'Om vrouwen? Onvoorzichtig als het om de liefde ging,' viel ik hem in de rede. Ik had meteen al spijt van die scherpe opmerking toen ik zijn verbaasde gezicht zag. Maar aangevallen voelde hij zich gelukkig niet.

'Als het om de liefde ging,' herhaalde hij peinzend en knikte even naar me, alsof mijn interruptie ook zijn allerlaatste twijfel aan zijn einde wegblies.

Toen ging hij verder. 'Op een dag kwam hij 's middags om een uur of vier bij haar theedrinken.'

'Kon hij zich vrij bewegen?'

'Hij had een voortreffelijk persoonsbewijs.'

'Echt?'

'Vervalst natuurlijk. Op dezelfde verdieping woonde het vriendinnetje van de chef van de SD. Klaarblijkelijk waren ze hem op het spoor. Het vriendinnetje van zijn geliefde moet haar mond voorbij hebben gepraat tegenover de chef. Hij belde aan. Toen er werd opengedaan, zag hij boven aan de trap een uniform. Hij liep weg. De ander volgde hem en op straat schoot hij hem neer.'

'Wat een stommiteit, hij liep dus in de val.'

'Het verhaal is nog niet uit. Luister verder. Hij had altijd een revolver bij zich. Hij was geraakt. Toen hij viel, had hij zijn revolver al getrokken. Tijdens zijn val vuurde hij. De ander stierf kort na hem.'

'Hij heeft dus toch geschoten.'

'Ja,' antwoordde hij. 'U dacht dat wat hij schreef, gelogen was? Natuurlijk heeft hij geschoten en raak ook. Ze lagen alle twee op het trottoir. Wij hadden een goede man en een gevaarlijke vijand verloren. Ter herinnering hebben wij op de plaats waar hij is gevallen een plaquette aangebracht. Die noemt alleen zijn naam en de datum.'

(1944 / 1959)